HEYNE‹

Über die Autorin
Yangzom Brauen, Jahrgang 1980, wuchs als Tochter der Tibeta-
nerin Sonam Brauen und des Schweizers Martin Brauen in der
Schweiz auf. Heute pendelt sie als Model und Schauspielerin
zwischen Los Angeles, New York, Berlin und Zürich. Trotz ihres
westlich geprägten Lebens hat sie ihre Wurzeln nie aus den
Augen verloren und engagiert sich für ein freies Tibet.

Yangzom Brauen

EISEN VOGEL

DREI FRAUEN AUS TIBET
Die Geschichte meiner Familie

WILHELM HEYNE VERLAG
MÜNCHEN

Hinweis:
Einige Orts- und Personennamen wurden zum Schutz
der noch in Tibet lebenden Verwandten Yangzoms geändert.

Verlagsgruppe Random House FSC-DEU-0100
Das für dieses Buch verwendete
FSC®-zertifizierte Papier *Holmen Book Cream*
liefert Holmen Paper, Hallstavik, Schweden.

5. Auflage
Taschenbuchausgabe 12/2010

Copyright © 2009 by Wilhelm Heyne Verlag, München,
in der Verlagsgruppe Random House GmbH
www.heyne.de
Printed in Germany 2012
Karte: © Heiner Newe, Altensteig-Wart
Umschlaggestaltung: Hauptmann & Kompanie Werbeagentur AG, Zürich
Umschlagfoto: © Tashi Brauen (Frauenportrait)
und © Onasia/JupiterImages (Klosterdach)
Satz: Leingärtner, Nabburg
Druck und Bindung: GGP Media GmbH, Pößneck

ISBN: 978-3-453-64526-4

Meinem Pala gewidmet,
der sich seit seiner Jugend für die Freiheit
des tibetischen Volkes und die Bewahrung
der tibetischen Kultur eingesetzt hat

INHALT

PROLOG
AM ZIEL

Es ist später Herbst. Der Wind pfeift und rattert über verdorrte Wiesen und Felder. Sobald ich aus dem Schatten des Hauses trete, drückt mich diese himmlische Kraft so stark zur Seite, dass ich mich dagegenstemmen muss wie gegen jemanden, der mich wegschieben will. Mola kann nur breitbeinig gehen, sonst würde sie umfallen. Der Wind fährt in ihr bodenlanges rotes Kleid wie in ein Segel, und sie muss aufpassen, nicht das Gleichgewicht zu verlieren. Mola bedeutet »Großmutter« auf Tibetisch. Meine Mola ist eine neunundachtzigjährige buddhistische Nonne, die, wie es sich gehört, ihr schlohweißes Haar kurz geschoren hat und keine anderen Farben außer Rot, Orange und Gelb trägt. Mola will um das Haus herumgehen und kora *machen, wie sie das jeden Tag tut.* Kora *nennen wir Tibeter den in Gebeten versunkenen Rundweg um etwas Heiliges, eine Art Pilgerschaft, die viele Hundert Kilometer, aber auch nur ein paar Hundert Meter lang sein kann.*

Hier gibt es kein buddhistisches Heiligtum, denn wir sind auf der griechischen Insel Paros versammelt, meine gesamte Familie und ich. Mola hat ihre eigenen Kultgegenstände mitgebracht, ein Foto vom Dalai Lama, ein Bildchen von ihrem Guru Dudjom Rinpoche und ein kleines, in einen Goldrahmen gefasstes Bild Buddhas. Sie hat die beiden in einer Mauernische im Wohnzimmer des uralten Bauernhofs aufgestellt, in dem wir unsere Ferien verbringen, gleich gegenüber von ihrem Bett. Davor hat sie ein paar Räucherstäbchen gelegt, und fertig war ihr kleiner Reisealtar. Für sie ist der das Heiligste auf der ganzen Insel, und darum wollte sie um ihren Altar kora machen, einmal im Uhrzeigersinn um das Haus und den Garten herum, aber der Wind ist so stark, dass sie ihren Gang auf später verschieben muss.

Wie meine Eltern und mein Bruder auch ist meine Mola nur für einen kurzen Urlaub nach Paros gekommen, denn eigentlich lebt sie in Bern, im alten Schweizer Haus meiner Familie. Dort hat sie ihren großen Altar stehen, alle ihre Kostbarkeiten, dort verrichtet sie ihre täglichen Gebete, dort reicht sie ihre Opfer dar, denn eine tibetische Nonne hat ein umfangreiches tägliches Programm zu absolvieren.

Das Leben hat meine Familie in alle Windrichtungen verstreut: Bern, Zürich, Los Angeles, New York, Berlin. Eigentlich müssten wir alle in Pang leben, einem abgelegenen Bergdorf im Südosten Tibets. Dort, wo meine Großeltern Mönch und Nonne in einem Kloster waren, aus dem sie im Winter 1959/1960 flüchten mussten vor den chinesischen Soldaten, die Kloster für Kloster systematisch dem Erdboden gleichmachten. Noch heute ächzt Tibet, das Land meiner Mutter und meiner Großmutter, das Land, aus dem sie vor fünfzig Jahren geflohen sind, mein Land, unter der chinesischen Besatzung. Ohne diese Flucht wären wir nicht auf Paros, ohne diese Flucht würden wir nicht in diesen Sonnenuntergang sehen.

Der rote Ball ist fast schon versunken, als Mola zu singen beginnt. Als Kinder hörten mein Bruder und ich oft ihre alten Lieder, aber nun hatten wir Mola schon lange nicht mehr singen gehört. Mit dieser Stimme, die schon ein wenig brüchig klingt, aber doch klar ist und mild und uns etwas erzählt von einer lange versunkenen, weit entfernten Welt. Mit dieser Stimme, die uns von Tibet erzählt. Mola singt, wie sie als junges Mädchen sang, als sie als Einsiedlerin unter anderen Nonnen in einer Laubhütte hoch oben in den tibetischen Bergen lebte. Damals meditierte sie zu den ersten Lichtstrahlen des Tages.

Nun meditiert Mola zu den letzten Strahlen des Tages, gegen Ende ihres langen Lebens. Sie tut das ohne Schmerz, ohne Wehmut und ohne Trauer. Sie ist ganz da, ganz bei uns. Sie weiß, dass sie eines Tages in vielleicht nicht so ferner Zukunft gehen wird, doch das macht ihr keine Angst. Sie ist ruhig und gelassen, sie hält nichts Irdisches fest.

Wir sehen der Sonne nach, wie sie hinter den Bergen versinkt und uns in einer dunkler und dunkler werdenden Landschaft aus Stein und Himmel zurücklässt. Fast sieht es hier wie in Tibet aus, und darum gefällt es meiner Familie hier auch so gut. Als das letzte Leuchten verlischt, verstummt auch Mola. Ich muss schlucken. Mir ist, als wären wir am Ziel einer weiten Reise. Einer Reise, von der ich jetzt erzählen möchte.

GEFANGEN

Aus Angst vor chinesischen Posten marschierten die Flüchtlinge immer nachts durch die Eiseskälte. Nur die Sterne leuchteten ihnen den Weg und erst kurz vor dem Morgengrauen der neue Mond. Schwarz standen die Bergriesen vor einem dunklen Himmel, nur hie und da waren Schneeflecken zu erahnen, Felswände und Wolkenfetzen. Selbst ihren Landsleuten, den Tibetern aus Kongpo im Südosten des Landes, musste die Flüchtlingsgruppe aus dem Weg gehen, denn dort lebte das Bergvolk der Loba. Die Loba arbeiteten für ein paar Säcke Reis oder eine Kiste Schnaps als Wächter für die Chinesen. In der Ferne sahen die Flüchtenden den Widerschein ihrer Feuer und hörten ihre grellen Rufe, *hoy, hoy, hoy.* Dann gingen sie noch schneller. Sonam klopfte das Herz bis zum Hals, stumm rannte sie hinter den Erwachsenen her, die Angst lief ihr trotz der beißenden Kälte heiß den Rücken hinab.

Sechs Jahre alt war Sonam. Sie ist meine Mutter.

Die Gruppe von knapp einem Dutzend Flüchtlingen war kurz vor dem tibetischen Neujahrsfest aufgebrochen, das wie der chinesische Jahresbeginn meist auf den zweiten Neumond nach der Wintersonnenwende fällt. Das Neujahrsfest galt unter den vielen Flüchtlingen, die sich damals auf den Weg machten, als günstigste Zeit: Dann waren die hohen Pässe zwar verschneit, dann pfiffen eisige Winde über die Höhen, dann gab es kaum ein trockenes Plätzchen zum Rasten, doch die Schneedecke war zumindest nachts festgefroren und manchmal sogar tagsüber stabil, im Gegensatz zur warmen Jahreszeit, in der Wanderer an den Flanken der Berge bei jedem Schritt knietief oder bis zum Bauchnabel in einer Mischung aus Schnee, Firn, Wasser, Schlamm und Geröll einsanken. Außerdem war allgemein bekannt, dass sich die chinesischen Grenzwächter im Winter lieber in ihren behelfsmäßigen Kasernen wärmten, als in der beißenden Kälte auf Patrouille zu gehen. Überhaupt würden die Soldaten zum Neujahrsfest, also an den wichtigsten chinesischen Feiertagen, das Feiern, Trinken und Kartenspielen ihren eigentlichen Aufgaben vorziehen.

Als die Rufe der Loba langsam in der Winternacht verklangen, sahen die Flüchtlinge in der Ferne bereits die nächste Gefahr heraufziehen. Im Tal tief unterhalb ihres Pfades tauchten hell erleuchtete große Häuser auf, in denen nur chinesische Soldaten sein konnten, denn Tibeter besaßen keine solch riesigen und gleichförmig gebauten Häuser, in denen so helles Licht brannte und aus denen so ungewöhnliche Laute drangen. Aus diesen Häusern war Stimmengewirr zu hören, krachende Musik, Gelächter, manchmal furchterregendes Geschrei, denn die chinesischen Soldaten liebten *chang*, das tibetische Bier, und Gerstenschnaps, womit sie sich vermutlich über die Feiertage reichlich eingedeckt hatten. Es war eine schauerliche Geräuschkulisse, wie eine ferne Versammlung einer wilden Herde, vor der sich die kleine Sonam noch mehr ängstigte als vor den Rufen der Loba von den Lagerfeuern, doch ihre Mutter beruhigte sie flüsternd. »Es ist gut, dass sie feiern«, sagte sie, »wenn sie es warm haben und betrunken sind, kommen sie nicht hierherauf.«

Der Pfad, den die Flüchtlingsgruppe in jener Nacht eingeschlagen hatte, war schmal und steinig und in der Finsternis kaum zu erkennen, so dass es keinen Unterschied machte, ob es diesen Pfad überhaupt gab oder nicht. Oft musste sich die Gruppe durch dorniges Gestrüpp und Geröllfelder, und dann wieder zwischen niedrigen Bäumen hindurch einen Weg bahnen. Die Luftwurzeln der Bäume brachten die Fliehenden zum Stolpern, und die trockenen Äste zerkratzten ihnen Gesichter und Hände. Alle waren verschrammt, hatten blutige Füße, ihre Kleidung war zerrissen. Je höher hinauf sie kamen, desto öfter mussten sie Schneefelder durchqueren. Im Winter lag der Schnee in den Tälern bis auf dreitausend Meter herab. Das klingt für Europäer nicht sehr winterlich, doch Tibet liegt nicht nur hoch, sondern auch sehr südlich, auf demselben Breitengrad wie Ägypten oder die Kanarischen Inseln.

Im Winter 1959, desselben Jahres, in dem der Dalai Lama ins Exil geflohen war, verließ auch meine Familie Tibet und flüchtete nach Indien. Damals wurde auf erschreckende Weise eine Weissagung des Padmasambhava, dem »Lotusgeborenen« und Begründer des tibetischen Buddhismus, wahr. Die Ursprünge dieser angeblich zwölf Jahrhunderte alten Prophezeiung liegen aber im Dunkeln. Sie besagt: »Wenn der Eisenvogel fliegt und die Pferde auf Rädern rollen, dann wird das Volk der Tibeter wie die Ameisen über die ganze Welt verstreut, und die buddhistische Lehre wird das Land des roten Mannes erreichen.« So flogen die Eisenvögel, die chinesischen Flugzeuge, tatsächlich über mein Land, und die Pferde auf Rädern, die chinesischen Eisenbahnen, brachten Truppen bis fast an die Grenze, als sich meine Vorfahren auf ihren gefährlichen Weg machen mussten.

Die Chinesen hatten unser Land zwar schon 1950 überfallen und besetzt, doch erst Jahre später ließen sie ihre anfängliche falsche Freundlichkeit fallen und begannen damit, systematisch

Tibeter zu verhaften, zu foltern und einzusperren, besonders buddhistische Geistliche und Adlige. Da meine Großeltern Nonne und Mönch waren, befanden sie sich in großer Gefahr. Ihr Kloster wurde von chinesischen Soldaten überfallen und ausgeraubt. Auch im Dorf unterhalb des Klosters wüteten die Chinesen. Sie zerrten Adlige an den Haaren über den Dorfplatz und verprügelten sie, ließen sie Latrinen putzen, zerstörten ihre Häuser, raubten ihre heiligen Statuen und verteilten ihr Land. Sie stahlen Vieh, beschimpften hochehrwürdige Lamas und traten die jahrhundertealte Ordnung des Dorfes mit Füßen. Wegen dieser Barbarei hatten sich meine Großmutter Kunsang Wangmo und mein Großvater Tsering Dhondup zusammen mit meiner Mutter Sonam Dölma und ihrer vierjährigen Schwester zur Flucht nach Indien entschlossen. Sie wollten zu Fuß den Himalaja überqueren, mit wenig Geld, ohne Vorstellung von den Strapazen der Strecke. Mit nichts ausgerüstet als mit selbst genähten Lederschuhen, Wolldecken, einem großen Sack *tsampa*, geröstete und danach gemahlene Gerste, und der sicheren Überzeugung, dass die Flucht in das Land, das auch den Dalai Lama aufgenommen hatte, ihre einzige Überlebenschance sei. Eine Überzeugung, die durch nichts begründet war als durch ihren felsenfesten Glauben: Meine Großeltern konnten kein Wort einer indischen Sprache, sie kannten keinen Menschen auf dem ganzen Subkontinent, sie wussten nicht, wohin sie sich dort wenden sollten, und sie hatten nicht die geringste Vorstellung, was sie erwarten würde – bis auf das Wissen, dass der für sie höchsten Autorität dort Gnade widerfahren war, dem Dalai Lama, den sie noch dazu nie in ihrem Leben gesehen hatten. Sie wussten nur wenig über den Himalaja, den höchsten Gebirgszug der Welt, der zwischen ihnen und dem Dalai Lama stand. Ich glaube, sie konnten ihre Flucht nur deshalb beginnen, weil sie keine

Ahnung von den unerwarteten Schwierigkeiten hatten, die sich ihnen auf ihrem wochenlangen Weg entgegenstellen sollten.

Die Schwester meiner Mutter, deren Namen diese längst vergessen hat, starb kurz nach der anstrengenden Flucht. Auch meine Großmutter hat den Namen ihrer jüngsten Tochter vergessen, aber der ist für uns Tibeter auch nicht von Belang.

Wir sprechen nicht gerne über die Toten. Das gehört sich nicht in unserer Kultur. Kunsang, meine Oma, die von meiner ganzen Familie immer nur Mola gerufen wird, mit dem tibetischen Wort für Großmutter, würde mir den Namen ihrer toten Tochter nicht einmal sagen, wenn sie ihn noch wüsste. Wurde sie von Behörden nach einem Namen befragt, nach dem Namen ihrer Eltern oder dem ihres Mannes, wusste sie ihn nicht mehr. Erst nach langem Druck und mit Hilfe meiner Mutter fing sie an, sich an diese verschütteten Namen zu erinnern, doch aussprechen wollte sie sie nie. Mola meint, dass das Bewusstsein eines Verstorbenen durch das Nennen seines Namens oder das Vorzeigen seiner Fotografie angeregt und herbeigerufen werde, und das sei schädlich. So ist auch das Bewusstsein ihrer toten Tochter längst woanders und soll in Ruhe gelassen werden.

Die Führung des Flüchtlingstrupps hatte kein professioneller Schlepper übernommen, wie das heute üblich ist, denn den hätten weder meine Großeltern noch die meisten der anderen Gruppenmitglieder bezahlen können, abgesehen davon, dass es damals kaum professionelle Fluchthelfer gab. Diesen Trupp sollte ein tibetischer Händler über die Berge geleiten, der die Strecke zusammen mit seinen Trägern schon mehrmals zu Fuß bewältigt hatte, um Waren nach Indien und andere Güter zurück nach Tibet zu schaffen. Damals war das die normale Form des Handels. Zwischen Tibet und Indien gab es nur Pfade, aber keine Straßen, Eisenbahn- oder Flugverbindungen. Als Tragtiere kamen auf den hohen Pässen nur Yaks infrage, da Pferde oder Esel in der dünnen Luft keine Arbeit verrichten können.

Diese Reise sollte die letzte sein für den Kaufmann, denn er wollte nicht mehr zurück nach Tibet, er war selbst auf der Flucht nach Indien, um sich dort eine neue Zukunft aufzubauen. Ohne seine ortskundige Begleitung wäre die Gruppe bei der auf vielen Strecken weglosen Überquerung des Himalajas gescheitert. Die Flüchtlinge hätten sich sicherlich verlaufen, sie wären erfroren oder verhungert. Wieder zeigte sich, dass Mola, die den Führer ausgesucht hatte, intuitiv richtig handelte. In meiner Familie hatte meine Oma immer schon den Ruf, in schwierigen Situationen die richtigen Entscheidungen zu treffen, weil sie ein Gespür für die zukünftige Entwicklung der Dinge hat.

Die Schuhe meiner Mutter waren alles andere als berg- oder wintertauglich. Mit ihren glatten Ledersohlen schlitterte sie bei jedem Schritt über den Schnee, alle paar Meter geriet sie ins Straucheln oder stürzte zu Boden. Socken hatte sie keine, und der Schnee drang allmählich durch die grob gestickten Nähte der Schuhe und machte das Heu, das sich meine Mutter gegen die Kälte in die Schuhe gestopft hatte, kalt und glitschig. Sie wollte immerzu weinen, doch ihr fehlte die Zeit und auch die Kraft dazu, denn sie musste sich mit ihrem ganzen Willen darauf konzentrieren weiterzukommen, Schritt für Schritt und Schneeloch für Schneeloch, das die Erwachsenen vor ihr in dem kaum sichtbaren Pfad hinterlassen hatten. Nur nicht zurückbleiben, denn das wäre ihr Ende. Instinktiv spürte meine Mutter das, als ob sie es schon immer gewusst hätte.

Das Weiterkommen wurde für Sonam immer schwerer. Längst war das Wasser in ihren Schuhen gefroren. Ihre Füße fühlten sich wie dicke, schwere Eisklumpen an, die sie durch die

Gegend schleppen musste. Ihre kleine Schwester hatte es besser: Das fast vierjährige Mädchen konnte zwar schon selbst gehen, hätte aber keinesfalls das Marschtempo und die Strapazen der Wegstrecke bewältigen können. Deshalb trug Mola ihre kleine Tochter die meiste Zeit. Fest wie einen Rucksack hatte sie sich ihr Kind auf den Rücken geschnürt, dick in Decken eingewickelt, um es warm zu halten. Niemals hatte die Kleine geweint oder geschrien. Sie streichelte sogar während des Gehens aus ihren Decken heraus den Kopf ihrer Mutter und flüsterte ihr immer wieder tröstend »*ela oh*« ins Ohr. Das bedeutet in der Sprache Kongpos so viel wie »oh, es tut mir leid«. Es war, als wollte sich das Kind bei der Mutter entschuldigen, dass es nicht leichter war. Sehnsüchtig sah Sonam immer wieder zu dem warmen Bündel auf dem Rücken Molas hinauf. Dort drinnen zu hängen, wäre für sie das höchste Glück auf Erden!

Doch meine Mutter musste weiter durch den Schnee stapfen, sich mit zusammengebissenen Zähnen durch die Finsternis quälen. Als nach einem langen Nachtmarsch wieder einmal einer dieser für sie so wenig erfreulichen Morgen graute, suchte die Gruppe Zuflucht unter einem Felsüberhang, unter dem sich zwischen Schnee und Stein eine schmale Höhle auftat, in der ein Kleinkind eben noch aufrecht stehen konnte. Die Wanderer waren froh, diesmal nicht im Schnee liegen zu müssen. Sie waren froh, dass ihnen der Wind diesmal nicht ins Gesicht blies und sie hier bestimmt niemand sehen konnte. Doch zwischen den blanken Felswänden, von denen Eiszapfen hingen, war es bitterkalt. Die Füße meiner Mutter waren schon fast taub, wobei sie kaum unterscheiden konnte, ob diese Taubheit von den Schmerzen herrührte oder durch Eis und Kälte verursacht wurde. Vorsichtig schälte Mola die kleinen Füße ihrer Tochter aus dem mit Eis verklebten Leder, das eher zerfetzten Gamaschen glich als

Schuhen. Noch vorsichtiger zupfte sie die halb gefrorenen, halb zermatschten Strohhalme von den blau angelaufenen Sohlen, um sich Sonams Füße unter ihren Umhang zu schieben, tief hinein in die wärmenden Falten des Gewands, auf die nackte Haut zwischen ihren Brüsten. Was muss das für ein Kälteschock für meine arme Großmutter gewesen sein, und was für eine unbeschreibliche Wohltat für meine kleine Mutter, die ich mir nie so gut als Mädchen vorstellen konnte wie in den Bildern dieser Flucht, die ich durch die vielen Erzählungen darüber lebhaft vor mir sehe.

Das war das einzig Angenehme an der kurzen Rast, die sich die Gruppe erlaubte. Niemand durfte Feuer machen, niemand konnte Schnee zu Trinkwasser schmelzen, und die Flüchtenden hatten bald nicht mehr genügend Nahrungsmittel, war doch niemand auf eine wochenlange Wanderung vorbereitet gewesen. Auch meine Großeltern hatten nach einigen Wochen nur mehr ein paar Handvoll *tsampa* für jeden dabei.

Um den brennenden Durst zu stillen und die aufgesprungenen Lippen zu glätten, gab es nur die Möglichkeit, an einer eisfreien Stelle Wasser von einem der über die Steine laufenden Rinnsale mit den hohlen Händen aufzufangen oder sich etwas Schnee in den Mund zu schieben. Das löschte zwar den Durst, hielt aber nur kurze Zeit vor und hinterließ ein grausam eisiges Gefühl im Hals und in der Brust und später im Magen. Ein Gefühl, das nicht viel besser war als der Durst und der staubtrockene Gaumen und die rissigen Lippen, die immer wieder zu bluten anfingen.

An dem Morgen, als sie hoch genug gestiegen und weit genug entfernt waren von den chinesischen Posten, um auch untertags weitergehen zu können, standen die Berge zum ersten Mal nicht nur als düstere, kaum sichtbare Schemen, sondern hart, hell und weiß und schwarz vor den Flüchtlingen. Wie eine Mauer erhoben sie sich vor ihnen, noch nie hatte meine Mutter etwas Ähnliches gesehen, auch wenn sie immer im Gebirge gelebt hatte. Das waren andere Berge als die, die sie von zu Hause kannte. Diese Berge hatten keine bewaldeten Flanken, keine grünen Wiesen. Auf diesen Bergen grasten keine Yaks, diese Berge wuchsen senkrecht in die Höhe, und sie waren schwarz. Nur dort, wo die Wände weniger steil waren, lag Schnee. Wie ein Stein gewordener Alptraum standen die Berge vor der Gruppe der Flüchtenden, ein so unglaubliches Hindernis auf dem Weg nach Indien, wie sie es auch in ihren übelsten Träumen nie vor sich gesehen hatten. Wenn ihnen damals jemand gesagt hätte, dass es auf dieser Welt Menschen gibt, die nur zum Spaß auf solche Berge steigen, hätten sie kein Wort davon geglaubt.

Doch mit Fels und Eis und Schnee hatte die Natur noch nicht genug Hindernisse vor den Flüchtenden aufgebaut. Aus den Flanken der Berge schoss nach allen paar Stunden Wegzeit ein Bach hervor, ein schäumender Wasserfall oder ein wilder Fluss zwischen senkrechten Felswänden. Die meisten dieser Flüsse waren nur teilweise zugefroren und zeigten frech ihre Kraft. Sie zu durchwaten und mit mindestens bis zu den Hüften durchnässten Kleidern weiterzugehen, war schrecklich. Auf die an den Sohlen festgefrorenen Steinchen zu treten machte jeden Schritt zur höllischen Qual.

Als die Füße meiner Mutter nach ein paar Stunden Marsch wieder ein wenig besser durchblutet waren, hörte sie von weitem ein Rauschen, das sich nach einem reißenden Bach anhörte. Doch dieses Rauschen wurde lauter und lauter, obwohl noch immer kein Wasserlauf zu sehen war, bis meiner Großmutter klar wurde, dass hier der größte Fluss zu queren war, den sie je im Gebirge gesehen hatte. Wild tosend schoss die Flut durch die

Felsen, und über die Schlucht war eine Hängebrücke gespannt. Gott sei Dank, dachte meine Großmutter im ersten Moment, bis sie sah, in welchem Zustand sich diese Brücke befand: Nur vier Seile waren über den Abgrund gespannt, die unten mit Stricken als Querstreben aneinandergebunden waren. Diese Stricke sollten wohl als Trittstufen dienen, doch wie weit waren sie voneinander entfernt, wie viel Gischt und Schaum und Abgrund war zwischen jedem Strick und dem nächstfolgenden zu sehen? Bestimmt, dachte meine Mutter mit Grauen, würde sie da hinunterfallen, würde zwischen zwei Stricken den Halt verlieren und von diesem wackligen, zitternden Brückengespenst in die bodenlose Tiefe stürzen.

Mola ließ ihrer Tochter keine Zeit für solche Gedanken. Mit einem Ruck schob sie sie in Richtung des Abgrundes, um dann selbst voranzugehen, fest an die Seile gekrallt, aber immer mit einer freien Hand für Sonam. Die Brücke fing schrecklich zu schaukeln an, das Wasser tobte so laut, dass selbst Mola, obwohl sie direkt vor meiner Mutter ging, deren grellen Schrei kaum hören konnte. Doch sie fing ihre rutschende Tochter ab, hielt sie oben auf den Seilen und zog sie weiter, selber balancierend und angsterfüllt. Schritt für Schritt kamen sie so über den Fluss auf die andere Seite der Schlucht. Genauso wie die anderen Flüchtenden vor ihnen und vermutlich noch viele Flüchtlinge, die nach ihnen diesen Weg in die Freiheit Indiens gewählt hatten.

Nach der Querung der luftigen Brücke begann für meine Mutter wieder die gewohnte Quälerei: Fuß vor Fuß durch die immer schneereichere und immer eisigere Bergwüste zu stapfen, ohne erkennbares Ziel vor Augen, denn sie sah nichts als Schnee und Eis und Felsen, wie sie schon die letzten Tage nichts als Schnee und Eis und Felsen gesehen hatte. Dazu wurde es kälter, und der Wind pfiff schärfer. Weiter und weiter stieg die Gruppe hinauf in die eisigen Höhen des Himalajas.

Plötzlich brach der Schnee unter Sonams Füßen weg. Meine Mutter rutschte in eine Gletscherspalte neben den Fußspuren der vor ihr Gehenden, die von frischem Schnee zugedeckt war, prallte gegen eine eisige Wand und fiel zwei Meter tiefer in harten Schnee. Voller Panik sah sie, dass es neben ihr noch weiter hinunterging. Sie sah auch, wie weit es hinauf war, nach oben, wo ein weißer, gleichgültiger Himmel voller Schneeflocken über den Bergen lag. Niemand hatte sie fallen gesehen, denn sie war als Letzte gegangen. Sie wartete, atemlos, lauschte, aber nichts war zu hören außer dem Pfeifen des Windes. Sie weinte. Sie schrie nicht, weil sie Angst hatte zu schreien. Was immer geschieht, rufe nicht, weine nicht, schreie nicht, das hatten ihr die Erwachsenen Dutzende Male eingeschärft. Kein Feuer, kein Lärm, kein Gekreische, denn die Chinesen können überall sein. In panischer Angst krallte sie sich an die eisigen Seiten ihrer Falle, suchte verzweifelt einen Weg nach oben, doch wieder und wieder rutschten ihre glatten, nassen, schneeverklumpten Schuhe an den Wänden ihres Gefängnisses ab und ließen sie sogar noch ein Stück tiefer fallen, als sie vorher gelegen hatte. Sollte ihre Flucht hier zu Ende sein? Sollte sie ihre Mutter, ihren Vater nie mehr wiedersehen? Sollte sie für immer in diesem dunklen Eisloch gefangen bleiben?

Reise in die Vergangenheit

Mit beiden Händen hielten wir uns über fünfundzwanzig Jahre später, 1986, im tibetischen Feuer-Tiger-Jahr, an allem fest, was wir ergreifen konnten, denn die Welt tanzte, sobald wir aus der Stadt waren. Wir hingen an Stangen, krampften uns an Lehnen, griffen nach Amala, unserer Mutter, drückten uns an Pala, unseren Vater, hielten Mola fest. In den Kurven prallten wir aneinander, jeder Meter Straße war ein Loch oder ein Hügel oder ein Stein. Wir fuhren den ganzen Tag. Fuhren durch weite Täler und über Steppen und Steine und Sand, vor uns die Staubfahnen von Lastwagen und Yak-Kolonnen, hinter uns die eigene Staubschleppe. Die Sonne brannte, die Fenster standen offen. Meine Familie hatte den ganzen Reisebus für sich gemietet, denn normale Mietautos gab es damals nicht. Unser Mundschutz war grau wie unsere Haut und unsere Haare und alles, was wir anhatten. Die Berge rückten von Stunde zu Stunde näher, während wir durch lichte Wälder fuhren und über Almen und entlang von Flüssen, die so laut rauschten, dass man sie sogar im Geratter unseres Busses hören konnte.

Für uns Kinder war diese Reise ein großes Abenteuer. Mein Bruder Tashi war damals vier, ich sechs Jahre alt. Von unserer frühesten Schweizer Kindheit an hatten uns Amala und Mola, meine Großmutter, von Tibet erzählt, von einem sagenhaft schönen Land mit blühenden Tälern und schneebedeckten Bergen, und nun hatten sich ihre Geschichten in einen Reisebus verwandelt, der uns auf holprigen Schotterpisten auf den Sitzen tanzen ließ. Der Zufall oder das Schicksal wollte es, dass ich bei meiner ersten und bislang auch letzten Reise nach Tibet genauso alt war wie meine Mutter Sonam, als sie ihrer tibetischen Heimat auf der Flucht vor den chinesischen Besatzern den Rücken kehren musste. Nun kehrten meine Großmutter Kunsang mit Mitte sechzig und meine Mutter Sonam als dreiunddreißigjährige Frau zum ersten Mal in die alte Heimat zurück.

Nicht zuletzt deshalb empfand meine Mutter diese Fahrt so anders als wir Kinder. Sie führte sie durch eine Landschaft, die sie zum letzten Mal vor einem Vierteljahrhundert gesehen hatte. Durch eine Landschaft, die für sie damals mit nächtlichen Gewaltmärschen, Strapazen, Hunger, Entbehrung und ständiger Todesangst verbunden war. Mit großen Augen fixierte sie die schroffen Berge, kargen Wiesen und üppigen Geröllhalden vor den Fenstern des Busses, besonders während des letzten Teils der Fahrt, als unsere Aufmerksamkeit schon wieder abzunehmen begann. »Seht her«, rief sie, als der Bus einer Straße in ein anderes Tal gefolgt war, »dort drüben sind wir gegangen, ich weiß es genau. Der Fluss war unser Begleiter, Tag für Tag. Ich hatte mich gewundert, wie weit ein Fluss überhaupt fließen kann.«

Unsere Amala klebte an der Fensterscheibe. »Es gab keine Straßen, wir mussten querfeldein oder auf den Pfaden der Hirten flüchten«, sagte sie mehr zu sich selbst als zu uns. Sie wurde immer stiller, und eine große Trauer stieg in ihr auf, die ihr mehr und mehr die Kehle zuschnürte. Dies war einmal ihr Land gewesen, das Land ihrer Kindheit, durch das sie jetzt fuhr wie eine Touristin, die mit alledem nicht verbunden war.

Wir Kinder taten, als hätte uns ihre Schilderung der Flucht sehr aufgewühlt, aber nur unserer Mutter zuliebe. Viel mehr als

Straßen, die es früher nicht gegeben hatte, interessierte uns, wie die Sitzpolster auf und ab hüpften und wie wir das Schaukeln der Sitze ausgleichen konnten. Unser Pala war damit beschäftigt, den Verlauf unserer Reise fleißig zu fotografieren, und Mola schien sich für die Besichtigung der alten Marschroute überhaupt nicht zu interessieren. Mit stoischer Ruhe ließ sie die Perlen ihrer *mala*, der Gebetskette, durch die Finger der linken Hand gleiten, eine nach der anderen, bis sie die ganze Runde mit allen hundertacht Perlen durchgearbeitet hatte. »*Om mani peme hung*«, murmelte sie dazu, einmal für jede Perle, dann begann sie mit der nächsten Runde. Schwer zu sagen, was sie durch die winzigen Schlitze, zu denen sie ihre Augen verengt hatte, in ihre weite Seele hineinließ. Erst als wir auf einem hohen Pass hielten, kam mit einem Mal Bewegung in sie. Mola stieg aus dem Bus, atmete tief durch und rief dreimal laut »*lha gyalo*«, was so viel bedeutet wie: »Die Götter mögen siegen!« Voller Freude stimmten wir Kinder in ihre Rufe ein: »*Lha gyalo!*«

Wir waren schon wieder ein paar Stunden unterwegs, als der Fahrer plötzlich den Bus unter Quietschen und Rasseln zum Stehen brachte. »Wir sind da«, erklärte er, aber wir sahen nichts als einen tosenden Fluss und Berge, überall Berge, die sich hoch auftürmten und von dichtem Wald bedeckt waren, von Eichen, Birken, Weiden und Tannen. Wo sollte hier das Dorf unserer Vorfahren sein?

Der Boden, auf dem wir standen, fühlte sich an wie rettendes Land nach einer stürmischen Bootsfahrt. Unsere Seesäcke, die es eben noch auf und ab geschleudert hatte, lagen nun unbeweglich wie Steine. Daneben standen meine Eltern, und Großmutter kletterte gerade umständlich aus dem Bus. Amala und Pala war nicht gut. Kopfweh hatten sie, und übel war ihnen, denn sie waren die Höhe nicht gewohnt, die dünne Luft nicht und nicht die harte Sonne. Uns Kindern machte das nichts, mein Bruder Tashi und ich fühlten uns wie Fischlein im frischen Wasser. Unserer Großmutter ging es erstaunlicherweise genauso. Dabei heißt es immer, je älter jemand ist, desto mehr leide er unter der Umstellung auf große Höhen!

Erst als der Bus weg war, hörten wir das Tosen: Tief unterhalb der Straße kochte das Wasser und wütete zwischen Felsen und Steinen. Staunend beugten wir uns über den Abgrund, Amala hielt uns ängstlich zurück. Es dauerte, bis wir die Seile sahen, so dünn waren sie. Vier armselige Seile, die als Brücke über den Fluss hingen, mit anderen Stricken als Querstreben verspannt, auf denen lose ein paar Bretter lagen. Und dann dämmerte uns, dass Pang, das Heimatdorf unserer Familie, das wir noch nie gesehen hatten, am anderen Ufer lag. Dass wir den Fluss überqueren mussten, genau hier, über diese Hängebrücke, denn die nächste richtige Brücke war mehrere Tagesreisen weit weg.

Bisher hatten wir von dieser Brücke nur gehört, und auch vom mächtigen Pang-chu, einem Seitenfluss des Tsangpo, hatte uns Mola erzählt. Davon, dass derjenige niemals mehr aus seinen Strudeln herauskäme, der in ihn hineinfiele. Immer hatten wir das für ein Märchen gehalten, für eine schöne, aber großmütterliche Geschichte, bis wir selbst am Ufer dieses Flusses standen. Nun war uns klar, dass niemand wahrer gesprochen hatte als unsere Mola. Das Wasser toste, und wir standen schweigend am Ufer, bis Großmutter einen der Säcke nahm und voranschritt, den steinigen Pfad hinunter zu den Seilen. »Worauf wartet ihr?«, rief sie, dann ging der Klang ihrer Schritte im Rauschen unter. Unsere Oma hatte es eilig, nach Hause zu kommen.

IN LAUBHÜTTEN

Es ist bald ein Jahrhundert her, dass Mola, meine Großmutter, als Kleinkind die wohl jüngste Nonne Tibets war. Sie konnte noch kaum richtig sprechen, war aber damals schon fasziniert von den Nonnen des Klosters Ahne, die ihre Tage im nahen Tempel zubrachten. Dort beteten, sangen und meditierten sie mit kahlrasierten Köpfen. Mola wollte so werden wie diese Frauen. Sie wollte sich auch die Haare scheren und dieselben roten und gelben Gewänder tragen, sie wollte genauso würdevoll und ruhig und heilig sein wie sie.

Das Haus dieser Nonnen lag im äußersten Osten Tibets in der Region Rege, wo meine Großmutter aufwuchs, damals viele Wochen Reisezeit östlich von Pang. Die vergoldeten Zinnen und die vergoldete Spitze des Klosters überblickten das hoch gelegene Tal, in dem nicht viel mehr wuchs als Kräuter und Gräser, die sich bald in den Sommerwinden wiegten, bald von den Winterstürmen unter einer Schneeschicht begraben wurden. Nur unten in der Talsohle, am Flussufer, wo sich das Dorf befand, gediehen noch Weiden und Wasserlilien, aber auch Aprikosen- und Nussbäume. In den Wiesen oberhalb der bescheidenen Gemüsegärten wucherten im Sommer Orchideen, Margeriten, Enzian und Edelweiß. Die Farben der Blumen wetteiferten mit denen der neben dem Kloster an langen Schnüren zwischen Masten und Bäumen gespannten Fahnen, wer prächtiger und bunter aussähe. Die Fahnen flatterten im Wind, der die aufgedruckten Gebete in alle Himmelsrichtungen verstreute.

Mehr als dieser prächtige Anblick faszinierten meine Großmutter nur noch die beiden Klöster, die oben auf dem Berg standen, gute drei Stunden Fußmarsch vom Dorf entfernt, auf jeder Talseite eines. In einem der Klöster beteten Männer, im anderen Frauen. Mola war vor allem vom Nonnenkloster angetan und von den windschiefen Hütten und Häuschen, die etwa eine halbe Stunde Fußmarsch oberhalb davon lagen. In diesen Hütten meditierten Nonnen, die ständig dort lebten. Normale Sterbliche kamen kaum dorthin, aus Respekt und Ehrfurcht gegenüber den meist in stiller Versenkung verharrenden Frauen. Manche der Hütten waren provisorisch aus Laub und trockenen Ästen gebaut, die mit langen Gräsern zusammengebunden waren, andere aus Holz oder Rinden. In denen lebten die Einsiedlerinnen. Sie sprachen mit keinem Fremden, ja sie verloren auch untereinander kaum ein Wort. Sie empfingen keine Besuche und kamen selten hinunter ins Dorf, meist nur, um sich etwas zu essen zu holen. Wenn sie ins Tal hinabgestiegen waren, beteten sie mit gesenkten Blicken vor den Häusern und sangen zur rhythmischen Begleitung der Sanduhrtrommeln, die sie in ihrer rechten Hand drehten und die beständig ihr Dram-drum-dram-drum von sich gaben. Diese Einsiedlerinnen zeigten den von ihnen besuchten Dörflern ihre Hingabe im Gebet und lebten ihnen die buddhistischen Ideale der Bescheidenheit und Armut vor. Die Dorfbewohner, die durch die Gebete der Einsiedlernonnen spirituell so reich beschenkt wurden, revanchierten sich mit Lebensmitteln, die die Betenden dringend brauchten. So gaben die Dörfler den Nonnen *tsampa*, Käse, Tee oder Butter.

Meiner Großmutter kamen diese besitzlosen Frauen nicht arm oder bemitleidenswert vor, sondern reich. Sie hatte bereits früh gelernt, dass das Festklammern an Besitztümern nur Leiden hervorruft, und sie wollte ihre Freiheit, ihren Frieden in völliger Besitzlosigkeit erreichen.

Meine Großmutter wuchs zu einer Zeit auf, als der Buddhismus jede Sekunde tibetischen Lebens bestimmte. Alles in diesem Land war auf Religion konzentriert, jeder betete zu den Göttern, benutzte Gebetsmühlen und Gebetsketten, holte Prophezeiungen ein und ließ, wenn es ihm nicht gutging, besondere Riten von Mönchen oder Nonnen durchführen. Vieles Weltliche, Zukunftsweisende und Aufklärerische war im alten Tibet zugunsten einer traditionellen Weltsicht hintangestellt. Nur zu gerne überließen die Menschen politische, soziale und wirtschaftliche Entscheidungen einem kleinen Kreis aus Adligen, Mönchen und geistigen Würdenträgern, die meist aus angesehenen Familien stammten und das Machtgefüge des Landes bildeten. Die Tibeter hatten sich der Bewahrung ihrer Tradition und ihres spirituellen Lebens verschrieben. Das Land war wie unter einer gläsernen Käseglocke gefangen; ähnlich dem Europa des ausgehenden Mittelalters verharrte es in einer sonderbaren Starre.

War die Armee der Tibeter noch fast zwölfhundert Jahre zuvor als gefürchtete Streitmacht bis vor die damalige chinesische Kaiserresidenz Chang'an marschiert, hatte sie erobert und dem chinesischen Kaiser einen schmachvollen Frieden diktiert, so war die tibetische Armee über die Jahrhunderte hinweg zu einem bedeutungslosen Reitertrüppchen zusammengeschrumpft, das dem zahlenmäßig überlegenen Nachbarn nichts entgegenzusetzen hatte. Kleine chinesische Trupps reichten aus, um Tibet 1910 zu überrennen und bis in die Hauptstadt Lhasa vorzudringen. Schon damals musste der 13. Dalai Lama nach Indien fliehen und konnte erst nach dem Zusammenbruch des chinesischen Kaisertums in den Potala, seinen Palast in der tibetischen Hauptstadt, zurückkehren.

Die Mächtigen Tibets betrachteten diesen chinesischen Überfall nicht als Warnung, sondern konzentrierten sich noch mehr auf ihre Religion und auf die Bewahrung der feudalen Strukturen. Das öffentliche Leben Tibets bestimmten Mönche und Adlige. Zu dieser Zeit soll jeder fünfte tibetische Mann als Mönch im Kloster oder in einer Einsiedelei gelebt haben. Damals umfasste Tibet doppelt so viel Fläche wie das heutige sogenannte »Autonome Gebiet Tibet«, das die Chinesen in den fünfziger Jahren des 20. Jahrhunderts eingerichtet hatten, nachdem sie die nördlichen und östlichen Teile des tibetischen Siedlungsgebiets den chinesischen Provinzen Qinghai, Gansu, Sichuan und Yunnan zugeschlagen hatten. Im alten Tibet lebten geschätzte fünf Millionen Einwohner, darunter zweieinhalb Millionen männliche Tibeter, von denen wohl eine halbe Million Mönche waren. Ich kenne keine Schätzungen darüber, wie viele Nonnen es gab, doch ihr Anteil war verschwindend gering.

Für einen kleinen Jungen schien es deshalb naheliegend, sich für diese heilige Art des Lebens zu interessieren, für ein Mädchen war es eine ausgefallene Idee. Als meine Mola sich die Haare hatte abschneiden lassen, wollten es ihr andere Mädchen gleichtun und ließen sich auch die Haare abrasieren, doch das Ergebnis befriedigte sie wenig, so dass sie sich die Haare wieder wachsen ließen. Lange Haare sind in Tibet besonders für Frauen wichtig und unverzichtbar. Nur Großmutter blieb bei ihrer Stoppelfrisur, bis heute, im Alter von etwa neunundachtzig Jahren.

Mola kennt ihr genaues Alter in Jahreszahlen nicht, weil sie das nicht interessiert. Sie weiß aber, dass sie in einem Eisen-Vogel-Jahr geboren wurde, ihr Geburtsjahr nach dem gregorianischen Kalender ist ihr gleichgültig. Auch ihr Geburtstag ist ihr unbekannt. Für Tibeter zählt nur das Tierkreiszeichen des Geburtsjahres und allenfalls noch das damit verbundene Element. Bei der Datierung ist für die Tibeter der Termin des Neujahrs entscheidend. So wurde etwa meine Mutter im Schlangen-Wasser-Jahr geboren, fünf Tage vor dem tibetischen Neujahr. Dadurch war sie zu Neujahr nach tibetischer Rechnung bereits ein Jahr alt, obwohl sie erst seit fünf Tagen auf der Welt war. Wäre sie eine Woche später geboren, hätte sie erst dreihundertsechzig Tage später als einjähriges Mädchen gegolten.

Ihre Geburtsdokumente musste sich meine Großmutter im Erwachsenenalter nach geschätzten Daten anfertigen lassen, weil das die Behörden von ihr verlangten, doch ich glaube, sie hat nie auch nur einen Blick in diese Dokumente getan. Bürokratie interessiert sie nicht, das ist für sie überflüssiges Blendwerk. Persönliche Dokumente gab es im alten Tibet nicht, genauso wenig wie Geburtsregister, Geburtsurkunden oder Standesämter. Die Kinder kamen nicht in Krankenhäusern zur Welt, denn in Tibet gab es keine. Alle Frauen entbanden zu Hause, in ihren Hütten, in den Zelten der Nomaden, auf den Bauernhöfen in den Dörfern oder, wenn sie aus reichen Familien stammten, in den stattlichen Häusern der Städte. Außer Adligen, Mönchen und Nonnen konnte so gut wie niemand lesen und schreiben.

In den Klöstern gab es Mönche, die für die Verwaltung der klostereigenen Ländereien, Güter und Arbeiter zuständig waren, für die Buchhaltung, die Auszahlung von Löhnen und das Eintreiben von Steuern und Abgaben. Andere Mönche kümmerten sich um das Ausüben und Unterrichten der klassischen tibetischen Medizin, wieder andere um die Lehre der Astrologie, damals eine exakte Wissenschaft wie viele andere, oder um die Vervielfältigung, Weitergabe und Verbreitung religiöser Texte, nur unter den Mönchen selbst. Schulen gab es nur wenige, meist auf privater Basis gegründete, und nur sehr reiche Leute konnten es sich leisten, für ihre Kinder einen Hauslehrer anzustellen oder die Kleinen zur Erziehung nach Indien zu schicken.

Davon war die Familie meiner Großmutter meilenweit entfernt, dabei war sie nicht bettelarm, sondern kam gewissermaßen aus dem Mittelstand. Ursprünglich stammten Molas Eltern aus einer angesehenen Familie, die in der Region Samanang in Derge lebte. Diese Familie Chökhortsang besaß Ländereien und große Viehherden, die im Sommer auf die umliegenden Almen getrieben wurden, und konnte dem benachbarten Kloster als Zeichen ihres Wohlstands reichlich Lebensmittel schenken. Doch Großmutter lebte nie dort. Sie wurde in Rege geboren, wohin die Familie vor ihrer Geburt umgezogen war. Die Gründe für diesen Umzug hatte Mola nie erfahren, sie liegen wohl für immer im Dunkeln. In Rege besaß die Familie nur wenige Felder. Der Vater produzierte Papier aus Zweigen eines Gebüschs, die die Mutter sammeln ging. Diese Zweige wurden so lange gekocht, bis sie eine Art dünnen Brei ergaben, den Molas Vater in einen mit Stoff bespannten Rahmen goss. Wenn diese Mischung zu einer dünnen Schicht trocknete, war ein Blatt Papier entstanden.

Ein Land fern der Zeit

Zu Beginn der zwanziger Jahre des letzten Jahrhunderts, als Mola geboren wurde, gab es in Tibet noch keine Straßen, keine Bahnlinien, keine Flughäfen, überhaupt keine Verkehrsmittel. Das Rad war zwar bekannt, aber es galt als religiöses Symbol für die von Buddha verkündete Lehre, weshalb die Mönchsregierung des Landes nicht wünschte, dass es durch alltägliche Benutzung entweiht würde. Alles sollte so bleiben, wie es war. Lasten konnten schließlich auf den Rücken von Yaks, Pferden, Eseln, Maultieren und Menschen transportiert werden. Die Leute hatten keine Telefone, es gab keine Zeitung mit nationaler Verbreitung, keine Radiostation und keine Kinos.

Die Entscheidungen über solche Entwicklungen trafen keine Behörden im europäischen Sinne, sondern eine kleine, miteinander eng verflochtene Schicht von weltlichen Adligen und hohem Klerus, oft unter der persönlichen Leitung eines Dalai Lamas, wenn in Tibet gerade ein entscheidungsfähiger, erwachsener »Ozean-Lehrer«, wie die wörtliche Übersetzung dieses eigentlich mongolischen Titels lautet, im Amt war. Das war nicht immer der Fall: Der Dalai Lama wurde oft erst Jahre nach dem Tod seines Vorgängers in einem Kleinkind erkannt und musste dann heranwachsen und ausgebildet werden, bevor er als aktiver Herrscher zur Verfügung stand. In den langen Zeiten des Machtvakuums konnten die einflussreichen Adligen und Kleriker Lhasas nach eigenem Belieben schalten und walten.

Nachrichten über neue Entwicklungen in der Hauptstadt, seltener von außerhalb ihres Landes, erreichten die Dörfler durch Erzählungen der Nomaden oder durch die Berichte der mit Pferden und Yaks reisenden Kaufleute. Dann blühte an den mit Yakmist genährten Herdfeuern nicht nur der Klatsch, sondern auch die Fantasie. Die offizielle Post wurde von Läufern von einem Dorf in das nächste gebracht, ein Brief von Lhasa nach Kongpo war mehrere Tage unterwegs.

So wurde das Leben auf dem Dach der Welt vor einem knappen Jahrhundert von tiefer Spiritualität, Frieden und selbst gewählter Isolation geprägt. Unterdessen war nicht nur Europa in den Wirren des Ersten Weltkrieges versunken. In den zwanziger Jahren führte die globale Krise der »Ersten Welt« zu Massenarbeitslosigkeit, Hunger und Armut, aber auch zu Rassenhass, neuen Kriegen und Faschismus. Ich setze »Erste Welt« hier in Anführungszeichen, weil der Begriff ursprünglich als Qualitätsurteil gemeint war, als Bezeichnung für den Teil der Welt, der für sich beanspruchte, die großen Menschheitsprobleme wie Hunger, Krankheit und Armut zumindest ansatzweise gelöst zu haben. Die Tibeter bekamen von den weltweiten Wirren nicht das Geringste mit. Wie eh und je hüteten sie ihre Yaks, Dris, das sind die Yakkühe, und Schafe. Wie immer schon bauten sie ihre Gerste an, rösteten und mahlten sie und rührten daraus ihren Brei aus *tsampa*, Butter und Tee. Wie schon Jahrzehnte, ja Jahrhunderte zuvor lieferten die Bauern einen Teil ihrer Erträge an Klöster und Adlige ab, die ihnen Land verpachtet hatten oder sie teilweise sogar in Leibeigenschaft hielten, und wie eh und je erhielten sie dafür nichts weiter als das Gefühl, dass sie in einer festgefügten, unzerstörbaren Gesellschaftsordnung lebten, die sie zwar beherrschte, ihnen aber auch die Sicherheit gab, dass nichts passieren konnte. Dafür sorgten Mönche und Nonnen, die zu Hunderttausenden Tag und Nacht den Segen der Schutzgottheiten erbaten und übelwollende, lokale Geister besänftigten, zornvolle Götter milde und friedfertige Götter gewogen stimmten. Wer darüber hinaus einmal im Leben zu einer großen Pilgerreise aufbrach, um unter Tausenden Niederwerfungen einen heiligen Berg oder ein Kloster mehrfach zu umrunden, in einem Wechsel von Niederknien, Über-den-Boden-Rutschen, Sich-auf-den-Boden-Legen, Aufstehen und Schreiten, den sollte nichts Schlimmes mehr bedrohen können. Diese vielfachen Niederwerfungen dienen dazu, sich von allen schlechten Taten und von schlechtem Karma zu reinigen.

Natürlich kannten die Tibeter dennoch die Geißeln von Krankheit, vorzeitigem Tod, Not und Entbehrung. Alltagshygie-

ne gab es keine, die medizinische Versorgung war stark einge-
schränkt, entsprechend kurz fiel die durchschnittliche Lebens-
spanne aus. Nicht selten starben Kinder bei der Geburt oder
kurz darauf, nicht wenige Erwachsene erlagen Krankheiten, die
mit einfachen Medikamenten oder Operationen heilbar gewesen wären. Daraus jedoch den Schluss zu ziehen, die Tibeter
hätten sich damals als Volk im Unglück gesehen, wäre falsch.
Abgesehen davon, dass die Menschen nur ihr eigenes Schicksal
kannten und keine Vergleichsmöglichkeiten hatten, lebten sie
ein glückliches Leben. Ein Leben ohne Depressionen und Neu-
rosen, ein Leben ohne Unsicherheiten und Zweifel. Ihr tief ver-
wurzelter unerschütterlicher Glaube hielt sie in jeder Situation
aufrecht, und sei sie auch noch so widrig. Wer sich nichts zu-
schulden kommen hatte lassen, konnte mit Fug und Recht auf
eine gute, ja eine bessere Wiedergeburt hoffen. Die Aussicht auf
eine ganze Kette von Leben, in die sich das jetzige nur als eine
kleine Perle unter vielen einreiht, erfüllt die Menschen auch im
heutigen Tibet und im Exil mit einer Zuversicht, die jede Not
leichter ertragen lässt.

Krankenlager in den Bergen

Trotz ihres Glaubens war es bitter für meine Familie, als sich das
Leid in ihrem Haus einnistete. Als meine Mola, die verträumte
kleine Nonne Kunsang, etwa sechs Jahre alt war, brach ihre Mutter zusammen, aus heiterem Himmel, ohne dass sie sich je krank
gefühlt hatte. Tags zuvor war sie glänzend gelaunt von einem
Treffen bei guten Freunden aus dem Nachbardorf zurückgekehrt, zu Fuß und zusammen mit einer Freundin. Dort hatte es
reichlich zu essen und zu trinken gegeben, dazu gekochtes

Fleisch, und die zwei Frauen hatten für ihre Familien etwas von dem Fleisch mit nach Hause gebracht. Doch schon am nächsten Tag erkrankten die beiden, danach auch die Tochter der Freundin meiner Urgroßmutter. Mit Krämpfen wanden sie sich auf ihren Lagern, erbrachen, schwitzten, fieberten, waren bleich und zittrig und fast ohne Besinnung. Zuerst starb die Freundin der Mutter Molas, dann deren Tochter, die eine Freundin Molas war. Das ganze Dorf befand sich in heller Aufregung. Man befürchtete, dass die Krankheit ansteckend sein könnte, und meine Urgroßmutter musste das Dorf verlassen, obwohl sie sich kaum auf den Beinen halten konnte. Ärzte gab es keine, Medikamente auch nicht, weshalb die Dörfler in der Entfernung der Kranken die einzige Möglichkeit sahen, Schlimmeres zu verhüten. Mein Urgroßvater war mit den Tieren unterwegs, also konnte nur Mola ihrer todkranken Mutter Hilfe leisten. Sie stützte die Fiebernde, geleitete sie auf einem mehrstündigen Fußmarsch hinauf in die Berge, in Richtung der hoch oben gelegenen Klöster, bis sie nach unzähligen Pausen ächzend und schweißüberströmt in einer leerstehenden Hütte ankamen. Dort wachte das Kind zwei Tage und zwei Nächte lang neben ihr, wobei es selbst immer wieder einnickte. Mola brachte ihrer Mutter Wasser, trocknete ihren Schweiß, betete. Was hätte sie sonst auch tun sollen? Immer wieder übergab sich die Mutter und schaffte es nicht mehr bis vor die Tür, wenn sie mal musste. Kunsang brachte alles immer wieder in Ordnung, so gut es ihr möglich war.

Als der Vater heimkam und von dem Unglück hörte, blieb er zu Hause. Er hatte Angst vor Ansteckung und weigerte sich, zu der Hütte zu gehen, in der seine Frau lag. Kunsang wanderte hinunter ins Dorf, um etwas zu essen zu holen, und ihr Vater kochte Suppe, die sie zu ihrer Mutter bringen musste, über einen schmalen Pfad wieder den Berg hinauf. Auf diesem anstrengenden, steilen Weg über einige Hundert Höhenmeter, über Steine und Serpentinen und Almwiesen und Stufen, ging die Hälfte der Suppe verschütt, doch es gab keinen Deckel zu dem schweren Topf. Immer wieder brachte das Kind Suppe zur Mutter, kein anderer Dorfbewohner wagte sich hinauf. Mein Urgroßvater ging indes ins Kloster und reichte den Mönchen Opfergaben, damit sie Zeremonien für seine schwer kranke Frau abhielten. Er ließ *bartsche lamsum* sprechen, ein Gebet gegen Geister, die Hindernisse und Übles herbeiführten.

Die Ursache der Erkrankung meiner Urgroßmutter kannte niemand. Erst viel später wurde Mola klar, dass der Tod ihrer Mutter mit dem Fleischverzehr in Verbindung stand. Die Freundin der Mutter hatte ihrer Tochter noch am selben Tag etwas von dem Fleisch gegeben, und nur die drei, die davon gegessen hatten, waren erkrankt, niemand sonst. Fleischvergiftungen kamen damals häufig vor. Als Konservierungsmethode für Fleisch war nur das Trocknen bekannt, doch bei diesem Prozess, der unter freiem Himmel, in der Speisekammer oder oberhalb des Feuerplatzes stattfand, konnten sich leicht Krankheitserreger einnisten.

Eigentlich sollen Buddhisten keine Tiere töten. Deshalb hatte sich in den größeren Siedlungen eine Kaste von Schlächtern entwickelt, häufig Muslime, die nichts mit den buddhistischen Geboten zu schaffen hatten. Diese Menschen wurden von den meisten Tibetern zwar als minderwertig angesehen, aber dennoch dringend gebraucht, denn kaum jemand wollte aus religiösen Gründen auf Fleisch verzichten. Wer keines aß, tat dies meist nur, weil er sich kein Fleisch leisten konnte. In den Dörfern oder auf den Lagerplätzen der Nomaden lebten keine Muslime, dort mussten die Tibeter ihre Tiere selbst schlachten.

Das taten sie zwar ungern, aber routinemäßig, wobei sie lediglich vermieden, viele kleine Tiere zu töten. Fische, Geflügel, Kaninchen oder anderes Kleingetier hätten die Tibeter nie gegessen und machen das meist auch heute kaum, wird doch bei deren Verzehr genauso eine Kreatur vernichtet wie bei der Schlachtung eines Yaks oder einer Yakkuh. Von einem Exemplar dieser Rinderrasse werden Dutzende Menschen satt, von einem Fisch im schlechtesten Falle nicht mal einer, wodurch es nach rein rationalen Gesichtspunkten sinnvoller und auch segensreicher ist, die Schuld des Tötens auf viele Esser aufzuteilen und sie dadurch für den Einzelnen möglichst gering zu halten. Auch beim Hausbau, bei der Feld- und Gartenarbeit oder auch nur beim Gehen auf einem Weg achteten die Tibeter peinlichst darauf, keine Regenwürmer oder anderes Getier zu erdrücken, und wenn sie in ihren Häusern Käfer oder Spinnen fanden, trugen sie sie ins Freie, anstatt sie zu erschlagen.

Ganz auf Fleisch verzichten mochten die meisten Tibeter nie, denn was soll man auch essen oben in den Bergen, wo kaum etwas wächst außer ein bisschen Gerste, einige wenige Gemüsesorten, ein paar Kräuter und Gras für die Tiere? Weil es nur wenig energiereiche und eiweißreiche Nahrung gab, waren die Tibeter darauf angewiesen, Fleisch zu essen.

Wenn ein Tier geschlachtet werden musste, weidete man es vollständig aus und verwendete beinahe alles: das Fleisch und die Haare, die Haut oder das Fell, das Hirn, die Eingeweide, die Sehnen und auch die Knochen. Von einem Lebewesen, dem man Leid zugefügt hatte, etwas ungenutzt wegzuwerfen war völlig undenkbar. Deshalb wurde das Fleisch oft zu lange aufbewahrt, sogar bis es schlecht roch. Schlimme Vergiftungen waren die Folge.

Nur weil Großmutter schon geschlafen hatte, als die beiden Frauen von ihrer Einladung ins Nachbardorf zurückgekehrt waren, konnte sie nichts von dem Fleisch essen. Was wäre wohl geschehen, wenn sie damals noch wach gewesen wäre ...?

Schlafende Mutter

Was mit ihrer Mutter geschah, wusste Mola nicht zu sagen. Eben hatte sie sich noch in Krämpfen gewunden, gestöhnt und mit den Augen gerollt, jetzt lag sie ruhig da, so ruhig wie tagelang nicht. Ihre Schmerzen schienen weniger geworden zu sein, und ihre Augen zuckten nur noch ein bisschen. Bald war die Mutter still. Die Hand, mit der sie den Arm ihrer Tochter festgehalten hatte, glitt weich wie ein Stück Stoff auf den Boden neben der Pritsche. Die Mutter schien zu schlafen, auch wenn ihre Augen nicht geschlossen waren. Das fand meine Großmutter merkwürdig, sie konnte es nicht einordnen.

Es war Abend. Die Schatten der Berge wurden dunkler und dunkler, bis die Nacht sich wie eine dichte Decke über das Land legte. Mola konnte ihre Mutter nicht mehr sehen, die Butterlampe in der Hütte war ausgebrannt. Sie ging hinunter zum Vater, weil sie hungrig war, vielleicht hatte er noch etwas Suppe oder *tsampa* für sie. Der Vater fragte sie nach der Mutter. Als Mola ihm sagte, dass sie mit halboffenen Augen schlafe, dass sie ganz still sei, wurde auch der Vater still. Was dem Mädchen als tröstlich erschienen war, schien ihn traurig zu machen. Geknickt saß er da und rührte sich nicht. Noch nie hatte die Tochter ihren Vater so gesehen.

»Wir gehen zu ihr hinauf«, sagte er schließlich. Kunsang wunderte sich, dass er auf einmal doch zu seiner kranken Frau wollte. Er nahm einen Kienspan mit, um in der Hütte zu leuchten.

Oben angekommen, sprach der Vater zur Mutter, aber die antwortete nicht. Ihr Gesicht, dessen Schatten unruhig wie das Licht der kleinen Flamme über die Wände tanzte, wurde nur schwach von dem Kienspan erleuchtet. Er berührte ihre Hand, aber sie reagierte nicht.

»Sie schläft«, sagte die Tochter, und der Vater nickte. Tränen flossen über sein Gesicht, das hatte Mola noch nie gesehen. Stumm stand er da und sah seine Frau an. Bis jetzt hatte der Vater immer etwas getan, immer hatte er etwas gesagt, immer etwas gewusst, aber jetzt tat er nichts, sagte er nichts und wusste nichts.

Eine Ewigkeit standen sie beide vor der Mutter und keiner der drei rührte sich. Noch nie hatte Großmutter so tiefe Stille gespürt, die keine schöne Stille war, aber sie wagte es nicht, das Wort an ihren Vater zu richten.

Ewigkeiten vergingen, bis sich der Vater wieder bewegte. »Wir müssen einen Lama holen«, sagte er, doch seine Stimme zitterte, »wir müssen *powa* machen lassen.«

Dieses Wort hatte die Tochter noch nie gehört, *powa.* »Was ist das?«, fragte sie.

»Mutter ist tot«, sagte der Vater.

Das war es also. Mola hatte die Erwachsenen schon vom Tod reden hören, doch sie wusste nicht genau, was das war. Sie hatte noch keinen Toten gesehen. Sie wusste nur, dass der Tod wichtig ist, weil danach die Wiedergeburt kommt, weil ein Leben dem anderen folgt. Aber wie genau diese Leben zusammenhängen, das wusste sie nicht. Es werde wohl so etwas wie Schlafen sein, dachte sie, und wenn die Mutter wieder aufwachte, hätte sie eine neugeborene Amala.

Der Vater wollte sofort los, zu dem Lama, den er seit Jahren kannte. Er wohnte hoch oben auf dem Berghang, der vor dem Dorf in den Himmel wuchs. Bei ihm war der Vater schon mehrmals gewesen, um ihm etwas zu essen zu bringen und sich von ihm segnen zu lassen. Er gab seiner Tochter ein Zeichen mitzukommen, doch die wollte nicht.

»Lass mich bei Amala«, bat sie, »ich passe auf sie auf, falls sie aufwacht.«

»Sie wacht nicht auf«, antwortete ihr Vater, »sie ist jetzt tot.«

Aber Mola wollte trotzdem nicht mitkommen. »Der Weg ist so lang.«

»Du musst mit«, sagte der Vater, »es ist dunkel, der Mond scheint nicht. Meine alten Augen finden den Weg nicht in der Finsternis.«

Vielleicht hatte der Vater das nur gesagt, weil er seine Tochter nicht alleine bei der Toten zurücklassen wollte, vielleicht fühlte er sich wirklich unsicher auf den nächtlichen Gebirgspfaden – Mola ging jedenfalls ohne weiteren Protest mit. Tibetische Kinder lehnen sich nicht gegen ihre Eltern auf, am allerwenigsten gegen den Vater, und schon gar nicht als kleines Mädchen. Der Ältere hat immer Recht, seinen Anordnungen muss man folgen, ob man will oder nicht, das gebietet die Tradition und auch der Respekt vor dem Alter.

Gleichmäßig schritten Mola und ihr Vater den Berg hinauf. Vorne das kleine Mädchen mit dem geschorenen Kopf und der wegen der nassen Gräser und des vielen Gerölls auf dem Weg hochgebundenen *chupa*, dem wollenen Kleid der Tibeter, dahinter mein Urgroßvater in seiner Alltagskleidung, mit einem großen Stock in der Hand, um sich im schwierigen Gelände aufstützen zu können. In Serpentinen wand sich der Pfad bergan, sie stiegen höher und höher, und nichts war zu hören außer ihrem Keuchen und dem Wind, der ungerührt zwischen den Berggipfeln pfiff.

Der Lama schlief schon in seiner kargen Kammer, auf einer

dünnen Matte lag er fast auf dem blanken Boden. Vorsichtig, ja scheu weckte der Vater ihn. Mit einem Ruck setzte sich der in seine rote Robe gehüllte Mann kerzengerade auf, als hätte er nicht geschlafen. Als er hörte, was passiert war, begann er ohne Umstände mit den Vorbereitungen für die *powa*. Er erhob sich vollends, entfachte mit ein paar dürren Zweigen die Glut neben seinem Lager zu einem Feuer, stellte Tee bereit und reichte den beiden Wanderern *tsampa*, Tee und Butter. Er selbst nahm nichts, sondern entzündete in einer kleinen Schale Kräuter, die rauchend und krachend verbrannten. Dazu ließ er sich nieder, murmelte Gebete und verfiel mit seinem Oberkörper in wiegende Bewegungen. Mit geschlossenen Augen rezitierte er heilige Verse, die Großmutter noch nie gehört hatte und die sie nicht verstand. Sie bekam nur mit, dass das, was der Lama tat, mit ihrer Mutter zu tun hatte, und dass es wichtige Dinge waren, die er leise von sich gab. Was dann passierte, weiß sie nicht mehr, weil sie in tiefen Schlaf versank.

Es war schon wieder hell, als Mola aus ihrer unbequemen, zusammengesackten Haltung hochschrak. Im ersten Moment hatte sie nicht die geringste Ahnung, wo sie war. Erst als sie den immer noch an seinem Platz sitzenden, betenden Lama sah, als sie den Rauch der verbrannten Kräuter einsog, wusste sie, dass sie mit ihrem Vater am Abend zuvor in die Einsiedelei des Lamas hinaufgestiegen war. Was würde ihre Mutter jetzt tun, alleine und hilflos unten in ihrer Hütte?

Der Lama war schon weit gekommen mit seiner *powa*. Diese Zeremonie muss unmittelbar nach dem Tod eines Menschen durchgeführt werden, denn wir Buddhisten glauben, dass das Bewusstsein den menschlichen Körper nach dessen Tod nicht durch eine der neun »normalen« und unreinen Öffnungen verlassen sollte, nicht durch die Nasenlöcher, die Augen, die Ohren, den Mund, den Anus oder das Geschlechtsorgan, sondern dass das Bewusstsein den Körper durch den Scheitel verlassen sollte, dort, wo die Fontanelle sitzt.

Mola und ihr Vater waren zu einem erfahrenen Lama gegangen, der in der Lage war, das Bewusstsein der Verstorbenen richtig zu geleiten, es vom gefährlichen Umherirren abzuhalten und damit meiner Urgroßmutter eine gute Wiedergeburt zu ermöglichen. Das Karma der Verstorbenen, die Folge ihrer guten und schlechten Handlungen, war in diesem Moment zweitrangig, denn dem Lama würde es sicherlich gelingen, ihr Bewusstsein durch seine spirituellen Kräfte in die richtige Richtung zu lenken.

Vater und Tochter wussten die Verstorbene in guten Händen. Sie merkten, dass sie nichts zum weiteren Verlauf der *powa* beitragen konnten, und verabschiedeten sich ehrfürchtig von dem Lama. Solch ein Guru ist für uns Tibeter eine hoch geachtete Persönlichkeit. Einer so heiligen Person darf man sich nur in gebückter Stellung nähern, mit fast waagerecht gebeugtem Oberkörper, und man darf sich auch nur in gebückter Haltung von ihr entfernen, im Rückwärtsgang unter noch tieferen Verbeugungen. Der Lama, der mit seinen Gedanken völlig bei der Zeremonie war, wandte sich seinen Besuchern kurz zu, um sie zu verabschieden. Der Vater würde ihn ohnehin bald wiedersehen müssen, denn für die Bemühungen des Lamas wollte er ihm *tsampa*, Tee, Butter, Käse und Trockenfleisch bringen. Ohne solche Gaben hätten die Bemühungen des Geistlichen keinen Nutzen, denn erst durch dieses Opfer beweisen die Auftraggeber der Zeremonie die Wahrhaftigkeit ihrer Motivation.

Als Vater und Tochter zurück zu der Hütte kamen, in der die Mutter lag, stieg Molas Spannung ins Unermessliche. Würde die geliebte Amala jetzt aufgewacht sein? Doch die Mutter lag immer noch da wie am Abend zuvor.

Totenwochen

Mein Urgroßvater hatte sich für seine tote Frau eine Himmels-
bestattung gewünscht, das traditionelle tibetische Begräbnisri-
tual, bei dem Mönche den Leichnam nach allen vorgeschriebenen Gebeten und Segnungen den Geiern zum Fraß vorwerfen.
Das klingt barbarisch, war aber das Resultat sachlicher Überlegungen. In den tibetischen Bergen und Hochebenen ist es oft
schwer bis unmöglich, Gräber auszuheben, da der Boden steinhart, felsig oder gefroren sein kann. Auch Holz für das Verbrennen der Toten war immer rar oder nicht zu bekommen. Außerdem ist die Versorgung eines Leichnams für Buddhisten viel
weniger wichtig als die Sorge um das Bewusstsein eines Menschen. Wenn dieses den Leichnam verlassen hat, ist der Körper
nach buddhistischem Verständnis ohnehin nichts anderes als
eine leere Hülle, die es bestmöglich wiederzuverwerten gilt,
damit andere Wesen etwas von ihr haben, zum Beispiel Aas fres-
sende Raubvögel, denen wir denselben Respekt entgegenbrin-
gen müssen wie allen anderen Lebewesen auch. Zu seinem Leid-
wesen konnte sich mein Urgroßvater jedoch eine solche Form
des Begräbnisses nicht leisten.

Für Luftbestattungen muss zwar nicht gegraben und auch
kein Brennholz gesammelt werden, doch es gibt nur wenige
Orte, die für diese Zeremonie infrage kommen. Orte, an denen
genügend Geier wohnen und an denen es Personen gibt, die sich
mit dem Ablauf dieser Bestattungsform auskennen. Das sind
hoch spezialisierte Fachleute, die gut bezahlt werden wollen. Sie
müssen die Körper der Toten fachgerecht zerhacken, sie müssen
die von den Vögeln übrig gelassenen Knochen zerkleinern und
dann zermahlen. Dazu braucht es Menschen, die wissen, wie
Schädel geknackt werden und wie man das Hirn richtig mit

tsampa vermischt, damit die Geier auch dieses Überbleibsel eines Menschen restlos verzehren, denn es soll möglichst wenig zurückbleiben von diesem Festmahl der Vergänglichkeit.

Da die nächste derartige Leichenstätte einige Tagesreisen entfernt lag, wäre es für meine Familie viel zu umständlich und teuer gewesen, den Leichnam dorthin zu bringen. So musste mein Urgroßvater eine bescheidenere Form der Bestattung wählen. Glücklicherweise gab es im Tal meiner Vorfahren nicht nur Felsen und Steine, sondern auch Wiesen und Erde. Dorthin sollte der Körper meiner Urgroßmutter gebracht und fürs Erste in ein Loch gelegt werden. Das galt nicht als pietätlos oder schlimm, denn mein Urgroßvater war sich sicher, dass das Bewusstsein der Verstorbenen unter den Gebeten des Lamas ohnehin schon in Richtung seines neuen Körpers unterwegs war.

Eine solche Bestattung nahmen die Angehörigen normalerweise unter Beteiligung von Familie, Nachbarn und Freunden selbst vor, wonach die Helfer lediglich mit einer kräftigen Mahlzeit belohnt werden mussten. Doch im Fall meiner Vorfahren sah die Sache anders aus. Enge Verwandte hatten sie nicht in dem kleinen Dorf, Molas beide Brüder waren als wandernde Mönche unterwegs und ihre ältere Schwester lebte als Nonne mehrere beschwerliche Tagesreisen entfernt. Auch sämtliche Freunde und Nachbarn hatten sich zurückgezogen und weigerten sich, bei der Beerdigung Hand anzulegen, aus Angst, sich noch bei der Toten mit ihrer tödlichen Krankheit anzustecken.

Also gab es nicht nur einen traurigen, sondern auch einen mühsamen Leichenzug zu dem auserkorenen Erdloch. Zuvor hatte der Vater einen Astrologen gebeten, den geeigneten Zeitpunkt auszurechnen, an dem der Leichnam das Haus verlassen durfte. An diesem Tag holte der Vater die Tote aus der Hütte, zog sie über die Schwelle bis zu einem Mäuerchen, wo die Tochter sie halten musste, damit der Vater seine tote Frau schultern konnte. Dann schleppte er den Leichnam über den schmalen, holprigen Pfad, zog und zerrte ihn in Richtung der Grube, so gut er es vermochte. Die entsetzte Tochter half, schob, hob, damit der Körper ihrer armen Mutter nicht von Dornen und scharfen Steinen zerkratzt wurde, bis er endlich in dem Loch landete und mit großen Steinen zugedeckt wurde.

Danach gingen Vater und Tochter ins Kloster, brachten den Mönchen einen Sack *tsampa*, Tee und andere Nahrungsmittel und baten sie, neunundvierzig Tage lang für die Tote zu beten. In jeder dieser sieben Wochen brachte mein Urgroßvater *tsampa*, Butter, Tee oder andere Nahrungsmittel hinauf zum Kloster. Das war kein Zwang, er machte es gerne, weil er der festen Überzeugung war, dass all die Gebete nichts nutzen würden, wenn er keine Gaben brächte.

Die *chupas*, Schürzen, Blusen, Schuhe und den Schmuck der toten Mutter trug der Vater zusammen mit seiner Tochter ins Kloster. Dort überreichten sie den Mönchen diese Hinterlassenschaften. Später tauschten die Mönche die Frauendinge gegen Nahrungsmittel und Küchenutensilien für ihren eigenen alltäglichen Gebrauch.

Meine Großmutter hat mir mehr als einmal erzählt, dass ein verstorbener Mensch drei Tage lang nochmals jedes kleinste Detail dessen erfährt, was er in seinem Leben durchgemacht hat. Am dritten Tag, bei Sonnenaufgang, kehrt das Bewusstsein wieder zu seinem Körper zurück, ohne zu merken, was geschehen ist. Dann wandelt der Tote wieder unter den Lebenden, aber niemand beachtet ihn, niemand spricht ihn an, niemand sieht ihn an, niemand berührt ihn. Der Tote will wieder unter den Menschen weilen, und er versteht nicht, warum sie ihn nicht wahrnehmen, bis er einen fürchterlichen Verdacht schöpft. Um seine Befürchtung zu zerstreuen, geht er über Sand und stellt erschrocken fest, dass er keine Spur hinterlässt. Er steigt ins Wasser, das keine Wellen wirft, er will ein dünnes Ästchen abbrechen und muss feststellen, dass es seinem Druck widersteht, als ob es ihn nicht spüre. Der Tote führt diese Proben so lange weiter, bis ihm klar wird, dass er nicht mehr unter den Lebenden weilt, dass sich sein Bewusstsein von seinem Körper getrennt hat.

Erst nach drei Tagen begegnet das Bewusstsein des Verstorbenen zweiundvierzig friedvollen und achtundfünfzig zornvollen Gottheiten. Wer schon einmal Abbildungen dieser furchterregenden Gottheiten gesehen hat, kann sich vorstellen, wie sehr solche Treffen verstören und wie viel Angst sie einjagen können. Deshalb ist es notwendig, dass der Verstorbene von den Gebeten der Mönche begleitet wird, die sein Bewusstsein auf diese Begegnungen vorbereiten. Die Gebete sollten auch der verstorbenen Urgroßmutter erklären, dass die Götter, die sie sah, nicht real seien, sondern bloß Illusionen, vor denen sie keine Angst zu haben brauche. Um ihr zu helfen, hingen die Mönche Bilder der hundert Götter auf, sodass die Tote sich an ihren Anblick gewöhnen konnte. Außerdem fertigten sie eine einfache Zeichnung einer Frau an, die stellvertretend für die Verstorbene stand, und zeigten diesem Abbild Bildchen, auf denen die einzelnen Gottheiten zu sehen waren. Solche Bilder sind in den meisten Klöstern für derartige Zwecke vorrätig.

Nach einigen Wochen holte mein Urgroßvater, nun unter Mithilfe von Mönchen, meine verstorbene Urgroßmutter wieder aus ihrem Erdloch heraus, denn nach tibetischer Ansicht ist das auf Dauer kein guter Aufenthaltsort für eine Tote. Er ließ den in der Zwischenzeit halbverwesten Leichnam von den Mönchen verbrennen und danach eine Feuerzeremonie durchführen, ein Brandopfer, das alle schädlichen Kräfte befriedet und verbannt und die übelwollenden Geister gnädig stimmt. Dem Feuergott wird flüssige Butter dargereicht, die die Mönche in die Flammen gießen und zusammen mit zwölf verschiedenen Substanzen, darunter geschmolzene Butter, Reis, Mehl, Gräser und Blüten, als Opfer darbringen. Der Feuergott, so die Vorstellung der Gläubigen, soll dann den anderen Gottheiten die Essenz dieser Opfergaben bringen.

Nach der Verbrennung sammelten alle zusammen die Asche der Toten auf und mischten sie mit Ton. Diese zähe Masse drückten sie in eine Form, wodurch sogenannte *tsa tsa* entstanden, kleine halbplastische Figürchen von Gottheiten. Man hätte die Asche der Toten auch einfach in den Wind streuen oder in den Fluss kippen können, doch meine Familie war immer schon sehr religiös, und im Sinne der Religion waren *tsa tsa* die beste Wahl. Die konnte man an reinen und heiligen Orten aufstellen, nur keinesfalls dort, wo Tiere grasten, Ackerbau betrieben oder Holz geschlagen wurde. Man konnte sie auf einer Stupa platzieren, einem gemauerten Reliquienschrein, oder unter einem Felsvorsprung hoch oben in den Bergen, oder auch am Gestade eines Flusses, dessen Wellen sie dann nach und nach abtragen und auf ihre lange Reise in den für Tibeter unvorstellbar fernen Ozean mitnehmen konnten.

Wo die *tsa tsa* ihrer Mutter wirklich hingebracht wurden, weiß meine Mola nicht mehr, doch das war ihr nicht wichtig. Meiner Familie ging es vor allem darum, alles nur Menschenmögliche für eine gute Wiedergeburt meiner viel zu früh verstorbenen Urgroßmutter getan zu haben.

LOSLASSEN

Die Jahre zogen ins Land. In Europa brach ein neuer Weltkrieg aus, doch die Gebetstrommeln an den Klosterpforten drehten sich wie immer um die eigene Achse, von Mönchen und Pilgern seit Jahrhunderten wieder und wieder in Schwung gebracht. Kunsang war zu einer jungen Frau geworden, denn im alten Tibet galt man mit dreizehn Jahren schon fast als erwachsen. Ihrem Vater ging es indes immer schlechter. Er litt schon seit längerer Zeit an einer Leberkrankheit, die seine Haut in fahlem Gelb schimmern ließ. Sie galt als unheilbar, ein Lama hatte ihn untersucht und diese Diagnose abgegeben. Einen Arzt gab es nicht in der Gegend, der hätte ihm allenfalls mit einem Medikament der tibetischen Naturheilkunde helfen können. Mein Urgroßvater stand kaum mehr auf, sondern blieb lieber den ganzen Tag auf seiner Lagerstatt. Da er nicht noch einmal geheiratet hatte, musste Mola für ihn sorgen. Wer in einer solchen Situation nicht von Verwandten gepflegt wurde, war sich selbst überlassen. Es gab kein staatliches Sozialsystem in Tibet, aber es gab die beste Absicherung der Welt, die der Familie.

Also sammelte meine Großmutter Brennholz, schürte das Feuer im Herd, brachte Wasser, kochte Suppe und rührte *tsampa* an. Sie wohnte zwar noch beim Vater, verbrachte ihre Tage jedoch im nahen Kloster. Dort arbeitete sie mit den Nonnen, nahm an Opfern und Riten teil, lernte die heiligen Schriften lesen und übte sich in der Kunst des buddhistischen Gebets, das mit seiner Selbstversenkung eher einer Meditation gleicht als dem Beten, wie es christliche Gläubige kennen. Das aus dem Sanskrit stammende und in den buddhistischen Gegenden Tibets und des Himalaja bekannte Mantra *om mani peme hung* begleitete Mola ihr ganzes Leben, von morgens bis abends, gesprochen, gemurmelt oder gedacht. Dieses Mantra kann man nicht wortwörtlich übersetzen, man kann nur über seinen Sinn spekulieren. Es ist unter anderem ein phonetisches Spiel mit den Begriffen »Juwel« (*mani*) und »Lotus« (*peme*), die für buddhistische Tugenden wie Mitleiden, Altruismus, Reinheit und Weisheit stehen. Jede der sechs Silben steht für einen der sechs Daseinsbereiche, in denen Lebewesen wiedergeboren werden, und aus denen der Bodhisattva Avalokiteshvara die Gläubigen erlösen kann. So ist es nicht weiter verwunderlich, dass das unter Tibetern so weit verbreitete Mantra mit diesem das universelle Mitgefühl verkörpernden Bodhisattva aufs Engste verbunden ist.

Ein Bodhisattva ist ein erleuchtetes Wesen, dessen endgültiges, aber fernes Ziel es ist, ein Buddha zu werden, ein Erleuchteter, wie es Siddhartha Gautama war, der historische Buddha aus dem fünften vorchristlichen Jahrhundert, der heute fälschlicherweise oft als »der« Buddha bezeichnet wird, obwohl es mehrere Buddhas gab und nach buddhistischer Auffassung auch wieder geben wird. Zwar ist ein Bodhisattva kein vollendeter Buddha, er ist aber auch kein Mensch mehr, sondern ein Wesen, das einstweilen noch bewusst auf die Erlangung der Buddhaschaft verzichtet, um allen leidenden Lebewesen in dieser wie in allen anderen Welten dabei behilflich zu sein, sich aus dem Leidenskreislauf zu befreien, denn solange noch ein Wesen leidet, will der Bodhisattva keine Buddhaschaft erlangen. Erst wenn sein

Ziel erreicht ist, alle Lebewesen zur Erleuchtung zu führen, wird er sich auf seine eigene, endgültige Bestimmung konzentrieren.

Die meisten Gläubigen wissen natürlich, dass sie es lange nicht schaffen werden, Buddha oder Bodhisattva zu werden; sie rezitieren das *om mani peme hung* vielmehr, um Verdienste und ein gutes Karma zu erwerben. Doch so genau kannte sich meine Mola damals noch nicht aus in buddhistischer Heilslehre. Sie wusste nur, dass es gut war und ihr guttat, das *om mani peme hung* zu sagen, wieder und immer wieder, einmal für jede der hundertacht Perlen an ihrer Gebetskette. Trost und Hilfe konnte sie gebrauchen, denn ihrem Vater ging es nicht gut, er wurde schwächer und schwächer.

Meine Großmutter hatte in ihrem bisherigen Leben schon genug gesehen, um zu wissen, dass es zu Ende gehen könnte mit ihrem Pala, und seit dem Tod ihrer Mutter wusste sie auch, was das zu bedeuten hatte. Sie wusste, dass das Ende schnell kommen konnte, weshalb sie ihren Vater noch einmal etwas Großartiges erleben lassen wollte: Sie tat alles, um mit ihm die Aufführung der *cham*-Tänze im Kloster zu besuchen. Bei diesen rituellen Tänzen schlüpfen Mönche in prächtigen bunten Gewändern in die Rolle von Gottheiten, während andere Mönche dazu musizieren und Texte rezitieren. Das ist keine Oper, kein Theaterstück, keine Messe und keine Beschwörung, aber es trägt von alledem etwas in sich.

Also stützte Mola ihren Vater und geleitete den humpelnden, von seinem Leiden ausgezehrten Mann den Pfad hinauf zum Kloster. Doch sie hatten kaum die Hälfte der Wegstrecke geschafft, als Großmutter sich eingestehen musste, dass sie beide die vielen Stufen hinauf und dann die vielen Stufen hinunter in den Klosterhof nicht mehr schaffen würden. Sie wollte schon aufgeben, als sie die rettende Idee hatte, ihren Vater zu der mit

Erde angeschütteten Mauer des Klosters zu führen, von der aus man einen guten Blick in den Hof hatte. Dort bettete sie den Erschöpften auf eine Decke, so dass auch er die Mönche tanzen sehen konnte. Im Liegen verfolgte er, wie die Gottheiten, denen er unmittelbar nach dem Tod begegnen würde, im Klosterhof um einen mit langen Gebetsfahnen geschmückten Mast tanzten. Gespenstisch und magisch war das, wie jenes Zwischenreich zwischen Leben und Tod, das ihn demnächst aufnehmen sollte.

Als Mola ihren Vater nach der viele Stunden dauernden Vorführung wieder nach Hause brachte, war er noch unbeweglicher und zittriger als sonst, aber er wirkte ruhig, beinahe heiter, als hätte sich etwas in ihm gelöst. Wenige Tage später starb er friedlich in seiner Hütte, und seine Tochter war bei ihm. Wieder wurde *powa* gemacht, das Geleitritual für das Bewusstsein eines eben Verstorbenen. Doch diesmal war Mola bei der Zeremonie nicht mehr nur Zuseherin, sondern sie unterstützte auch. Sie kannte die Regeln, die sie nach der *powa* für ihre eigene Mutter noch mehrfach gesehen hatte. Zwar leitete eine alte Nonne das Ritual, doch da sie auf eine Helferin angewiesen war, um alle rituellen Handlungen durchzuführen, assistierte Mola ihr. Das war ungewöhnlich, denn in der Regel vollführten Männer diese Zeremonie, da eine Frau in der spirituellen Hierarchie des Buddhismus weniger als ein Mann gilt. In Kunsang brannte jedoch das Feuer eines tiefen Glaubens, weshalb sie die Butterlampen entzünden, die Opfergaben auf den Altar stellen und zum richtigen Zeitpunkt wieder entfernen durfte. Mola reichte der alten Nonne auch die nötigen rituellen Instrumente und nahm so eine wichtige Funktion bei der Zeremonie ein, mit der das umherirrende Bewusstsein ihres Vaters auf den Weg in seine nächste Inkarnation geleitet werden sollte.

Kalte Schwester

Oft schon hatte die um einige Jahre ältere Schwester meiner Großmutter, die ebenfalls Nonne war, Kunsang ausrichten lassen, sie solle sie in ihrem Kloster besuchen, doch bislang war es nicht dazu gekommen. Jetzt aber, nach dem Tod des Vaters, hatte Mola in ihrem Heimatdorf keine Familie mehr, und so gefiel ihr der Gedanke, bei vertrauten Menschen zu sein. Ihre Schwester lebte sechs Tagesreisen entfernt von Rege, was bedeutete, dass Mola sechs Märsche von mindestens zwölf Stunden pro Tag auf sich nehmen musste, um zu ihr zu gelangen. Als meine Großmutter erfuhr, dass eine Gruppe von Nonnen und Mönchen zum Kloster ihrer Schwester gehen wollte, raffte sie sich auf, steckte ihr hölzernes Essschälchen in eine Falte ihrer *chupa*, füllte einen Sack mit *tsampa*, rollte ihre Decke zu einem dicken Bündel und machte sich zusammen mit den anderen auf den Weg.

Es war Winter geworden, Schnee trieb über die unbewaldeten Hochflächen und setzte sich in den Senken und den felsigen Rinnen und Schrofen fest, die sie auf dem Weg zu einem Pass durchsteigen musste. Mola achtete nicht auf die Landschaft, nicht auf den Wind und auch nicht auf die tobenden Schneeflocken, sie konzentrierte sich ganz und gar auf das Weiterkommen und murmelte beständig *om mani peme hung*. Plötzlich lag vor ihr auf dem Weg ein Mann. Der war nicht tot, aber er schlief, mitten im Schnee, und als Mola näher herantrat, roch sie, dass der Mann *chang* getrunken hatte, das tibetische Bier, und seinen Rausch ausschlief. Meine Großmutter hatte keine Erfahrung mit Betrunkenen. Zweifellos würde der Mann erfrieren, wenn er hier liegen bliebe, aber sie wusste nicht, was sie jetzt tun sollte. Sie rief nach den anderen, die schon vorausgegangen waren, doch die wollten nichts wissen von dem Betrunkenen, sie wollten nur weiter, um möglichst schnell den Pass zu überqueren und auf der anderen Seite ein Nomadenzelt oder eine Hütte oder zumindest einen windgeschützten Platz für ein Feuer zu finden, denn die Nacht stand kurz bevor.

Mola sah den Mann an und musste an ihre Mutter denken und daran, wie sie sie vor wenigen Jahren mit letzter Kraft in die Hütte geschafft hatte, wo sie in Ruhe sterben konnte. Die Erinnerung überwältigte sie so sehr, dass ihr die Tränen kamen. Großmutter packte den Mann und schüttelte ihn so lange, bis er mühsam die Augen aufschlug. Sie redete aufmunternd auf ihn ein, versuchte ihn hochzuziehen und zerrte so lange an ihm herum, bis er widerwillig mit ihr ging. Sie staunte ein wenig über sich selbst, wie stark sie jemanden antreiben konnte und welche Wirkung ihre Kraft zeigte.

Der Mann begann zu sprechen, doch er sagte nur wirres Zeug, das Mola nicht verstand. Es war ihr auch egal, sie versuchte nur, ihn vorwärtszutreiben. Doch das ging immer schlechter, der Schneefall nahm zu, die Finsternis kroch herauf. Der Mann setzte sich wieder hin, und diesmal konnte Mola ihn nicht zum Weitergehen bewegen. Sie sah sich um, sah nach oben, zum Pass hin, aber da war niemand mehr zu sehen. Sie rief hinauf, doch niemand antwortete. Wieder zog sie an dem Mann, aber der rührte sich nicht. Da bekam Großmutter es mit der Angst zu tun, und als sie sah, dass die Spuren der vor ihr Gehenden bereits vom Schnee verweht wurden, geriet sie fast in Panik. Noch einmal zerrte sie an dem Betrunkenen, doch der reagierte nicht. Also ließ sie ihn im Stich und eilte los, bergauf, die eisige Luft stach in ihre Lungen, sie zitterte vor Kälte, aber sie achtete nicht darauf. Alles, was sie beschäftigte, waren schwere Selbstvorwürfe: Was war das für eine buddhistische Nächstenliebe, einen anderen Menschen im Stich zu lassen? Trotzdem, Mola musste weiter, sonst würde auch sie im Schnee sitzen und zugeschneit werden und einschlafen, und das wollte sie nicht, noch nicht. Aber ihr Verrat schmerzte sie, oder das, was sie dafür hielt.

Als sie endlich die Passhöhe erreicht hatte und mit dem Abstieg beginnen konnte, sah sie ihre Gruppe in einer Felsnische. Ein kleines Feuer loderte, das ihre Wegbegleiter auf wundersame Weise in Gang gebracht hatten, obwohl weit und breit kein Holz zu sehen war und auch kein Yakmist, sondern nur Eis und Schnee. Alle waren erleichtert, dass Mola wieder da war, sie aber drängte sich innerlich verzweifelt ans Feuer, um ihre fast erfrorenen Gliedmaßen zu wärmen. Besonders die Zehen fühlten sich an wie Steine, und als sie allmählich warm wurden, verursachten sie ihr einen solch unerträglichen Schmerz, ein so heftiges Brennen und Stechen, dass sie fürchterlich schrie und dachte, jetzt sei der Tag gekommen, an dem sie ihre Zehen verlieren würde.

Als Mola am nächsten Morgen die Augen aufschlug, war das Erste, was sie sah, der Betrunkene. Wie ein Gespenst stand er vor der Glut, das Gesicht weiß wie Schnee, aber lebendig, wenn auch starr und nicht in der Lage, etwas zu sagen. Die anderen gaben ihm Tee, doch der Unbekannte schien überall Schmerzen zu haben, am ganzen Körper. Er wand und krümmte sich, schrie und sprach wirr, so dass die Mönche und Nonnen nichts anderes tun konnten, als für ihn zu beten. Der Mann beruhigte sich jedoch nicht, er schrie, bis ihm Schaum vor dem Mund stand. Da der Unbekannte nicht mit ihnen gehen konnte, blieben sie noch einen Tag und eine Nacht an ihrem Lagerplatz. Dann, am dritten Tag, wand sich der Kranke noch stärker in Krämpfen, und plötzlich zuckte er hoch und starb. Sie machten die notwendigen Zeremonien und beteten, dass sein Geist in einen guten Körper Einzug halten mochte.

Noch lange nach der Ankunft bei ihrer Schwester im Kloster fühlte Großmutter die Schmerzen der Erfrierungen. Ihre Füße wurden eitrig, wochenlang konnte sie kaum mehr stehen, und schließlich verlor sie zwei Zehen. Weil sie sich während dieser schlimmen Zeit nicht pflegen konnte, verfiel sie mehr und mehr. Läuse tummelten sich in ihrer *chupa*, ihre Haut wurde fahl und klebrig. Mola erholte sich erst, als ihre Zehenstummel notdürftig verheilten und sie sich wieder ein wenig bewegen konnte.

Molas Schwester war die älteste der Geschwister, Mola die jüngste, und die Beziehung der beiden war nie eng gewesen. So wurde Molas zweimonatiger Aufenthalt bei ihrer Schwester nicht nur von den Schmerzen der Erfrierungen überschattet, sondern auch von der Gleichgültigkeit meiner Großtante gegenüber ihren Leiden.

Der Tag der Abreise kam, als durchreisende Nomaden Mola in ihr Zelt einluden. Sie baten die junge Nonne, sie zu begleiten, denn sie erhofften sich von ihren Gebeten Schutz gegen Krankheiten für sich und ihr Vieh. Meine Großmutter willigte freudig ein, denn sie wollte wieder nach Hause, aber alleine hätte sie sich nicht auf die gefährliche und beschwerliche Reise machen können. Nun sollte sie es bequem haben unterwegs, zusammen mit den vielen Yaks und Mulis und den Zelten, die die Nomaden jeden Abend aufstellten. Doch auch Molas Gebete vermochten nicht, die bösen Geister fernzuhalten, denn sie kamen mit einer Wucht, die selbst der gläubigste tibetische Hirte nicht erwartet hatte.

Andere Nomaden, die ihnen begegneten, erzählten ihnen, dass chinesische Soldaten in der Gegend seien. Sie würden alle Herden, die sie träfen, einfangen und die Tiere töten, weil sie so ausgehungert seien von ihrem langen Marsch. Sogar lebenden Kühen würden die Chinesen das Fell abziehen. Aus Furcht vor solchen Gräueltaten verbargen sich die Nomaden und Mola in einem Seitental, bis sie erfuhren, dass die Chinesen die Gegend wieder verlassen hätten.

Immer, wenn andere Nomaden zu ihnen stießen, wurden Horrorgeschichten von den Chinesen berichtet: Wie sie Hirten überfielen, um an Fleisch zu kommen; wie sie die wenigen, mit uralten Flinten ausgestatteten tibetischen Soldaten gnadenlos niedermetzelten; wie sie Tote und Verletzte einfach liegen ließen, um ihren Feldzug weiterzuführen, an dessen Ende wahrscheinlich die Eroberung der tibetischen Hauptstadt stehen würde. Seit Beginn der dreißiger Jahre lieferten sich diese chinesischen Truppen unter ihrem General und Kommandanten Liu Wenhui vor allem in der tibetischen Provinz Kham beständige Scharmützel mit den Tibetern.

Geschockt war Mola, als sie hörte, wie die Chinesen im benachbarten Kloster Dama ihr Unwesen getrieben hatten: Die Statuen der Götter waren in tausend Stücke zerschlagen, auf dem Boden zwischen den teilweise eingestürzten Mauern lagen überall alte Bücher mit heiligen Texten des Buddhismus verstreut, die von den plündernden Soldaten mit Füßen getreten worden waren, und ausgerissene Seiten flatterten zerfetzt im Wind. Das war ein großes Sakrileg; gläubige Buddhisten würden die heiligen Schriften niemals auf den Boden legen, geschweige denn, dass sie ihnen die Fußsohlen entgegenstreckten oder gar über sie gingen.

Alle fühlten sich ratlos und verunsichert. Keiner wusste, wie es weitergehen sollte. Wollten die Chinesen ganz Tibet zerstören? Hatten sie es nur auf Klöster abgesehen? Wollten sie das tibetische Volk versklaven? Waren sie auf der Suche nach Gold oder anderen Schätzen?

Ape Rinpoche

Meine Großmutter war zwar wieder nach Rege zurückgekehrt, doch nach dem Tod des Vaters existierte für sie kein Fixpunkt mehr auf dieser Welt. Mola war bald vierzehn Jahre alt, und niemand außer ihrem eigenen Gewissen konnte ihr sagen, was sie tun oder lassen sollte. Sie besaß nichts außer einem Haus in einem tibetischen Gebirgstal, auf das aber auch ihre beiden älteren Brüder Anrecht hatten. In diesem Haus in Rege gab es nur ein paar einfache Möbel: einen Tisch, zwei Betten und einige Teppiche. In der Küche, dem wichtigsten Raum des Hauses, standen wenige Töpfe, Pfannen und Essnäpfe, sieben silberne Schalen mit Wasser, und auch einige mit Butter gefüllte Kelche, die als Lampen dienten. Die schönsten Stücke des Hauses waren eine uralte *thangka*, eine auf Stoff gemalte, fromme Bildergeschichte, eine kleine Buddhastatue und die dicken Yakfelle, in die man sich in den kalten Winternächten einwickelte, um es halbwegs warm zu haben. Darüber hinaus besaß Großmutter noch das rote Kleid einer tibetischen Nonne, das sie tagein, tagaus trug, ihr hölzernes Essschälchen und die Gebetskette, die sie meist um den Hals gehängt hatte und deren hundertacht Perlen sie immer durch die Finger gleiten ließ, wenn sie das *om mani peme hung* rezitierte. Mehr benötigte sie nicht. Sie fühlte, dass es ihrer Bestimmung entsprach, ihr Sein auf die Weiterentwicklung ihres Geistes zu konzentrieren, zu meditieren und für das Wohlergehen aller Kreaturen zu beten. Meine Großmutter hatte beschlossen, ein enthaltsames, heiliges Leben zu führen.

Mola war nicht zu jung und auch nicht zu wenig bewandert in spirituellen Dingen, um in ein Frauenkloster aufgenommen zu werden, aber im damaligen Tibet konnten nur Männer förmlich ordiniert werden. In der auf der Macht des Klerus und des Adels basierenden Hierarchie Tibets nahmen Nonnen nur einen niedrigen Platz ein, denn sie konnten in der buddhistischen Welt nicht aufsteigen und nie denselben Status wie ein Mönch erreichen, von wenigen Ausnahmen abgesehen, die man an einer Hand abzählen kann. Eine von ihnen war die hohe Nonne Jetsün Dölma. Diese hätte für meine Mola die »Haarlocken-Darreichung« durchführen können, eine Zeremonie, bei der mit dem Abschneiden einer Haarlocke der Eintritt in die Gemeinschaft der Nonnen besiegelt wird. Doch Jetsün Dölma lebte weit weg, so dass bei Kunsang schließlich ein Mönch diese Zeremonie durchführte.

Eigentlich verstößt die Ungleichbehandlung von Männern und Frauen gegen den Geist des Buddha Siddhartha Gautama, zu dessen Lebzeiten bereits die Gleichstellung der Geschlechter im Klosterleben eingeführt wurde. Das war eine Pioniertat, die in den Männergesellschaften Asiens bis heute häufig beschnitten, geschmälert oder abgeschafft worden ist, und die von Männern dominierte tibetische Gesellschaft bildete dabei keine Ausnahme. Doch das störte meine Großmutter weder damals, noch stört es sie heute. Mola empfand den Buddhismus immer schon als unveränderliches, von weisen Gottheiten und Buddha selbst eingerichtetes System, das von den Bodhisattvas, den Erleuchtungswesen, und den Lamas, den spirituellen Meistern, stets weiterentwickelt und perfektioniert werden mochte, aber niemals in seinen Einzelheiten infrage zu stellen war. Für Mola war alles gut so, wie es war. Sie empfand sich nicht als zweitrangig, nicht als ausgeschlossen oder diskriminiert. Sie wollte im Rahmen ihrer Möglichkeiten nach Erleuchtung streben, das war alles.

In jener Zeit traf meine Großmutter den jüngeren ihrer beiden Brüder wieder. Der befand sich auf einer langen Reise von einem Guru zum nächsten, und Mola schloss sich ihm an, denn er war nicht nur fünf Jahre älter als sie, sondern in Fragen des Reisens deutlich erfahrener. Gemeinsam unternahmen sie einen anstrengenden Fußmarsch über die Berge ins nächste Dorf, in dem nicht nur Freunde der Familie lebten, sondern sich auch ein Kloster befand, wie damals in fast jedem tibetischen Dorf. Einige Dörfer besaßen auch mehr als ein Kloster, es gab sogar Siedlungen, die nur aus Klöstern bestanden. Man schätzt, dass im damaligen Tibet über sechstausend Klöster standen, in denen rund eine halbe Million Mönche in unterschiedlicher Verteilung lebten: In manchen Klöstern wohnten nur zwei oder drei Mönche, in anderen mehrere Tausend.

Die beiden Geschwister aber wollten nicht in irgendein Kloster oder zu irgendeinem Mönch, sondern zu Ape Rinpoche, dem höchsten Guru des Nachbardorfs, der weit über die Grenzen der Region Kham, ja sogar über Osttibet hinaus bekannt war. Seinen Ruhm konnte man schon aus dem Titel Rinpoche ersehen, der auf Deutsch so etwas wie »Kostbarer« heißt und einen erfahrenen Lehrer, einen Lama bezeichnet. Ein Rinpoche ist eine spirituell höchststehende, ehrfurchtgebietende und verehrungswürdige Person. Mola zersprang fast vor Neugierde auf diesen berühmten Mann, sie bebte aber auch vor Angst, ob sie ihm unter die Augen treten dürfe. Gleichzeitig spürte sie, dass diese Begegnung ihr junges Leben in eine neue Bahn lenken würde.

Ape Rinpoche empfing die Geschwister freundlich. Sie beugten sich tief vor ihm nieder, er segnete sie, betete mit ihnen und erzählte aus seinem Leben. Er stammte aus einer reichen adligen Familie, sein Vater war Dorfvorsteher und hatte mächtige

Vorfahren. Als er volljährig war, sollte er eine Frau aus einer anderen reichen Familie heiraten. Arrangierte Heiraten waren in Tibet weit verbreitet, denn vor allem in guten Familien galt es, nicht nur die Besitztümer der Familie zusammenzuhalten und zu mehren, sondern auch deren Ehre und öffentlichen Einfluss.

Den jungen Ape hatte diese Aussicht nicht froh gestimmt. Er wollte nicht mit einer Frau zusammenleben, die er noch nicht einmal kannte, er wollte sein Leben nicht nur auf den Erhalt und die Vergrößerung von Macht und Besitz ausrichten. Auch um etwas Klarheit über seine eigenen Absichten zu gewinnen, ging er mit zwei Freunden auf die Jagd, nur mit Pfeil und Bogen bewaffnet, hinauf ins Gebirge. Die drei jungen Männer wollten *tschirus* jagen, die seltenen Tibetantilopen des Hochlands, oder vielleicht sogar einen Bären erlegen. Es war das erste Mal, dass Ape mit auf der Jagd war, denn strenggläubige Buddhisten dürfen keine Tiere töten, und die Religion war das Grundgerüst für fast alles, was die Menschen dachten, taten oder unterließen.

Während die drei Männer in die Berge stiegen, überkamen Ape immer mehr Zweifel. Nicht nur die Jagd und das bevorstehende Töten machten ihm Sorgen, sondern auch seine bevorstehende Hochzeit, die ihm immer weniger richtig erschien. Müde und hungrig vom Aufstieg bedeutete er seinen beiden Freunden weiterzugehen und setzte sich auf einen Stein, um zu rasten. Als die beiden hinter einer von dünnem Gras bewachsenen Bergflanke verschwunden waren, besah Ape sich den Himmel und die hoch oben kreisenden Vögel, winzige Pünktchen in tiefem Blau. Er blickte auf die noch höher dahinziehenden Wolken, ließ seine Gedanken mit ihnen treiben, weiter und weiter, bis er den Kontakt zu all dem, was ihm bisher wichtig erschienen war, verloren hatte. Seine Familie, die für ihn vorgesehene Braut, das ihm zugedachte Landgut, sein wunderschönes Elternhaus, seine Pferde, seine prächtigen Gewänder, seine Diener, der Luxus seiner Jugend: All das hatte sich von ihm losgelöst und war aus seinen Gedanken und seinem Leben verschwunden wie die Wolken am Himmel, diese flüchtigen Gebilde, die in einem Moment aussahen wie eine Herde Schäfchen, im nächsten wie eine große Fratze und sich im übernächsten aufgelöst hatten unter der gleißenden Sonne des tibetischen Hochplateaus.

Ape wusste nicht, wie lange er auf diesem Stein gesessen hatte, als er erquickt wie nach tiefem Schlaf aufstand und wieder losging. Doch er folgte nicht dem Pfad, der seine beiden Freunde entlang der Bergflanke stetig bergan geleitet hatte, sondern ging in die andere Richtung und wanderte über einen weithin sichtbaren Sattel in das nächste Tal, in dem er ein Kloster kannte. Dort, das wusste er, lebte ein bekannter Lama. Ape wollte ihn aufsuchen, um sich von ihm Unterweisung zu erbitten. In diesem Moment brach er mit seinem bisherigen Leben, denn er sollte seine Eltern, seine Familie und sein Haus nie mehr wiedersehen in diesem Leben.

Jahrelang lernte Ape bei seinem Guru, seinem »Wurzelguru«, wie die Buddhisten ihren wichtigsten spirituellen Lehrer nennen, um dann allein in eine Einsiedelei zu ziehen. Dort betete und meditierte Ape drei Jahre, drei Monate, drei Wochen und drei Tage lang, bis er wieder ins Tal hinabstieg und selbst Schüler annahm, denen er Unterweisung in Glaubensdingen erteilte. Später hörte er davon, dass eine seiner beiden Schwestern, die einen reichen Adligen heiraten musste, in ein Kloster geflüchtet und Nonne geworden war. Das freute Ape sehr, denn er wollte nur das Beste für seine Schwester.

Meine Großmutter und ihr Bruder waren begeistert von Ape Rinpoche. Gestärkt kehrten sie in ihr Dorf zurück, doch sie beschlossen, ihn wieder aufzusuchen, und hofften auf weitere Belehrungen. Einstweilen nahm Mola ihr altes Leben im Frauenkloster neben dem verwaisten Haus ihrer Eltern wieder auf, und mein Großonkel zog in das Männerkloster des Tales. Als sie davon hörten, dass Ape Rinpoche mit ein paar Mönchen nach Ngabö in Kongpo pilgern wollte, fassten sie den Entschluss, sich diesem Pilgerzug anzuschließen. In Begleitung eines heiligen Mannes auf eine solche für jeden Buddhisten segensreiche Pilgerreise zu gehen war eine einmalige Gelegenheit. Ihr Gepäck war schnell zusammengerafft: ein Sack *tsampa* und ein paar Ziegel gepressten Tees, dazu zwei Decken, zwei alte Jacken und ihre Gebetsketten. Mehr hatten sie nicht, und mehr brauchten sie auch nicht.

Wie groß war ihre Enttäuschung, als sie zu dem Kloster kamen, in dem Ape Rinpoche lebte, und erfuhren, dass er schon ein paar Tage zuvor abgereist war! Mein Großonkel wollte zurück nach Hause, doch Mola begann zu weinen und weigerte sich so lange, etwas zu essen und zu trinken, bis ihr der Bruder versprach, mit ihr weiterzureisen. Eine mutige Entscheidung, denn sie hatten gehört, dass Reisende von Wegelagerern überfallen und ausgeraubt worden seien. Die beiden Geschwister ließen sich von den Mönchen den Weg erklären und zogen los, dem Rinpoche nach, so schnell sie konnten.

Es sollte ein harter Weg werden. Immer wieder verliefen sie sich und mussten von Nomaden auf den richtigen Pfad zurückgeführt werden. Es regnete in Strömen, und der Wind peitschte ihnen ins Gesicht. Schlafen mussten sie unter freiem Himmel, eng aneinandergepresst gegen die auch im Sommer heftige nächtliche Kälte. Ihre *tsampa*-Vorräte waren knapp bemessen, und sie gingen in ständiger Furcht, dass Räuber, die es fern von den Dörfern überall auf der Hochebene gab, ihnen den letzten Rest Proviant wegnehmen könnten. Wie gern hätten sie einen

Abend an einem gemütlichen Feuer gesessen und ihre durchweichten Kleider getrocknet, aber sie sahen kein Haus, kein Dorf, kein Kloster, nur Wasser, Steine, Wald und Gras.

Nach vier Tagen waren sie fast am Ende ihrer Kräfte, und Mola stand knapp vor dem Aufgeben. Enge Serpentinen hatten sie zu einem steil aufragenden Pass geführt, über den sommerliche Schneeflocken tanzten und ein böser Wind heulte. Oben angekommen, ließ sich Großmutter neben einer der für viel begangene Pässe typischen Wegmarkierungen, einer tibetischen Steinpyramide, wie sie seit uralter Zeit als Steinopfer an die lokalen Gottheiten errichtet werden, zu Boden fallen, um sich ein wenig zu erholen. Nicht einmal die an langen Masten kreuz und quer über die Passhöhe gespannten, im scharfen Wind knatternden Gebetsfahnen vermochten Mola auf bessere Gedanken zu bringen. Doch dann machte ihr Bruder sie mit lauten Rufen auf eine Karawane aufmerksam, die sich den Pass heraufquälte. Offensichtlich waren es Kaufleute, die ihre Pferde mit Waren bepackt hatten. Endlich Menschen, die sie nach dem Weg fragen konnten und danach, ob sie den Rinpoche gesehen hatten!

Und tatsächlich: Die Händler berichteten, dass Ape Rinpoche mit seinen Mönchen nicht weit entfernt auf einer Wiese längere Rast halte. Wenn sie sich beeilten, würden sie ihn vielleicht noch antreffen. Also gingen, nein rannten die beiden Geschwister hinunter ins Tal, so schnell sie ihre Beine trugen, durchwateten einen eiskalten Fluss und standen bald mit nassen Gewändern vor den Zelten des Rinpoche und seiner Mönche. Der empfing sie voller Liebe und Zuneigung, gab ihnen heißen Tee und gesüßtes *tsampa* und versprach, dass sie mit ihm zusammen reisen dürften.

Wieder war Großmutter so eingenommen von der freundlichen und guten Art des Ape Rinpoche, dass sie beschloss, nicht mehr von seiner Seite zu weichen, wenn das möglich wäre, und ihn zu ihrem Wurzelguru zu machen. Fürs Erste vertraute Mola diese Entscheidung nur ihrem Herzen an.

Die Einsiedelei

Glücklich wanderten die beiden Geschwister zusammen mit Ape Rinpoche weiter, bis sie in das Dorf Ngabö kamen. Die Bewohner liefen ihrer kleinen Karawane aufgeregt entgegen, weil sie den Guru erkannten. Er hatte hier schon Belehrungen gehalten und einige Menschen erfolgreich medizinisch behandelt, denn er verstand sich in grundlegenden tibetischen Diagnosemethoden wie der Untersuchung des Urins, dem Betrachten der Zunge und dem Fühlen des Pulses. Ngabö Ngawang Jigme, der Bürgermeister von Ngabö, kam sofort herbeigeeilt, um den Rinpoche unter vielen Verbeugungen und Segenswünschen ehrfurchtsvoll zu begrüßen. Der Dorfvorsteher war damals noch ein junger Mann, ein hoffnungsvoller Politiker aus einer adligen Familie, der es später zu zwiespältigem Ruhm bringen sollte: Beim Einmarsch der Chinesen ergab er sich sofort, ohne Blutvergießen, und wurde als Leiter der tibetischen Delegation zu Verhandlungen nach Peking geschickt. Dort unterzeichnete er das Siebzehn-Punkte-Abkommen zwischen Tibet und China, das den Tibetern jedoch nicht die in dem Vertrag garantierte Autonomie brachte, sondern den Chinesen als Legitimation diente, mein Volk nach und nach seiner Freiheiten zu berauben und schamlos zu unterdrücken. Anschließend gelang dem ehemaligen Bürgermeister von Ngabö eine glänzende Karriere in der chinesischen Verwaltung Tibets und Chinas.

Als sich die Aufregung der Dorfbewohner gelegt hatte, stieg der Guru mit seiner Begleitung zu einer Einsiedelei auf, die sich ein paar Wegstunden entfernt in den Bergen oberhalb des Dorfes befand. Hier lebten Nonnen, die auf Belehrung durch den Rinpoche warteten. Mola sah innerlich schon das Zeichen, auf das sie so gewartet hatte. Immer deutlicher spürte sie, dass ihre Berufung bald ihren Lauf nehmen sollte.

In der Einsiedelei wurde der Guru bereits erwartet, denn seine bevorstehende Ankunft hatte sich längst herumgesprochen. Die Dorfbewohner hatten begonnen, ein Haus für ihn zu errichten, um ihn zum Bleiben zu bewegen, denn in ihren Augen wäre es ein großer Segen für das Dorf, wenn der heilige Mann zumindest für einige Zeit in ihrer Nähe lebte. Dieser Bau war ein Zeichen dafür, wie sehr seine Anwesenheit erwünscht, ja erfleht war. Die Dorfbewohner wussten, dass der Guru keinen Wert auf Komfort legte und das Materielle hinter sich gelassen hatte, und entsprechend bescheiden sollte das neue Gebäude ausfallen: Einen Raum trennten die Dörfler für ihn ab, zum Übernachten, in einem zweiten Raum stellten sie einen Altar auf.

Die Nonnen, die sich hier niederlassen wollten, bauten ihre Hütten selbst, im gebührenden Abstand von mindestens fünfzig Metern voneinander, denn der Ort sollte weniger der Geselligkeit als vielmehr der Ruhe und Versenkung dienen. Zum Bau der neuen Hütten benutzten sie nur Pflanzen, keine Steine, keinen Mörtel, keine Wände aus Erde oder Lehm. Da der von ihnen gewählte Platz hoch in den Bergen, oberhalb der Baumgrenze lag, mussten sie ihr Baumaterial von weit unten im Tal auf gekrümmtem Rücken heraufschleppen. Zuerst lange Äste, dann biegsame, bambusähnliche Stangen, danach kleine Äste und harte Gräser. Die Äste steckten sie kreisförmig in den Boden, so dass sie nach oben hin zusammenstanden und eine kleine Öffnung frei ließen, durch die Rauch entweichen konnte. Mit den biegsamen Stangen flochten sie auf diesem Grundgerüst ein zeltartiges Gebilde, das sie mit Ästen, Gras, Wurzeln und Rinden abdichteten. Die so entstandenen Laubhütten waren so niedrig, dass selbst eine kleine Frau kaum darin stehen konnte, und so klein, dass sie sich kaum auf dem Boden ausstrecken konnte. Dafür erwärmten sie sich schnell, wenn in der Mitte des Raumes ein kleines Feuer aus Wurzelwerk, trockenen Ästen oder Yakmist entzündet wurde. Sie kühlten aber ebenso schnell wieder ab, wenn das Feuer erlosch, denn Wind und Kälte bahnten sich mühelos ihren Weg durch das Geflecht der Außenhaut. Doch den Nonnen machte das nichts aus. Gelassen sahen sie den Winterstürmen und dem Schnee entgegen; wärmen würden sie sich an der Sonne ihres Glaubens und an der Weisheit des Rinpoche. Als Mola sah, wie die Nonnen, allesamt viel älter als sie, damit begannen, ihre Laubhütten zu errichten, holte auch sie Stöcke und Zweige herbei und blieb so selbstverständlich hier wie alle anderen. Als die Dörfler längst wieder ins Tal abgestiegen waren und sich auch mein Großonkel verabschiedete, der beschlossen hatte, sich in der Nähe niederzulassen, saß Mola immer noch in ihrer Laubhütte und betete, zündete ein kleines Feuer an und verrührte in ihrer Schüssel *tsampa* mit Butter und Tee. Später erfuhr sie, dass ihr Bruder unten im Tal sogar geheiratet und eine Familie gegründet hatte.

Ihre tägliche Fastenspeise besserte Mola auf, indem sie eine Suppe kochte oder *ala* buk, das dünne Fladenbrot aus Buchweizen, das in der Region Kongpo gegessen wurde. Wenn fromme Pilger den Nonnen Gaben gebracht hatten, gab es *thugpa*, eine dicke Suppe aus Trockenfleisch, Erbsen, Bierrettich oder auch Weizen, die mit Chili oder Joghurt verfeinert wurde, wenn etwas davon da war. *Momos*, die tibetischen Teigtäschchen, konnten die Nonnen nur zu besonderen Anlässen zubereiten. Sie waren mit Fleisch, Gemüse oder Käse gefüllt. War keine Füllung zur Hand, kneteten die Nonnen den Teig zu *bazamagu*, einer Art Spätzle, die sie mit geschmolzener Butter aßen.

Fast unmerklich war Mola zur Schülerin des Ape Rinpoche geworden, wie nebenbei, ganz nach ihrer feinen, ruhigen Art, die heute noch ihr Leben bestimmt. Nun begannen für meine Großmutter Jahre der Versenkung und der Reifung. In diesen Jahren gewann sie ihre Ruhe, ihre Konzentration und auch ihre Güte, die ich bereits als Kind an ihr gespürt und geliebt hatte. Aus diesen Jahren stammt ihr inneres Leuchten, das sie nie mehr verlieren sollte, selbst in den schwersten Zeiten und unter den widrigsten Umständen nicht, unter denen die meisten anderen Menschen, die ich kenne, längst aufgegeben hätten.

Das Meditieren über den Tod, ein wesentlicher Teil ihrer täglichen Versenkung, ließ Mola abgeklärt werden und die Alltagsprobleme, unter denen andere Menschen litten, als unwichtig erscheinen. Meine Mola sieht nie das Schlechte im Menschen, sondern stets das Gute. Probleme, die Einzelne beschäftigen, sind für sie nichts anderes als deren nach außen projizierte, eigene Gedanken. Ihre Tage und Jahre in der Einsiedelei verbrachte meine Großmutter nach einem festen Zeitplan. Der Tag begann frühmorgens, wenn eine Nonne mit ihrer *kangling*-Trompete die anderen weckte. Dieses Instrument fertigen Tibeter aus menschlichen Oberschenkelknochen an, die sie am oberen und unteren Ende anbohren. So verfügt eine *kangling* über eine erstaunlich große Bandbreite an Tönen. Die für den Weckruf zuständige Nonne ließ ihre langgezogene, klagende Melodie über die noch taufeuchten oder oft von Reif weiß schimmernden Wiesen und die Felsen dahinter bis hinauf zu den Wolken schweben. Nach und nach fielen die anderen Nonnen ein, bis ein Klangteppich aus merkwürdig hohlen und doch kraftvollen Tönen über den Bergwiesen lag. Danach meditierten die Nonnen mehrere Stunden lang, je nach Alter und Grad der Ausbildung in verschiedenen Techniken und Themen. Anschließend blies die gleiche Nonne, die den Tag »eingeblasen« hatte, zum Ende der Meditation, und wieder setzten die anderen Nonnen wie zur Bestätigung mit ihren Beinflöten ein. Dann gingen alle durch das nasse Gras zu einem bereitstehenden Wasserkessel, um sich Gesicht und Hände zu waschen.

Gleich darauf entfachten die Nonnen an ihrem Herd die Glut unter der Asche, die sie vor der Nachtruhe reichlich aufgehäuft hatten, zu neuem Feuer, setzten auf einem dreibeinigen Gestell den Tee vom Vorabend auf, füllten *tsampa* in ihre Holzschälchen und gaben ein oder zwei Butterflöckchen und ein bisschen *chuship*, geriebenen Käse, dazu. Darüber schütteten sie heißen Tee, und ihr Mahl war fertig.

Nach dem Frühstück erklang wieder die Knochentrompete, diesmal als Zeichen zum Rückzug der Nonnen, jede in ihre Zelle, zu privater Meditation. Erst gegen Mittag gingen die Frauen auf das Trompetensignal hin, jede in ihre Hütte, um zu essen. So vergingen die Tage mit stiller Meditation, Gebet und Versenkung, deren beständiger Wechsel vom Klang der *kanglings* gesteuert wurde. Selbst nachts meditierten die Nonnen, denn tiefer Schlaf galt als Verschwendung von Zeit, die mit spiritueller Versenkung sinnvoller ausgefüllt war. An besonders heiligen Tagen kamen die Nonnen zusammen, um ihre Stimmen zu religiösen Liedern zu erheben, die in der Anrufung des Lama gipfelten.

Mola hatte sich viel vorgenommen. Sie wollte drei Jahre, drei Monate, drei Wochen und drei Tage in völliger Einsamkeit meditieren. Doch zuvor musste sie innere Vorbedingungen erfüllen, vor allem die fünf wichtigsten, die *ngöndrö*: Im Gebet musste sie hunderttausendmal zu ihrem Lama Zuflucht nehmen, zu Buddha, zum Dharma, der Lehre Buddhas und zur Gemeinschaft aller Mönche und Nonnen. Dazu vollführte Mola Prostrationen, also Niederwerfungen, indem sie sich auf den Boden kniete, ihren ganzen Körper auf dem Boden ausstreckte, um danach wieder aufzustehen – und das hunderttausendmal. Auch musste sie das Mantra des Buddha Vajrasattva hunderttausendmal rezitieren. Danach hatte Mola hunderttausendmal mit Getreidekörnern das Universum-Mandala darzureichen und schließlich hunderttausendmal das sogenannte Guru-Yoga durchzuführen, die Verehrung des eigenen Lama.

Bei der Darreichung des Mandalas ließ Mola Getreidekörner auf eine runde Unterlage rieseln, nacheinander an jeweils einen von sieben genau definierten Punkten auf dieser Fläche, die nach den vier Himmelsrichtungen ausgerichtet waren. Das so entstandene Bild hatte nur für den Bruchteil einer Sekunde Bestand, denn Mola schüttelte das Getreide gleich wieder herunter, fing ihn mit einer anderen Schüssel auf und begann das mit schlafwandlerischer Präzision ausgeführte Ritual von neuem. Diese wochenlang andauernde Beschäftigung mit den immer gleichen Mandalas, ihrem stets wiederkehrenden Entstehen und Vergehen, soll das Festhalten am eigenen Ich, das im Buddhismus als Wurzel allen Leidens gilt, verringern. Diese Meditation macht das Bewusstsein frei von allen Anhaftungen des Menschen, sie hebt den Geist auf eine höhere Ebene. Gleichzeitig sind solche vergänglichen und immer wieder der Zerstörung preisgegebenen Mandalas aus Getreide, Reis oder Sand Symbole für die Vergänglichkeit aller Dinge, ja des Lebens überhaupt. Für den Buddhisten sind sie eine Übung im Loslösen von der irdischen Welt, den Begehrlichkeiten und auch den Gefühlen.

Mola empfand dieses Mandala, so wie es ihr gelehrt worden war, als Opfer des ganzen Universums an alle Buddhas und Bodhisattvas. Das Getreide in der Hand der Opfernden symbolisiert den Reichtum der Schöpfung. Jedes Getreidekorn soll so wertvoll erscheinen wie ein Juwel oder ein kostbarer Stein, so wertvoll wie alle Reichtümer des Universums.

Meine Großmutter nahm es sehr genau mit ihrem Weg der Selbstreinigung und Vorbereitung. Sie verbrachte viele Monate damit, denn Zeit hatte sie genug, und sie sah es als ihre Aufgabe an, sich in einer unendlich erscheinenden Kette von Meditationen zu versenken.

Bei einer anderen Art des Meditierens, die Mola in jener Zeit erlernte, stellte sie sich vor, sich selbst und ihren gesamten Körper den Göttern darzureichen. Dabei sang sie wunderbar klingende Gebete, die in regelmäßigen Abschnitten vom dumpfen »Dong-dang, dong-dang« einer großen Handtrommel begleitet wurden, der sich entweder der helle Klang einer kleinen Glocke oder das Quäken einer Knochentrompete zugesellte. Dieses Ritual heißt *chöd*, zu Deutsch in etwa »Durchschneiden« oder »Zerschneiden«. Wir Buddhisten sind der Meinung, dass wir unser Ego viel zu wichtig nehmen. Weil ich dies oder jenes will und nicht erreiche, leide ich, weil ich etwas hasse, habe ich Sorgen, weil andere mein Ich nicht loben, bin ich traurig. Nach buddhistischer Auffassung gilt es, diese Ichbezogenheit aufzugeben, sie zu zerstören und zu zerschneiden. Dazu dient das *chöd*-Ritual. Es ist eine der wenigen religiösen Praktiken, die in Tibet von einer Frau eingeführt wurden, nämlich von der tibetischen Heiligen Machig Labdrön, die im 11. und 12. Jahrhundert lebte und die ihr übermittelten Belehrungen zur *chöd*-Praxis so aufzeichnete, wie sie heute noch praktiziert werden.

Erst nach all diesen Ritualen und den fünfmal hunderttausend Vorbereitungen war Mola reif genug, um tiefere Belehrungen ihres Lama entgegenzunehmen. Diese bezogen sich meist auf die Leere und auf die Idee, dass nichts aus sich heraus existiert, sondern alles bloß Produkt des menschlichen Denkens ist. Anfangs verstand Mola nichts von dem, was Ape Rinpoche sagte, sie konnte seinen Gedanken nicht folgen. Er reagierte aber keinesfalls unwirsch oder ungeduldig, sondern fing einfach noch einmal von vorne an, immer und immer wieder. Für den Guru bedeuteten diese Lektionen nicht nur Unterweisung seiner Schülerinnen, für ihn war sein eigener Unterricht auch eine Übung für sich selbst, eine jahrelange Lektion in Demut. Der Rinpoche hielt sich nicht für vollkommen oder erleuchtet, sondern sah in sich nur einen einfachen Pilger auf dem langen und beschwerlichen Weg zur Erleuchtung.

Erst als der Rinpoche das Gefühl hatte, dass Mola seine Belehrungen angenommen hatte, dass sie durchtränkt war von seiner Weisheit wie ein vollgesogener Schwamm, erst dann entließ er sie zu ihrer drei Jahre, drei Monate, drei Wochen und drei Tage dauernden Meditation, die für sie die endgültige Initiation auf dem langen Weg zu umfassender Weisheit sein sollte.

Ani Pema-la

Ihre große Meditation musste Mola genauso wie die anderen Nonnen der Einsiedelei auch jedes Jahr mindestens einmal unterbrechen, um die Vorräte in ihrer Klause aufzufüllen. Die Dörfler kamen selten dort hinauf, um den Frauen und dem Guru etwas von ihrer schmalen Ernte zu bringen, denn die Einsiedelei galt als heiliger Ort, dem sich ein Normalsterblicher nach Möglichkeit nicht nähern sollte.

Der jährliche Abstieg der Nonnen ins Tal war die einzige Abwechslung in ihrem Meditationsalltag. Da rund um die Laubhütten bis auf Gras und ein paar Kräuter nichts gedieh, mussten die Nonnen die wenige Nahrung, die sie benötigten, bei den Bauern erbetteln, ähnlich wie meine Großmutter es als Kind bei den Mönchen und Nonnen gesehen hatte, die in ihr Dorf gekommen waren. Nun zog Mola selbst mit zwei weiteren Nonnen während der Erntezeit singend und betend von Haus zu Haus, wobei sie sich auf der Trommel begleiteten. Auch für die Dorfbewohner war das eine willkommene Abwechslung. Zuerst sangen die Nonnen gemeinsam das *om mani peme hung* dreimal, dann entrollte eine der Nonnen eine *thangka*, ein auf Stoff gemaltes Rollbild, das von Göttern oder erleuchteten Wesen erzählt. In diesen Geschichten ging es um anschaulich und bunt verpackte moralische Aussagen, die das Publikum unterhalten und religiös weiterbilden sollten. Diese epenähnlichen Geschichten waren so beliebt, dass die Menschen sofort zusammenliefen, sobald sie hörten, dass die Nonnen da waren und eine fromme Erzählung, ein *mani*, sangen. Zwei der Nonnen saßen neben einer aufgehängten *thangka*, während die andere stand und mit einem langen Stab auf die Figuren zeigte und deren Geschichte sang. Diese Vorträge hielten die Nonnen meistens gegen Abend, wenn die Bauern von ihrer Feldarbeit und dem Weiden ihrer Tiere zurück in ihre Häuser gekommen waren.

Dann brannte das Herdfeuer, und die Zuschauer konnten die Bilder im Halbdunkel ihrer rauchgeschwärzten Küchen verfolgen, die von Kienspänen und Butterlampen notdürftig erleuchtet wurden. Die Menschen waren tief bewegt von diesen Rezitationen und Gesängen, weil sich für sie dadurch eine geheimnisvolle Welt auftat. Sie hörten von mutigen Kämpfern gegen böse Geister, sie erfuhren von der unendlichen Güte wohlmeinender Götter, und sie lauschten Erzählungen, die in Gegenden spielten, von denen sie noch nie in ihrem Leben gehört hatten. Ihnen ging eine Welt auf, so schön und reich, aber auch so voller Begierde und Bosheit, dass vielen von ihnen die Tränen kamen. Es waren einfache Menschen, die nur ihre unmittelbare Lebenswelt kannten. Sie kannten ihre Familien, ihre Nachbarn, ihre Tiere, ihre Felder. Sie kannten die Weite ihrer Weidegründe, sie kannten die Berge rundherum, wenn auch nur aus sicherer Ferne, und sie kannten den Himmel über sich. Aber was wussten sie von fernen Herrschern, von Buddhas, vom Paradies, von tropischen Gärten und reichen Palästen? Sie kannten kein Fernsehen, kein Kino, keine Bücher, kein Radio, keine Zeitschriften. Sie kannten überhaupt keine Bilder von der Welt außerhalb ihres Tales, außer den *thangkas*, die ihnen die singenden Nonnen in ihre Häuser und auf ihre Felder brachten.

Für diese seltenen Feste belohnten die Dorfbewohner die frommen Frauen reichlich mit allem, was sie selbst hatten. Bald waren ihre Säcke so schwer mit Gerste, Butter, Käse, Speck und getrocknetem Fleisch, dass die Nonnen sie kaum mehr heben konnten. In manchen Häusern wohnten reiche Menschen, denen große Herden gehörten und die selbst Arbeiter hatten, in anderen Häusern lebten bettelarme Bauern, bei denen es gerade zum Überleben reichte, doch überall bekamen sie Spenden. Diesen bescheiden lebenden Frauen zu helfen, die durch ihre Gebete viel zum guten Karma aller Dorfbewohner beitrugen, galt als segensreich. Alle wussten, dass die Nonnen keine Lebensmittel horteten, sondern nur so lange von Haus zu Haus gingen, bis sie wieder für ein Jahr genug zu essen hatten.

Doch nicht alle Nonnen mussten auf diese Weise für ihren Unterhalt sorgen. Einige der jungen Frauen kamen aus so wohlhabenden Familien, dass diese ihre Töchter auf dem Weg zur

Erleuchtung durch regelmäßige Lebensmittellieferungen unterstützen konnten. Zu ihnen gehörte auch die Nonne Ani Pema-la, die beste Freundin meiner Großmutter. Ihr eigentlicher
Name war Pema – »Ani« steht für »Nonne«, »la« ist lediglich
eine Höflichkeitsformel.

Ani Pema-las Eltern fanden es anfänglich nicht gut, dass sich
ihre Tochter für ein Leben als Einsiedlernonne entschieden hatte. Hatten sie nicht schon einen gutsituierten Ehemann für sie
ausgewählt und alle Vorbereitungen für eine standesgemäße
Hochzeit ihrer Tochter getroffen? Doch Pema war von zu Hause
weggelaufen, um der Heirat zu entgehen. Notgedrungen res-
pektierten die Eltern die Entscheidung ihrer Tochter und unterstützten Pema nach Kräften. So sandten sie eine alte Dienerin
auf den Berg, auf dem ihre fromme Tochter wohnte, damit sie
bei ihr lebe, in einer eigenen Hütte, ein paar Meter neben Pemas
Zelle. Diese war im Unterschied zu den Hütten der anderen
Nonnen nicht aus Ästen und Zweigen erbaut, sondern aus Holz-
brettern und Bohlen, eine Art Luxusklause. Hier half die Dienerin Pema bei ihren täglichen Verrichtungen, etwa beim Käm-
men ihrer prächtigen Haare, die sie sich im Unterschied zu den
anderen Nonnen nicht hatte abschneiden lassen. Der Lama gestattete ihr diese Extravaganz, möglicherweise im Hinblick auf
das einflussreiche Elternhaus seiner Schülerin. Die Dienerin
kochte für Pema, wusch ihre Kleider und reinigte die trotz allem
Komfort immer noch bescheidene Behausung.

Ani Pema-las Sonderstellung musste sich herumgesprochen
haben, denn eines Nachts besuchten zwei Räuber ausgerechnet
die Hütte der alten Dienerin und erleichterten sie um ein paar
Wertsachen, die sie für Pema bei sich verstaut hatte, wie Silbermünzen, Kleidungsstücke, Silberschälchen und auch Esswaren.
Glücklicherweise blieb die schlafende Alte unverletzt.

Ape Rinpoche war entsetzt über diesen Einbruch des gemeinen Lebens in seine dem Göttlichen und der Erleuchtung verpflichtete Einsiedelei. Zusammen mit seinen Schülerinnen begann er unverzüglich, eine dreitägige Zeremonie gegen die schlechte Energie abzuhalten, die die Räuber hinterlassen hatten. Viele Butterlampen wurden entzündet, Kräuter verbrannt und lange Gebete gesprochen. Wie ein Zeichen des Zorns der Götter schwenkte das zuvor noch freundliche Wetter plötzlich um, es begann stürmisch zu werden und zu regnen.

Bis zu Pemas Familie drang die Nachricht von dem Verbrechen, und besorgt um das Wohlergehen der Tochter schickte man ihren Bruder zu ihr, der über besondere spirituelle Fähigkeiten verfügte. Nachdem er sich überzeugt hatte, dass sie wohlauf war, benutzte er seine Fähigkeiten, die es ihm erlaubten, in die Zukunft und auch in die Vergangenheit zu sehen. Im Tempel neben der Klause des Rinpoche ließ er sich eine Butterlampe geben, die neugierigen Nonnen um sich geschart. Dann hielt er das Lämpchen so nah gegen seinen Daumen, wie es die Hitze der Flamme erlaubte, und plötzlich sah er auf seiner Daumenkuppe, dass einer der beiden Räuber nach seiner Untat von einem Bären überfallen und von dem hungrigen Tier zerfleischt worden war. Zwei der anderen Nonnen konnten auf dem Daumen dasselbe Bild wahrnehmen, doch Mola erkannte nichts. Dann sah der Bruder den anderen der beiden Räuber vor dem Bären auf einen Baum flüchten und von dort hinabstürzen.

Die Nonnen waren tief beeindruckt von den Wahrsagekräften, und später berichteten andere Nonnen, dass sich alles wirklich so zugetragen hätte. Die der Dienerin geraubten Gegenstände fand man bei dem Opfer des Bären. Mola und die anderen Nonnen sahen darin eine Bestätigung der Macht des Karmas.

Die alte Dienerin war über diesen Ausgang der Dinge zwar beruhigt, aber ihren Dienst konnte sie trotzdem nicht mehr lange verrichten, weil die Kälte und die Nässe in der Klause ihr so sehr zusetzten. Daraufhin schickten Pemas Eltern ihrer Tochter eine neue, junge Helferin. Keine der Nonnen empfand die Sonderstellung Ani Pema-las als befremdlich, auch für Mola war sie nie Anlass für Neid oder Missgunst. Zwar werden diese Gefühle im Buddhismus ohnehin als schlecht angesehen, aber Mola brauchte nichts dagegen zu tun, sie empfand sie einfach nicht. Dass Adlige oder reiche Menschen andere Rechte und Möglichkeiten hatten als einfache Leute, war für alle das Normalste der Welt. Kunsang empfand diese Ordnung als gottgegeben, als karmisch und unverrückbar. Nie wäre es ihr in den Sinn gekommen, sie infrage zu stellen, und so denkt meine Großmutter bis heute. Auch wenn das für mich persönlich nicht so selbstverständlich ist, weil ich die Menschen nicht nach Adligen oder Bauern unterscheide, verstehe ich meine Großmutter und akzeptiere ihre Ansichten. Sie ist in einer anderen Welt aufgewachsen als ich, weshalb es auch nie etwas bewirkte, mit ihr über derartige Fragen zu diskutieren, denn manchmal verstehe ich ihre Welt nicht und sie nicht die meine.

Für meine Mola gilt das Gesetz des Karma, die buddhistische Lehre von den Folgen, die jede Handlung unweigerlich nach sich zieht, im Guten wie im Bösen, in diesem oder in einem nächsten Leben: Wer eine so gute Wiedergeburt wie ein Adliger, ein Rinpoche oder ein reicher Mensch erlangen konnte, der hat in seinem letzten Leben offensichtlich so viel gutes Karma angehäuft und so viele gute Taten verrichtet, dass ihm das Verdienst einer erstklassigen Wiedergeburt zusteht. Also unternahm und unternimmt Mola alles in ihrer Macht Stehende, um in ihrem Leben gute Taten zu sammeln und schlechte zu vermeiden. Sie tut alles für eine ähnlich privilegierte Wiedergeburt, um die sie dann genauso wenig beneidet werden sollte, wie sie einen Menschen in einer solchen Position beneidet.

Gebet an die Sonne

Nach ihrer drei Jahre, drei Monate, drei Wochen und drei Tage dauernden Meditation, die sie nur hin und wieder zur Nahrungssuche unterbrach, konnte Mola ein neues Stadium ihres spirituellen Weges betreten: Sie war reif für ihre erste Lichtmeditation, bei der sie mit halb geschlossenen Augen zur Sonne sah und über deren gleißendes Licht meditierte. Darüber sprach meine Mola nie gerne, sie beließ es immer nur bei Andeutungen. Diese Meditationsart war geheim, und sie hatte ihrem Guru das Versprechen gegeben, ihr Wissen nicht weiterzugeben. Ganz besondere Lehren werden in unserer Religion nicht schriftlich, sondern nur mündlich von Lehrer zu Schüler oder Schülerin überliefert, und die Lichtmeditation gehört dazu. Selbst wenn sie nur kurz erwähnte, dass es überhaupt so etwas wie eine Meditation über das Sonnenlicht gab, kam sich Mola schon schlecht vor. »Das erzählt man niemandem«, sagte sie dann und schwieg.

In der Zwischenzeit gibt es westliche Literatur über die Lichtmeditation und sogar Kurse, in denen man sie erlernen kann. Meine Großmutter kann das nicht verstehen.

»Ich kann nicht erklären, was in dieser Meditation geschieht«, sagt sie, »ich finde es nicht gut, wenn das erklärt wird.«

Alles, was ich von ihr in Erfahrung bringen konnte, war, dass diese Art von Meditation eine Vorbereitung auf den Tod sei. Später las ich auch, dass die Schüler mit der Lichtmeditation lernen sollen, im Moment des Todeseintritts ihren Körper und all das, was zu unserem Ich gehört, in Licht zu verwandeln, um einen sogenannten Regenbogen-Körper zu erlangen. Doch das erzählte mir meine Mola nie. So ist sie und so war sie immer schon: Sie macht keine großen Worte, auch dann nicht, wenn es um große Dinge geht. Einerseits, weil ihr das nicht liegt, andererseits, weil sie sich verpflichtet fühlt, das Versprechen ihrem Guru gegenüber einzuhalten.

Die Lichtmeditation war aber noch nicht die höchste Stufe der Versenkung, die Molas Guru für sie und ihre Mitschwestern bereithielt, denn es folgte eine andere, noch fernere, noch schwerere und die Frauen in noch viel einsamere Gefilde führende Übung. Dieser Weg zur Erleuchtung war hart und beschwerlich. In kleinen Gruppen schickte Ape Rinpoche die jungen Frauen ins Gebirge, damit sie sich dort oben bewährten, weit weg von den *tsampa*-Säcken in der Vorratskammer und fernab von dem Kessel mit heißem Tee, der in der Klause ständig bereitstand. Weit weg auch von dem Guru, der ihnen alle spirituellen Fragen beantworten konnte.

Auch meine Mola sollte eines Tages mit ein paar anderen Nonnen hinauf, dorthin, wo nur Fels war und Schotter und hin und wieder ein Schneefeld. Niemals würde ein Tibeter freiwillig in diese Höhe steigen, niemals einen Genuss darin sehen, in einer solch unwirtlichen Region umherzuwandern, es sei denn, er müsste über einen Pass, um das nächste Tal zu erreichen, oder er befände sich auf einer Pilgerfahrt. Die hohen Berge sind den Tibetern entweder heilig, dann umrunden sie sie als Pilger und Betende, oder sie finden sie bedrohlich, dann betrachten sie die Eisriesen nur vom Tal aus und sehen zu, wie die Wolken an den Gipfeln vorbeirasen.

Mola musste nun aber hinauf in diese Bergwelt und dort meditieren, sich auf die Leere konzentrieren, halbnackt, wie ihr

Guru es empfohlen hatte, damit sie alles ablege und nur sie selbst sei. Im verlorensten, fernsten und verschneitesten Seitental, wo sie garantiert allein war, sollte sie erkennen, dass alles eine Illusion sei: ihr Ich, ihre Mitmenschen, ihre Umgebung, ja die ganze Welt. Alles sollte sie als leer erkennen, ohne eigenes Sein. Mola sollte alle Dinge, auch ihre Gedanken, als Produkt ihres Bewusstseins erkennen, als ob nichts wirklich wäre, als ob nichts existierte, nur eine Leere, in der es keine Begriffe und Dinge mehr gibt.

Was dort oben in den Bergen geschah, darüber wollte Großmutter nie sprechen, es wird wohl für immer ihr Geheimnis bleiben. Nach einiger Zeit wurde ihr aber so kalt, hat sie erzählt, dass sie sich wieder ankleidete und abstieg in die tieferen Regionen, hinunter zu ihrer selbst gebauten Laubhütte, um dort erneut ihre alltägliche und weniger anspruchsvolle Meditationspraxis aufzunehmen. Hier in den Bergen Kongpos, in der langen Reihe von Tagen, die geprägt waren von den Meditationen, nur unterbrochen von den täglichen Belehrungen, von den Tönen aus den Knochentrompeten, von den gemeinsamen lauten Rezitationen und Gesängen und hin und wieder von Hirten, die mit ihren Yakherden in gebührendem Abstand zu den nächsten Weidegründen zogen, hier erlebte Mola die schönste Zeit ihres Lebens.

Ein Mönch

Es war im Frühjahr 1945, in Tibet schrieb man das Holz-Vogel-Jahr. Die deutschen Städte fielen in Schutt und Asche, in den befreiten Konzentrationslagern zeigte sich vor den Augen der Welt der Wahnsinn des Denkens in Kategorien von »Über-« und »Untermenschen«, und vor den Laubhütten rund um die Klause von Ape Rinpoche trat Tsering Dhondup auf. Der junge Mönch war wie so viele andere Mönche von den Erzählungen über die Weisheit und Erleuchtung des Gurus angezogen worden, und auch von dem Gerücht, dass er großzügig Belehrungen erteilen würde. Also hatte er sich auf den langen und beschwerlichen Weg in die Einsiedelei gemacht, um den Rinpoche zu sehen. Doch er sah nicht nur den berühmten Guru, sondern auch seine eifrige Schülerin Kunsang, meine Mola, die damals Mitte zwanzig war, eine erblühte Frau, und er verliebte sich in sie. Das tat er als Mönch, obwohl er es nicht sollte.

Anfangs war Mola fassungslos über das offensichtliche Interesse Tserings an ihr, mit dem sie so wenig gerechnet hatte, wie sie überhaupt kaum damit gerechnet hatte, ein Mann könne an ihr als Frau interessiert sein. Noch fassungsloser war Mola nur, als sie feststellte, dass auch sie sich von Tsering angezogen fühlte. Niemals in all den Jahren hatte sie mit den anderen Nonnen über Männer gesprochen. Dieses Thema war für sie alle weiter entfernt als der Mond, und keine der Frauen hatte auch nur daran gedacht. Immer hatten sie über ihre Religion geredet, über ihre Meditation, über den Rinpoche, über die Natur um sie herum, über die Stille, über das Licht und über die Götter. Über Männer zu sprechen wäre ihnen nicht in den Sinn gekommen.

Wie Ape Rinpoche und wie der Mönch, der sich so für sie interessierte, war Mola Anhängerin der Nyingma-Schule des Buddhismus. Die Nyingma-Tradition wird auch als »Alte Schule« des Buddhismus bezeichnet, weil sie als älteste in Tibet etablierte buddhistische Linie gilt. Die Nyingmapas, wie die Anhänger dieser Schule genannt werden, berufen sich heute noch auf die ersten Übersetzungen heiliger Texte des Vajrayana-Buddhismus aus dem Sanskrit in das Tibetische. Größtenteils berufen sich zwar auch die anderen Schulen des tibetischen Buddhismus auf diese Übertragungen, aber eine wichtige Regel unterscheidet die Nyingmapas von den Kagyüs, Sakyas und Gelugpas, der meistverbreiteten Schule, der auch der heutige Dalai Lama angehört: Die Nyingmapas nehmen es bezüglich des Zölibats ihrer Mönche und Nonnen lockerer als die Anhänger anderer Schulen. Falls sie heiraten und Kinder bekommen, wird das zwar auch innerhalb der Nyingma-Schule nicht gern gesehen, in der Regel aber toleriert.

Mola musste also keine Konsequenzen fürchten, wenn sie sich mit einem Mann einlassen sollte, aber doch auf negative Kommentare ihrer Mitschwestern und vor allem ihres Gurus gefasst sein. Am meisten Sorge bereitete ihr nicht die Meinung der anderen, sondern die Frage, wie sich die Liebe zu einem Mann auf ihre spirituelle Entwicklung auswirken würde. Wäre sie dann nicht weiter von ihrem Ziel entfernt, die innere Leere zu erreichen? Würde eine menschliche Beziehung sie nicht wegführen von ihrem Ziel, dem Erreichen der Buddhaschaft? Meine Großmutter mochte jahrelang meditiert, gebetet, geopfert und verzichtet haben, aber sie empfand sich immer noch am Beginn eines Weges. Sie war jung, verglichen mit anderen Menschen hatte sie erst wenige Jahre der Versenkung hinter sich, und es gab viele Schriften, Meditationen und Praktiken, die sie nicht beherrschte, die sie noch nicht einmal dem Namen nach kannte.

Diese Fragen setzten Kunsang zu, auch wenn fürs Erste keine Entscheidung von ihr verlangt wurde: Der Mönch Tsering zog bald wieder weiter, denn es schickte sich für ihn nicht, in einer Einsiedelei zu leben, die von Nonnen bewohnt wurde. So kehrte für Mola bald wieder der geliebte Alltag ein. Sie führte ihre Meditationen aus, nahm an den Belehrungen teil und feierte einmal monatlich zusammen mit den anderen Nonnen, für die die

Dörfler erst kürzlich einen kleinen Versammlungsraum neben der Klause des Gurus erbaut hatten, eine große Zeremonie zu Ehren von Ape Rinpoche.

Bei einer dieser Zeremonien fiel nicht nur Mola auf, dass ihr verehrter Meister leichenblass und wie versteinert dasaß. Teilnahmslos ließ er Opfer und Segnungen an sich vorübergehen. Das beunruhigte Mola und auch die anderen Nonnen sehr, denn der Rinpoche war bereits einundsechzig Jahre alt, ein für damalige Verhältnisse stolzes Alter, und sie fürchteten, dass er nicht mehr lange zu leben hätte, oder, besser gesagt, dass sein jetziges Leben keinen langen Bestand mehr haben könnte. Vor allem wegen einer früheren Prophezeiung ihres Gurus waren die Nonnen besorgt: Er hatte ihnen mehrfach versichert, dass er im Holz-Vogel-Jahr sterben würde.

Ape Rinpoche hatte ihnen viel Glück und Einsicht und inneren Frieden gebracht, und Mola wusste, dass sie seine Belehrungen vermissen und eine wichtige Person in ihrem spirituellen Leben verlieren würde, wenn er sterben sollte.

Um zumindest etwas für ihren verehrten Rinpoche zu tun, führten die Nonnen Zeremonien durch und beteten für sein Wohlergehen. Der Guru saß jedoch immer stiller, in sich gekehrt und unbeweglich auf seinem Platz, einer mit Tüchern und Kissen ausgekleideten Nische in dem kleinen Tempel der Einsiedelei. Eines Abends schließlich stand er nicht mehr auf, um sich in der benachbarten Klause schlafen zu legen. Keine der Nonnen wagte ihn anzusprechen, so fern und versunken wirkte er und gleichzeitig so ruhig und selbstvergessen, mit geschlossenen Augen und kaum sichtbarer Atmung. Eine nach der anderen warf sich stumm vor ihm nieder, bevor sie sich in ihren Laubhütten zur Ruhe begaben, obwohl die Nonnen es ungewöhnlich fanden, von ihm keine Geste der Verabschiedung oder des Einverständnisses mit ihrer Nachtruhe zu bekommen.

Noch erstaunter waren die Nonnen am nächsten Morgen, als der Guru ihr Blasen auf der Knochentrompete nicht erwiderte, sondern auf seinem Sitz blieb. Hatte er ihn seit dem Vorabend nicht verlassen? Es war nicht schicklich, einen so weisen und hochstehenden Lama anzustarren, weshalb die Nonnen mit halb gesenktem Blick vor ihn in das Halbdunkel des Tempels traten, das nur von ein paar flackernden Butterlampen und dem Schimmer des Tageslichts erhellt wurde, das durch eine niedrige Tür hereinfiel. Als sich Ape Rinpoche immer noch nicht rührte, ja nicht einmal eine Handbewegung machte, kein Zeichen der Begrüßung von sich gab, wagte Mola es, das Wort an ihn zu richten. Doch der Guru blieb stumm und rührte sich nicht. Mola wiederholte mehrfach ihre Begrüßung, aber Ape Rinpoche antwortete nicht. Da trat sie näher an ihn heran und richtete eine direkte Frage an ihn, die genauso unbeantwortet blieb wie alles zuvor. Nun erst wagte sie ihren Blick zu heben und sah in das Gesicht eines Toten.

Im ersten Moment sahen die Züge des Gurus aus wie immer, entspannt und friedlich, und doch war etwas anders: Seine Augen waren nicht geschlossen, aber auch nicht geöffnet, sondern in einem Stadium dazwischen, das sie schon lange nicht gesehen hatte bei einem Menschen. Sein Körper wirkte starr, still, da war keine Atmung, kein Heben und Senken des Brustkorbs, da war nur vollendete Ruhe.

Mola fiel ihre schlafende Mutter ein, wie sie reglos auf ihrem Lager hingestreckt gelegen war, ohne Atem, ohne Bewegung, ohne Laut. Ihr fielen die Schatten ein, die damals weiter und weiter aus den Tiefen der Hütte herausgekrochen waren und zuletzt den ganzen Raum erfüllt hatten, und ihr fiel die unendliche Schwere und Ruhe ein, die sie gespürt hatte an ihrer Mutter. Dieselbe Ruhe spürte sie auch jetzt.

Da wusste sie, dass ihr großer Lehrer, ihr Wurzelguru, dass Ape Rinpoche dieses eine seiner vielen Leben ausgehaucht hatte.

Wie die Stürme des Herbstes

Zwei Wochen lang blieb Ape Rinpoche nach seinem Tod noch auf seinem Sitz, und etliche der zahlreichen Besucher konnten kaum glauben, dass er wirklich tot war, als sie ihn so sitzen sahen, wie sie ihn immer schon gesehen hatten. Sie fielen vor ihm zu Boden, robbten sich in Bauchlage auf wenige Meter an ihn heran, weinten, beteten und wagten nicht, ihn anzublicken. Andere Gurus kamen, um für ihn *powa* zu machen und die Totenzeremonie durchzuführen, wie sie der Einsiedler vor Jahren für Molas Mutter gebetet hatte, wie Mola sie für ihren eigenen Vater feiern durfte, wie sie für jeden verstorbenen Tibeter gehalten werden muss, dessen Bewusstsein nach seinem Tod auf dem Weg zur nächsten Wiedergeburt nicht hilflos umherirren soll. Diesmal war das Ritual um ein Vielfaches größer. Es kamen Hunderte Gäste, manche von weither angereist, und das ganze Dorf stieg aus dem Tal herauf, um dem Guru die letzte Ehre zu erweisen.

Als sich der Geist des Ape Rinpoche auf die Reise zu seiner nächsten Wiedergeburt begeben hatte, seine sterbliche Hülle verbrannt worden und die Gästeschar nach den Zeremonien wieder ins Tal abgestiegen war, sehnte sich Mola nach ihrem alten Leben zurück, nach der Zeit der Versunkenheit und des Friedens und der Stille. Doch die erhoffte Ruhe kehrte nicht ein, der unverrückbar festgefügte Tagesablauf kam so wenig zurück wie der große Frieden, der das Leben der Nonnen und ihres Gurus bestimmt hatte. Mola stand zwar wie immer kurz vor dem Morgengrauen auf, sie blies in ihre Knochentrompete und meditierte über die Leere und die Lichtnatur von allem, doch sie spürte die Freiheit und Leere nicht mehr, die sie zu Lebzeiten von Ape Rinpoche gespürt hatte. Mehr und mehr fühlte sie andere Energien und Blicke und Störungen, überall sah sie Schatten und Fremde und Spuren einer neuen Zeit, die sie nicht sehen wollte.

Es hatte sich weithin herumgesprochen, dass Ape Rinpoche tot war und dass in seiner Einsiedelei nur mehr ein Dutzend Nonnen lebte, alleine, in den Laubhütten rund um seine verlassene Klause. Bald tauchten Räuber auf, die meinten, sie könnten den wehrlosen Frauen das wenige stehlen, das sie besaßen. Aber mehr noch als diese Überfälle schmerzte Mola die Abwesenheit ihres Gurus. Sein Fehlen hatte bei ihr eine Wunde hinterlassen, die nicht heilen wollte.

Die Jahre zogen ins Land, und einige der Nonnen verließen die Einsiedelei. Tsering Dhondup, der Mönch, der sich in meine Großmutter verliebt hatte, tauchte wieder auf. Plötzlich saß er bei Mola in der Laubhütte, und die beiden tranken Tee und sprachen darüber, was alles geschehen war in der Zeit, in der sie einander nicht gesehen hatten. Es dauerte nicht lange, bis Tsering sich bei Kunsang in der Einsiedelei niederließ und die beiden ein Paar wurden.

Meine Mola erzählt mir immer gerne über ihre Zeit mit Ape Rinpoche, über die Jahre in der Einsiedelei, die sie alleine in ihrer Laubhütte verbracht hat, aber sie spricht nur ungern über die Zeit danach, als sie mit Tsering zusammenlebte. Heute noch schämt sie sich dafür, dass sie dort oben in heiliger Umgebung ihr zölibatäres Leben aufgegeben hatte. Das Zusammensein mit

Tsering kommt ihr wie ein Unfall vor, wie ein Schicksalsschlag. Ihr Herz war bei den Göttern, bei ihrer Religion. Den Neuankömmling Tsering nahm sie hin wie den Schneesturm im Winter und die rasenden Wolken, die die Stürme des Herbstes ankündigten. Nie empfand sie so etwas wie romantische Liebe, nie Herzflimmern, nie Schmetterlinge im Bauch. Sie hatte Tsering nicht herbeigebeten, aber sie konnte auch nichts gegen ihn tun, denn er war einfach da, wie die Herbststürme, wie ein Schneesturm, und Großmutters Leben nahm einen neuen Lauf.

Tsering stammte wie Mola aus einer kleinen Familie, die nie eine richtige Familie war, denn Tsering war ein sogenanntes Vogelkind. Seine Mutter hatte eine Affäre mit einem Mann aus einer einflussreichen und wohlhabenden Familie, aber sie hatte nicht die geringste Chance, den Vater ihres Sohnes zu heiraten, denn eine Ehe über solche Klassenschranken hinweg wäre im damaligen feudalen System Tibets kaum denkbar gewesen, abgesehen davon, dass Tserings Vater längst standesgemäß verheiratet war, mit seiner Frau Kinder hatte und weder seine Familie noch sein Ansehen aufs Spiel setzen wollte.

Also zog Tserings Mutter ihren kleinen Sohn alleine auf, musste aber über seine Herkunft genauso schweigen wie sein Vater, mit dem Unterschied, dass sie als unverheiratete Frau der Missgunst und auch der Häme ihrer Umgebung ausgesetzt war, während ihr Liebhaber mit seiner Familie weiterleben konnte, als wäre nichts geschehen. Tserings Amala wehrte sich gegen das Gerede, ihr Sohn sei ein Vogelkind, und versuchte die Vorwürfe zu entkräften, indem sie Tsering von einer lokalen Autorität auf seine vornehme Abstammung hin untersuchen ließ. Damals war man der Meinung, dass bereits die Gestik und das Verhalten eines Kindes dessen noble Herkunft verrate, gleichgültig, wo und mit wem es aufgewachsen war.

Diese Prüfung führte ein Beamter durch, dessen Rang bei uns in etwa dem eines Bezirksvorstehers entspräche. Zu ihm brachten andere Beamten den damals etwa fünf oder sechs Jahre alten Tsering, ohne dass er wusste, worum es ging. Sie führten ihn in ein Zimmer, in dem der Beamte im Kreis seiner Helfer saß, und dort musste er dessen Anweisungen befolgen.

»Geh dahin!«, fuhr der Mann das verängstigte Kind an. »Geh dort hinüber! – Stell dich vor die Wand! – Setz dich auf diesen Stuhl!«

Unsicher tapste der Kleine durch den Raum, während ihn argwöhnische Augenpaare beobachteten. Ehe er wusste, wie ihm geschah, wurde er wieder aus dem Zimmer geschickt.

Wie der Vogelkindtest ausgefallen ist, weiß heute niemand mehr, und auch Tsering selbst erfuhr nie, ob die Beamten aufgrund der Art, wie er sich bewegte, seine Abstammung erkannten. Viele reiche Männer unterhielten damals Beziehungen zu anderen Frauen. Da es keine technischen oder medizinischen Hilfsmittel zur Empfängnisverhütung gab und Abtreibungen gegen das buddhistische Gebot verstießen, jedes Leben zu schützen, entsprangen diesen Liebschaften immer wieder Kinder. Das alte Tibet war nicht nur das viel beschworene Shangri-la, das glückselige Paradies auf dem Dach der Erde, als das es im Westen oft verklärend dargestellt wird, sondern ein Land, in dem Reiche, Adlige und hohe Geistliche deutlich mehr Rechte hatten als einfache Menschen. Weltliche und geistliche Würdenträger des Beamten- und Mönchsstaats hatten das Wissen und auch die Macht, alte Schriften nach eigenem Gutdünken auszulegen und das Rechtssystem zu ihrem eigenen Nutzen zu interpretieren. Meiner Mola aber lagen solche kritischen Überlegungen zu dieser Gesellschaftsordnung fern. Sie nahm als gottgegeben hin, was um sie herum passierte, und hinterfragte es nicht.

KLOSTERKINDER

Meine Großmutter spricht ungern über das »Hindernis« in ihrem Leben, das ihr fast den Weg zu einer guten Wiedergeburt verbaut hätte. Dieses »Hindernis« war mir schon von meiner frühesten Kindheit an ein Begriff, auch wenn ich nicht wusste, was sie damit meinte. Für Mola war das Hindernis dagegen bereits als junge Frau eine so greifbare Tatsache, wie es für junge Frauen heute ein verpatztes Abiturzeugnis in Bezug auf die Berechtigung zum Medizinstudium ist. Mit Sicherheit, davon ist Mola überzeugt, würde ihre Wiedergeburt schlechter ausfallen, wenn sie nicht noch jahrzehntelang nach dem Auftreten dieses Hindernisses durch intensive Gebete, Opfer, Meditationen und einen möglichst heiligen Lebenswandel an dessen Abbau gearbeitet hätte.

Meine Großmutter weiß aber auch, dass solche Hindernisse in jedem noch so frommen Lebensweg auftauchen können, weil sie schicksalhaft gegeben sind, Teil des menschlichen Karmas, unumschiffbar, unvermeidbar. Im Tibetischen gibt es dafür den Ausdruck *barche*, und das Gebet zu dessen Bewältigung heißt *barche lam sum*. Gläubige Buddhisten lassen es von Mönchen beten, um Hindernisse auf ihrem Lebensweg auszuräumen.

Molas Hindernis auf dem Weg zu einer guten Wiedergeburt äußerte sich zuerst als ein Ziehen in ihrem Bauch, als ein wiederholtes und ihr bis dahin unbekanntes Unwohlsein, das sie sich nicht erklären konnte. Zu dieser Zeit weilte Tulku Sönam Nyendak aus der im fernen Osten gelegenen Provinz Kham in der Einsiedelei. Ein *tulku* ist ein weiser Mönch, ein spiritueller Meister, der nicht nur in diesem Leben Weisheit erlangt hat, sondern auch als Wiedergeburt eines früheren spirituellen Meisters erkannt wurde. Dieser Tulku Sönam Nyendak wollte nach Pemakö im Südosten Kongpos reisen, doch zuvor untersuchte er auf Molas Bitten hin ihren Urin, fühlte ihren Puls und kam schnell darauf, dass Kunsang schwanger war. Meine Mola war nicht erfreut darüber, sondern verzweifelt: Was sollte aus ihrer Berufung zur Nonne werden, die sie immer noch deutlich spürte? Was aus ihrem Leben in der Laubhütte bei der Einsiedelei? So ein Leben wäre einem Neugeborenen nicht zumutbar, und es schickte sich nicht für eine Nonne, an solch heiligem Ort mit einem Kind zu leben.

Mola konnte ihre Verzweiflung mit niemandem teilen, denn Tsering war wieder auf Reisen und wusste nichts von dem Kind. Sie wollte die Einsiedelei verlassen, möglichst weit weg von Tsering, der bald zurück sein musste. So schlug sie dem Tulku vor, ihn nach Pemakö zu begleiten. Pemakö war eine heilige Stätte des Buddhismus, eine unberührte Landschaft aus Wäldern, Wiesen und glitzernden Wasserfällen, inmitten schneebedeckter Gipfel in einer riesigen Schlucht des Yarlung Tsangpo gelegen, zwischen dem Südosten Tibets und dem Nordosten Indiens. Dorthin wollte Mola ziehen, ihr Kind bekommen und vergessen. Sie wollte nur fort, in einer anderen Umgebung leben und sehen, was ihr Karma dann für sie bereithielt.

Der Tulku hatte sich noch nicht zu Molas Bitte geäußert, als ihr Bruder in die Einsiedelei kam, um sich zu erkundigen, wie es seiner Schwester nun, da Ape Rinpoche lange tot war, ging. Ihm konnte Großmutter alles erzählen, auch von ihrer Schwangerschaft und ihren Reiseplänen, doch sowohl er als auch der Tulku rieten ihr ab. Der Weg sei zu weit, sagten sie, er sei zu gefährlich, sie habe niemanden dort, und sie sei zu jung dafür. Dabei war Mola damals schon fast dreißig Jahre alt, wenn nicht älter. Es muss sich also um das Jahr 1950, das Eisen-Tiger-Jahr, gehandelt haben, als dies alles geschah, aber niemand erinnert sich mehr so genau; vielleicht schrieb man auch schon 1951, das Eisen-Hase-Jahr. Weil mein Großonkel älter war als seine Schwester und weil er ein Mann war, galten seine Ratschläge für Mola als Anweisungen, ja als strikte Befehle. Seit dem Tod des Vaters war ihr Bruder eine Autorität für sie. Wie für jede traditionelle Tibeterin hatte auch für sie das Wort eines Mannes mehr Gewicht als die eigene Meinung. Also ließ sich meine Großmutter umstimmen.

Als Tsering, der Vater ihres Kindes, endlich zurückkehrte, empfand Mola trotz ihrer Verzweiflung eine innige Verbindung mit ihm, und auch Tsering mochte nicht von ihr lassen. Sie beschlossen zusammenzubleiben und allen Widrigkeiten gemeinsam zu trotzen. Es war in Tibet nicht üblich, zum Heiraten in einen Tempel zu gehen, bestenfalls gab es ein Festessen mit vielen Gästen, doch das konnten sich nur reiche Leute leisten. Mola und Tsering hatten kein Geld, und vor allem gab es ihrer Meinung nach nichts zu feiern, denn sie wussten nur zu genau, dass Nonne und Mönch nicht heiraten sollten. Wenn es doch vorkam, hielten beide das geheim. Mola und Tsering aber fühlten sich verheiratet, einfach aus der Tatsache heraus, dass sie bereits zusammenlebten.

Mola war darüber froh und traurig zugleich. Froh über ihren Tsering, und traurig, dass es mit der Heirat ein weiteres Hindernis gab auf ihrem spirituellen Lebensweg.

Besorgt befragten Mola und ihr Mann den in der Einsiedelei

weilenden Tulku zu ihrer Situation, doch der Lama beruhigte sie. Sie könnten beide Nonne und Mönch bleiben, sie dürften weiterhin ihre traditionelle tibetische Klosterkleidung tragen, die rote *chupa*. Der weise Mann empfahl ihnen, spezielle Rituale durchzuführen, die die negativen Folgen ihrer Ehe abschwächen könnten. Auch er selbst sprach Gebete für die beiden und hielt eine Zeremonie ab, bevor er sich auf den Weg nach Pemakö machte.

Wunder, Freude und Trauer

Als Großmutter fühlte, dass sie bald ihr Kind zur Welt bringen würde, stieg sie von der Einsiedelei hinab ins Tal, damit ein so heiliger Ort wie der Platz der Laubhütten nicht verunreinigt werde, was die lokalen Geister aufs Höchste erzürnt hätte. Denn in Tibet gelten Geburt und Menstruation einer Frau als »schmutzig« und müssen deshalb von heiligen Stätten ferngehalten werden.

So brachte Mola ihr Kind unten im Tal zur Welt, wo ihre Schwägerin wohnte, die ihr bei der Geburt helfen konnte. In Tibet gab es damals keine gelernten Hebammen und auch keine Frauenärzte, wie wir sie kennen. Es gab aber in vielen Familien eine Frau, die schon Erfahrung mit Geburten hatte und den Gebärenden half. Oft war es nicht einfach, eine solche Geburtshelferin zu finden, denn diese Arbeit war im alten Tibet wenig geschätzt und galt wegen des Blutes als unrein. Ein Mann hätte diese Tätigkeit niemals ausüben können, denn Männer wurden in Tibet gegenüber Frauen als »reiner« angesehen und hätten sich niemals mit dem Blut einer Frau beschmutzt. Männer meiden die Nähe von Frauen, die niederkommen oder im Wochen-

bett liegen, weil sie Angst vor *dip* haben, wie man die Verunrei-
nigung durch das Blut einer Frau nennt. Sieht ein Mann das
Blut einer Frau, heißt es in der tibetischen Überlieferung, so
trocknet ihm einer der feinstofflichen Kanäle ein, die man *tsa*
nennt und in denen Windenergie fließt. Das kann für den be-
troffenen Mann sehr gefährlich werden. So ist es kein Wunder,
dass sich die meisten Tibeterinnen, auch meine Großmutter,
eine männliche Wiedergeburt wünschen, da die im Normalfall
ein besseres, leichteres, unkomplizierteres und auch schmerz-
freieres Leben vor sich hat als eine Frau. Es gibt sogar spezielle
Gebete für eine Wiedergeburt als Mann, die Mola regelmäßig
aufsagt. Männer stehen im tibetischen Volksglauben nicht nur
spirituell höher als Frauen, sondern sie haben auch nicht mit
den Problemen von Schwangerschaft und Geburt zu kämpfen.

In Tibet waren Schwangerschaft, Geburt und Wochenbett
nicht in erster Linie freudige Erfahrungen, sondern Quellen von
Angst, manchmal auch von Krankheit, Leid oder Tod. Wenn
eine Frau ein Kind entbindet, hieß es damals in Tibet, ist sie wie
eine Erbse auf der Schwelle, von der man nicht weiß, ob sie hi-
neinrollt in das Haus oder heraus, weil bei einer Geburt nie klar
war, ob die Frau überlebt oder nicht. Jeder wusste, dass nicht
nur die Sterblichkeitsrate der Kinder hoch war, sondern auch
die der Wöchnerinnen. Moderne hygienische Maßnahmen waren unbekannt, und so trug jede Geburt die schicksalhafte Frage
in sich, ob die Mutter, gleich nachdem sie Leben geschenkt hat,
selbst in ein neues Leben eingehen wird, oder ob sie ihr altes
Leben behalten darf.

Bei Kunsang lief alles gut bei der Geburt. Das Neugeborene
war jedoch kein normales Kind, wie Mola und ihre Schwägerin
sofort sahen, sondern etwas Besonderes, ein Wunder. Das Kind
war ein weißes Kügelchen, wie in Gaze eingewickelt. Diese »Ver-

packung« mussten sie auseinanderreißen, ehe das Kind zu sehen war. Es war ein prächtiges Kind, ohne Makel, mit heller Haut und schwarzen Augen, da war kein Blut an dem Kind und kein Schleim, und ein Junge war es obendrein. Mola weinte vor Glück.

Später hörte Mola, dass es auch deshalb eine außergewöhnliche Geburt war, weil die Dorfbewohner über dem Haus, in dem die Geburt stattgefunden hatte, während des ganzen Tages mehrere Regenbögen gesehen hatten, deutlich wie hingemalt. Auch hätte sich das Wasser aus der Quelle neben dem Haus milchweiß verfärbt und sei stundenlang so aus dem Erdreich hervorgesprudelt. Das waren deutliche Zeichen dafür, dass der Säugling eine Reinkarnation eines hohen Lamas oder Rinpoches sein musste. Alle fühlten, dass aus dem Kind ein großer Guru werden würde.

Sehen konnten die Dorfbewohner das Kind erst, als es ein paar Monate alt war. In Tibet durften Neugeborene vorher nicht aus dem Haus getragen werden. Als es so weit war, malte Mola ihrem Säugling mit einem Gemisch aus Ruß und Butter einen senkrechten, kohlrabenschwarzen Strich auf die Nase, von der Spitze bis zur Wurzel. Damit sollte ihr Kind nach alter Sitte vor unheilvollen Blicken anderer Menschen geschützt werden.

Das Glück war jedoch nicht von langer Dauer, denn schon bald nachdem Mola zum ersten Mal mit ihrem Kind das Haus verlassen hatte, hörte es auf zu trinken, wurde schwächer und schwächer, verfärbte sich und war keine fünf Monate alt, als es starb. Später erfuhr Großmutter, sie hätte die weiße Gaze mit Daumen und Mittelfinger aufreißen müssen. Man sagte ihr, es sei sehr schlecht gewesen, sie mit beiden Händen zu öffnen. Mola fürchtete, auf diese Weise den Tod ihres Kindes mitverschuldet zu haben.

Ihre Trauer war groß, auch Tsering konnte das Unglück kaum fassen, aber es blieb ihnen nichts übrig, als sich in ihr Schicksal zu fügen.

Mola nahm den toten Säugling, wie sie es auch mit ihrem Vater getan hatte und mit ihrer Mutter, nur dass es diesmal ein winziges Päckchen war. Sie nahm ihr Kind an sich und trug es noch einmal, eingebunden in ihre *chupa*, wo sie es so oft getragen hatte, und ging mit der leichten Last hinauf in die Berge, bis sie nicht mehr weiterkam vor Schnee und Eis und Wind. Dort suchte sie eine Höhle, legte das Kind hinein und beschwerte es mit Steinen.

Bald danach nahmen meine Großeltern ihr altes Leben wieder auf, in den Laubhütten, die jetzt keine Einsiedelei mehr waren, sondern eine Siedlung von Nonnen und auch Mönchen, fast schon eine Klostergemeinschaft. Es dauerte nicht lange, bis Mola wieder schwanger war. Das war ein neuerlicher Schock für sie und erneut eine schlimme Zeit voller Zweifel und Selbstvorwürfe. Als die Geburt bevorstand, stieg Mola wiederum ins Tal hinab, zu ihrer Schwägerin unten im Dorf, und brachte ihr Kind zur Welt, wieder einen Sohn. Auch jetzt war es eine spezielle Geburt: Die Beine des Kindes kamen zuerst heraus, und abermals sprach man im Dorf davon, ihr sei ein besonderer Junge geboren.

Auch dieses Kind wuchs anfangs prächtig, bekam aber bereits im Alter von wenigen Monaten gesundheitliche Probleme, die weder Mola noch jemand anderer in ihrer Umgebung lösen konnte. Schließlich starb das Kind, bevor es sechs Monate alt war. Wieder trug Mola ihren toten Säugling den Berg hinauf, um ihn unter einem Felsen abzulegen, in der Hoffnung, dass er dort eins sei mit dem Stein und der Kälte und dem Schnee und dem Wind.

Das alles ist schon lange her, über sechzig Jahre, doch für Mola liegt es viel weiter zurück. Sie kann sich kaum mehr daran erinnern. Damals, nach dem Tod der beiden Kinder, war sie sehr traurig, doch Trauer ist in Tibet eine kurzfristige Angelegenheit, denn der Tod ist für Tibeter nichts Endgültiges, sondern lediglich der Wechsel von einem Zustand in den anderen. Trotz aller Trauer nach dem Abschied von einem geliebten Menschen ist es für Tibeter deshalb wichtiger, für eine gute Wiedergeburt zu beten und die richtigen Zeremonien dafür abzuhalten, als laut zu weinen und den eigenen Schmerz zu zeigen Das kann für den Toten sogar sehr schädlich sein, denn er fühlt die Tränen der Hinterbliebenen wie Hagel auf sich niederprasseln.

Meine Großmutter bezieht bis zum heutigen Tag in ihre täglichen Morgen- und Abendgebete nicht nur ihre Eltern und ihre verstorbenen Kinder, ihre Familie und ihre Freunde, sondern das ganze Universum mit ein. Für sie ist niemand ein Fremder, jedes Lebewesen kann in einem früheren Leben ihr Vater oder ihre Mutter oder eines ihrer verstorbenen Kinder gewesen sein, gleichgültig, ob Mensch, ob Tier, ob ihr Nachbar oder ein unscheinbares Insekt auf ihrem Küchentisch.

»Eine Wiedergeburt als Mensch ist so rar wie Gold«, sagt Mola immer, »denn es ist etwas sehr Seltenes, als Mensch wiedergeboren zu werden. Wenn du als Mensch geboren wirst, darfst du dein Dasein nicht vergeuden, sondern du musst Sinnvolles tun, damit du nach deinem Tod den Weg zu einer guten Wiedergeburt findest.«

Im Übrigen ist es für Mola absolut tabu, über Tote zu sprechen oder ihren Namen zu erwähnen, denn das würde nur deren Ruhe stören.

Bald wurde Mola zum dritten Mal schwanger. Ihr neues Kind brachte sie ebenfalls im Tal zur Welt, es war ein Mädchen. Da bei uns normalerweise nicht die Eltern, sondern hohe Geistliche die Namen von Neugeborenen bestimmen, wurde das Baby auf Geheiß eines sehr hohen Lamas Sonam Dölma genannt. Die meisten Menschen in Tibet erhalten zwei Vornamen, denn in der Regel drückt erst die Kombination der zwei Namen aus, ob es sich um ein Mädchen oder einen Jungen handelt. »Sonam« können sowohl Mädchen als auch Knaben heißen, setzt man aber »Dölma« hinzu, wird klar, dass es ein Mädchen ist, denn Dölma ist der Name einer bekannten Göttin und daher weiblich. So kam meine Mutter Sonam Dölma auf der Welt an.

Als Mola ihr Kind ein paar Monate später im Haus ihrer Schwägerin wickelte und sorgfältig in den Falten ihrer *chupa* verschnürte, um mit ihm zurück zur Einsiedelei zu steigen, bestürmten sie finstere Gedanken. Was, wenn auch dieses Kind sterben würde? Müsste sie dann noch einen Säugling hinauf in sein eisiges, steiniges Grab tragen?

Doch Sonam wuchs und wurde stark und krabbelte und stand auf und ging und war gesund, wie ein Kind nur gesund sein kann. Sie trank an der Brust ihrer Mutter, selbst als sie längst schon stehen, gehen und reden konnte. Doch sie liebte auch den süßen *tsampa*-Brei, den ihr Mola zubereitete, und sie wuchs im Einklang mit dem stets gleichen Rhythmus aus Gebeten, Opfern und Zeremonien auf, der den Alltag in der Einsiedelei bestimmte.

Als meine Großmutter später ein viertes Mal schwanger war, hatte sie einen Traum: Die Haustür öffnete sich, und es lugte ein junger Mönch herein, der sie fragte, ob sie ihn als Gast aufnehme. Mola stimmte zu und lud ihn zu sich ein. Als sie auf ihre nach oben gekehrten Handflächen sah, entdeckte sie darin einen schönen einfarbigen Stein. Noch bevor sie sich bei dem Mönch bedanken konnte, war er plötzlich verschwunden.

Für Mola bedeutete dieser Traum, dass ihr viertes Kind ein

Mädchen sein werde, was sich auch bewahrheitete: Sonam Dölma bekam eine gesunde, um dreieinhalb Jahre jüngere Schwester.

Jedes Mal, wenn ich die Geschichten über Molas Kinder höre, fällt mir auf, dass sich ausgerechnet um die Geburt meiner Mutter keine wundersamen Legenden ranken. Ob das damit zusammenhängt, dass das Ferne, Nichterreichte gern in rosafarbenem Licht erscheint, das Alltägliche aber eher nüchtern gesehen wird und keinen Raum für Fantasien, Illusionen und Träume bietet?

Ab und zu trauert meine Großmutter noch immer um ihre verstorbenen Söhne und um die Schwester meiner Mutter, die starb, bevor sie zur Frau heranwachsen konnte. Ihr Leben lang hörte Sonam, wie lieb ihre kleine Schwester gewesen sei und wie mitfühlend. Nie habe ich Mola in ähnlicher Weise über meine Mutter sprechen hören. Über sie äußerte sie sich eher kritisch, nicht unfreundlich, aber häufig skeptisch. Ich glaube, Mola bedeckte ihre früh verstorbenen Kinder nicht nur mit dem Mantel des Schweigens, sondern tauchte sie auch in das buntschimmernde Licht der Verklärung.

Der Ruf des Rinpoche

Zusammen mit ihren kleinen Töchtern führten meine Großeltern auf dem Gelände der ehemaligen Einsiedelei das Leben einer zurückgezogenen, frommen Familie. Sie fühlten sich nach wie vor an ihre Gelübde als Nonne und als Mönch gebunden, aber sie waren auch einander verpflichtet, wegen der beiden Kinder und aus dem Einklang ihrer Herzen heraus. Eines Tages ereilte sie in ihrer Abgeschiedenheit ein Ruf von Trishul Rinpoche. Dieser weithin bekannte Lama hatte einen Mönch zu ihnen geschickt, um sie nach Pang-ri zu holen, in sein kleines Kloster hoch oberhalb des Tales von Pang.

Trishul Rinpoche war ein *tulku*, der damals sein eigenes Kloster Pang-ri verlassen musste, weil ihn der König von Sikkim zu sich gerufen hatte, nach Gangtok, in die Hauptstadt seines gebirgigen Reiches im Norden Indiens. Der König wollte sich von dem angesehenen Rinpoche unterweisen lassen. Trishul Rinpoche lebte seinerzeit wie ein Einsiedler alleine in seinem Kloster und wollte sein Heiligtum, das nicht größer war als ein modernes Einfamilienhaus, während seiner Abwesenheit nicht sich selbst überlassen. Er brauchte Menschen, die Hausmeister und Mesner in einem waren. Er suchte Menschen, die nicht nur das Gebäude versorgen, sondern es auch spirituell betreuen konnten, denn er wusste nicht, wie lange er wegbleiben würde. Vielleicht nur ein paar Monate, vielleicht ein paar Jahre, erklärte er, als meine Großeltern mit ihren beiden Kindern vor dem verehrten Rinpoche erschienen waren. Natürlich versprachen sie, seiner Bitte nachzukommen.

Man schrieb das Holz-Schaf-Jahr, das Jahr 1955, oder das Feuer-Affe-Jahr, 1956. Ein halbes Jahrzehnt zuvor war die Volksbefreiungsarmee in Tibet eingedrungen und hatte die östlichen Provinzen besetzt. Die tibetische Gegenwehr hatten die chinesischen Soldaten aufgrund ihrer zahlenmäßigen Übermacht und ihrer technischen Überlegenheit problemlos überwunden. Einzelne Kampfverbände waren bis Lhasa vorgestoßen, wonach die Tibeter 1951 unter chinesischem Druck ein Friedensabkommen unterzeichnet hatten, in dem die Chinesen den Tibetern regionale Autonomie, Religionsfreiheit und das Recht auf eigenverantwortliche Reformen zusicherten, lauter Versprechungen, die sich später als große Lügen entpuppen sollten. Weder Mola noch die anderen Menschen in den unzugänglichen Bergtälern Tibets erfuhren etwas von diesen politischen und militärischen Verwicklungen. Sie hatten lediglich davon gehört, dass Chinesen ins Land gekommen seien und dass chinesische Soldaten Gräueltaten begangen hätten. Das war jedoch nicht mehr als eine vage Bedrohung am Horizont, ein fernes Gewittergrollen, das sie nicht so recht auf sich bezogen, denn in ihrer kleinen Welt war alles wie immer: Die Jahre kamen und gingen, die Götter waren gnädig, und sie hatten das Nötigste, das sie zum Überleben brauchten. Dass ihnen das weggenommen werden könnte, hielten sie für unmöglich.

Nur sehr gebildete Leute mit weitreichenden Verbindungen wie Trishul Rinpoche ahnten, dass nicht alles so bleiben würde, wie es war. Nur sie wussten um die Macht des chinesischen Riesenreichs und um die Ohnmacht der tibetischen Kämpfer. Sie wussten, dass besonders Mönche und Nonnen in Gefahr waren, weil das kommunistische China alles Göttliche ablehnte, alle Religionen bekämpfte und nur an einen Gott glaubte, den es sich selbst geschaffen hatte. Dieser »Gott« war in Wirklichkeit bloß ein Mensch, nämlich der rundköpfige Bauernsohn Mao Zedong, ein brutaler Schlächter, der über viele Leichen zu großer Macht gekommen und dem jede Grausamkeit zuzutrauen war. Möglicherweise war das mit einer der Gründe, warum Trishul Rinpoche dem Ruf des Königs von Sikkim eilig gefolgt war.

»Passt gut auf mein Kloster auf«, sagte der *tulku* meinen Großeltern beim Abschied, »aber wenn ihr fühlt, dass es gefährlich wird, wenn die Chinesen auch hierherkommen und morden wollen und zerstören, müsst ihr gehen. Dann versperrt den Tempel gut und rettet euer Leben.«

Trishul Rinpoche hegte Befürchtungen, weil Berichte zu ihm gedrungen waren, dass die Chinesen Klöster überfielen, Statuen zerstörten und Tempel beraubten. Schließlich hatte auch Mola viele Jahre zuvor, als noch niemand etwas von den kommunistischen Horden ahnte, ein von Chinesen zerstörtes Kloster gesehen. Sie mussten also mit allem rechnen.

In der Haupthalle des Klosters Pang-ri stand eine wertvolle Statue des Guru Rinpoche, der auch als Padmasambhava bekannt ist, als der Begründer des tibetischen Buddhismus, der im 8. Jahrhundert im Nordwesten Indiens zur Welt gekommen war und danach im gesamten Gebiet des Himalaja und auch in Tibet wirkte. Er hatte damals schon prophezeit, dass die Tibeter in ferner Zukunft ihre Heimat verlassen und ihren Glauben in den Westen bringen würden, doch das sollte erst passieren, wenn der Eisenvogel fliegt. Mola kannte diese Weissagung nicht und auch vorstellen hätte sie sich das nicht können, genauso wenig wie die meisten anderen Tibeter, die davon gehört hatten. Wie, dachten sie, sollten eiserne Vögel fliegen können?

Früher hatte die Statue Padmasambhavas ihren Platz nebenan in einem alten Kloster gehabt, in dem viele Mönche gelebt und gebetet hatten, doch dieses Kloster gab es nicht mehr. Es war alt und baufällig gewesen, so dass die Mönche beschlossen hatten, es abzureißen und aus den noch brauchbaren Steinen unmittelbar daneben ein kleineres Kloster zu errichten. Der Sage nach hatte sich Padmasambhava aber geweigert, in den neuen Tempel umzuziehen. So viele Mönche auch mit angepackt hätten, junge, starke Mönche, keinen Millimeter konnten sie die Statue bewegen. Erst als ihr das damalige Oberhaupt des Klosters entgegentrat und Padmasambhava anbrüllte: »Inder, jetzt mach dich auf den Weg!«, konnten sie das Standbild der einst aus dem Süden nach Tibet eingewanderten Inkarnation Buddhas heben und in den neuen Tempel tragen. Dort stand dieser rebellische Guru Rinpoche noch, als meine Großeltern die Verantwortung für ihn übernehmen sollten.

Auf dem Gesicht dieser Statue klebten Gerstenkörner, von denen manche sogar ausgetrieben hatten, so dass sie aussahen wie ein Bart. Diese Gerstenkörner stammten von der viele Jahre zurückliegenden Einweihungszeremonie, als Mönche die Statue aus rituellen Gründen mit Gerste beworfen hatten, und waren die Zeugnisse eines anderen Wunders, das sie vollbracht hatte: Denn die Körner waren nicht an der glatten Oberfläche der Statue abgeprallt und zu Boden gefallen, sondern an ihrem Gesicht kleben geblieben und dort angewachsen. Dieses Wunder zeigte den Mönchen die Macht des Guru Rinpoche, es wies aber auch Pang-ri als heiligen Platz aus, wie jeden Ort, an dem einst ähnlich Unglaubliches passiert war.

Meine Großeltern richteten sich in ihrer neuen Bleibe ein. Pang-ri bot ihnen ideale Verhältnisse: Nicht nur, weil das Wohnhaus neben dem Kloster komfortabler war als die alte Einsiedelei, sondern auch, weil sie beide hier als Nonne und Mönch miteinander leben durften, ohne dass jemand etwas dagegen einwenden konnte. Ihre einzigen Nachbarn waren ein Ehepaar, das zusammen mit der Mutter der Frau und der Tochter in einer Hütte auf der anderen Seite des Zauns lebte, der das Kloster gegen Westen hin abschirmte. Diese Nachbarn waren nicht gern gesehen im Kloster, und der Rinpoche hatte vor ihrem Haus einen Zaun bauen lassen, um die Störenfriede abzuwehren, die er eines lange zurückliegenden, unaufgeklärten Diebstahles verdächtigte.

Nur hin und wieder kamen Hirten oder Bewohner des Dorfes Pang von unten am Fluss vorbei, um oben im Kloster zu beten, Opfergaben zu bringen oder meinen Großeltern Nahrungsmittel zu schenken. Das Wohngebäude der Familie war äußerst bescheiden, es gab nur eine Küche, einen Schlafraum und eine Speisekammer, doch nach all den Jahren in den Laubhütten kam es Mola wie das Haus eines Adligen vor, mit einem gemauerten

Herd und einem dichten Dach und Wänden, die alle Winde abhielten. Es war wie im Paradies.

Ein Paradies, auf das Schatten zu fallen drohten: Hirten berichteten von Chinesen, die sie selbst gesehen hatten. Von Soldaten, die durch die Gegend zogen, alle in den gleichen Uniformen, alle mit einem roten Stern auf der Mütze. Sie sprachen von Arbeitern, die Steine aus den Bergen brachten und in den Tälern aufschütteten, um Bänder durch das Land zu ziehen, auf denen Wagen fahren konnten mit Rädern, die nicht von Tieren gezogen wurden, sondern von brüllenden Maschinen, die die Chinesen in sie hineingebaut hatten.

Trotz solch beunruhigender Nachrichten begannen sich Molas Tage wieder in eine feste Ordnung zu fügen. Da sie jetzt für eine Familie zu sorgen hatte, war der Tagesablauf hier ein anderer als in der Einsiedelei. Zu ihren Aufgaben gehörte vor allem die Pflege des Herdfeuers, eines Symbols für das Lebendige eines Hauses, das nie ausgehen durfte, denn damals mussten die meisten Menschen in Tibet, wenn das Feuer einmal erloschen war, bei den Nachbarn darum betteln gehen oder es mühsam neu entfachen. Dazu hatten sie ein seit alten Zeiten gebräuchliches Gerät, das aus einem kantigen Metall und einem Täschchen bestand. Darin waren Zunder und ein Feuerstein, auf den man mit dem Metallstück schlagen musste. Dadurch fing der Zunder aus einem leicht entflammbaren, pflanzlichen Material Feuer, was oft erst nach vielen erfolglosen Versuchen glückte.

»Wer fleißig ist«, hörte Sonam ihre Mutter immer wieder sagen, »der muss nicht um Feuer betteln gehen, sondern der hat immer Glut.«

Der Glut bereitete Mola Abend für Abend ein neues Bett, indem sie die Asche auf dem gemauerten Herd fein säuberlich aufhäufte und über die noch lodernde Glut schob, wie sie das auch schon in der Einsiedelei immer getan hatte; so zugedeckt konnte das Feuer über Nacht vor sich hin glimmen. Meine Mutter schlief neben dem Herd in einem Fellschlafsack, den ihr Mola selbst genäht hatte. Dieser Schlafsack duftete herrlich nach Tier und nach Wärme und Feuer und Geborgenheit und war der beste Schutz gegen die große Kälte, die durch den offenen Abzug über dem Herd hinunterkroch in die Küche. Wenn meine Mutter sich ein wenig streckte, konnte sie die Sterne kreisen sehen, während die Geräusche der Nacht sie umgaben, ein Knacksen und Heulen und Wimmern, lauter unheimliche Geräusche, von denen sie lieber nicht wusste, woher sie stammen könnten.

Verbotener Raum

Wenn meine Mutter morgens aufwachte, war Mola schon von ihren ersten frühmorgendlichen Verrichtungen aus dem Tempel zurück und hantierte bereits am Herd. Mit einem Stab schob sie die Asche beiseite, warf ein paar Ästchen in die Glut, und gleich loderte ein neues Feuer, auf dem sie Tee erhitzte. Dazu verrieb sie *tsampa*, die geröstete und gemahlene Gerste, mit ein paar Butterflocken, streute fein geriebenen Käse drauf und goss Tee darüber. Die so entstandene salzige Brühe war Frühstück, Brotzeit, Getränk und Speise in einem.

Nach der ersten Mahlzeit gingen meine Großeltern in die *gompa*, wie buddhistische Klöster in Tibet genannt werden. Die Pang-ri *gompa* war eine kleine Anlage mit einem hohen Kultraum im Erdgeschoss und einem kleineren Dachboden. Im unteren Raum standen viele Statuen, in Holzgestellen lagen Druckstöcke aus Holz und gedruckte Bücher, dazwischen ragten mächtige, mit bunten Schnitzereien geschmückte Säulen in einen schier unendlich hoch wirkenden Raum. Einzig durch ein kleines Fenster drang Tageslicht in den Kultraum, in dem alles nur dank unzähliger Butterlampen Konturen erhielt. An manchen Stellen flackerte der trübe Schein der Flammen über goldene Gottheiten. Übernatürliche Wesen von dunkler Farbe mit zornigen Gesichtern und vielen Armen und Beinen schienen sich im zuckenden Licht der Lampen zu bewegen und meine Mutter anzuglotzen, wenn sie sich zu ihnen vorwagte. Es war, als blickten die Götter ihr nach, wohin auch immer sie ging, und wenn sie schnell ein paar Schritte machte und sich plötzlich umdrehte, waren die Blicke längst wieder auf sie gerichtet. Oben an den Wänden hingen Masken mit aufgerissenen Mäulern, an deren spitze Zähne und rote Zungen meine Mutter sich noch gut erinnern kann. Auf den Tischchen vor den schaurig schrecklichen Gestalten standen Opfergaben, viele aus *tsampa* hergestellte, mit roter Farbe bestrichene und mit Butterflocken verzierte Kegel.

Noch geheimnisvoller war der obere Raum, den man bloß über eine steile Treppe erreichen konnte und der stets durch eine Klapptür verschlossen war. Nur Großvater durfte sie öffnen und das Dachgeschoss betreten. In diesem Tempel der Schutzgottheiten betete er täglich zweimal, bei Sonnenaufgang und bei Sonnenuntergang. Zuvor hatten er oder meine Großmutter Rauchopfer in den beiden vor dem Klostergebäude stehenden *sangbum* entfacht, zwei Opferbehältern, die auf je einem mächtigen Steinsockel ruhten und wie große Amphoren geformt waren, mit einer Öffnung auf der Vorderseite, durch die der zu entzündende Wacholder geschoben werden konnte. Diese Riten dienten dazu, alle übelwollenden Kräfte und Geister abzuwehren und die Schutzgottheiten gütig zu stimmen. Ohne diese Zeremonien hätten nicht nur meine Großeltern, sondern auch die Dorfbewohner unten im Tal um das Wohlergehen des Klosters und dasjenige des ganzen Tales bangen müssen.

Meiner Mutter war das Betreten des Dachbodens streng verboten worden, doch manchmal besiegte die Neugier ihre Angst, ertappt zu werden. Mehr rutschend als gehend kletterte sie dann die Stufen hinauf und saß im Dunkeln vor der Tür, die ein großes Geheimnis verbarg. Dann lauschte sie mit Ehrfurcht auf die dumpfen Trommelschläge, die aus dem Inneren des Raums zu ihr drangen und zum Knistern des glimmenden Wacholders rhythmisch die Gebete ihres Vaters begleiteten.

Eines Tages, als Großvater wieder einmal oben betete, fasste sich meine Mutter ein Herz und wollte das Geheimnis endgültig erkunden. Sie schlich die Treppe hinauf, die ihr diesmal unendlich lang erschien, fand die Klapptüre offen und äugte in den dunklen Raum hinein. Welche Enttäuschung! Das Einzige, was sie zu sehen bekam, war eine verschlossene Tür, hinter der ihr Vater betete. Meine Mutter bekam es mit der Angst zu tun und trat den Rückzug an.

Auch später trieb ihre Neugierde sie ab und zu hinauf, um einen Blick auf den Dachboden und in den verborgenen Raum zu erhaschen, doch das sollte ihr stets verwehrt bleiben. Erst viele Jahre danach erfuhr meine Mutter, dass ihr Vater in jenem Raum hinter der zweiten Türe zu Schutzgottheiten betete und ihnen Opfergaben darreichte. Dies waren den Männern vorbehaltene Rituale, weshalb selbst Mola nie in den Dachstuhl durfte.

Meine Großmutter verrichtete ihre Gebete und Opfer im unteren Raum. Mit einer Reihe von Niederwerfungen näherte sie sich dem großen Altar, auf dem die Statue von Guru Rinpoche stand, dem Padmasambhava, dem Lotusgeborenen. Vor ihm und den anderen Gottheiten stellte sie im Morgengrauen je sieben riesige Silberschalen in einer Reihe auf, so dass zwischen den einzelnen Schalenrändern exakt ein Gerstenkorn Platz gefunden hätte. Dann füllte sie die Schalen von links nach rechts mit Wasser auf, genau darauf achtend, dass der Abstand zwischen Wasseroberfläche und Schalenrand ein Gerstenkorn hoch war. Abends sammelte sie die Schalen unter lautem Beten wieder ein, dieses Mal von rechts nach links, goss das Wasser ins Freie, reinigte die Schalen, trocknete sie und stellte sie ineinandergeschichtet mit der Öffnung nach unten auf den Altar.

Während all ihrer Verrichtungen ließ Mola beständig ihre Gebetskette durch die linke Hand wandern. Kugel auf Kugel glitt durch die Finger, wenn sie nicht gerade die Butterlampen nachfüllen, ihr Küchengärtlein harken, Brennholz sammeln, den Ofen in Gang halten, den täglichen t*sampa*-Brei anrühren, Gemüse ernten oder ihre jüngste Tochter versorgen musste. *Om mani peme hung* murmelte sie den ganzen Tag, das Mantra des Mitgefühls, dessen tausendfache und hunderttausendfache Wiederholung sie ihrer besseren Wiedergeburt ein Stück näher bringen sollte, denn es galt, frühere Verfehlungen durch unendlich viele Mantras und andere verdienstvolle Taten auszugleichen.

Die kleine Sonam saß während dieser Zeit oft in der Nähe des Klosters und blickte hinunter zu den schemenhaft sichtbaren Häusern und Feldern des weit unten liegenden Dörfchens Pang, wo das schwarze Band des Tsangpo immer mehr im dunkelnden Tal zerfloss. Sie wuchs mit dem Rauschen der Bäume, dem Krächzen der Raben und dem Plätschern einer nahe liegenden Quelle auf. Nur selten waren Stimmfetzen aus weiter Ferne zu hören, wenn Hirten nach ihrem Vieh riefen. Die reine, kalte Luft umgab meine Mutter, wenn sie abends auf der Schwelle zum Kloster sehnsüchtig auf das Ende der Gebete ihrer Eltern wartete. Auf diesem Flecken Erde schienen lediglich meine Großeltern, meine Mutter, ihre kleine Schwester, die Nachbarn und der Hund des Klosters zu leben, dazu ein paar Vögel, ferne Yaks und die scheuen Tiere der Wälder, die sie aber kaum zu Gesicht bekam.

Eine Kindheit in Tibet

Sonam blieb in Pang-ri sich selbst überlassen. Ihre Eltern waren im Kloster beschäftigt, ihre Schwester war noch ein Säugling und verschlief den halben Tag, andere Kinder gab es keine auf dem Berg oberhalb von Pang. Selbst der zum Kloster gehörende Hund *Gaba Lha Gye*, zu Deutsch »Die glücklichen Götter sollen siegen«, eignete sich nur bedingt als Spielkamerad, denn er war groß und wild und alles andere als ein Schmusetier für kleine Mädchen. Sonam saß daher oft mit ihrer einzigen Freundin, der alten Nachbarin von nebenan, unter einem der Bäume, hörte dem Gekrächze der Fasanen zu und wartete auf den Ruf des Kuckucks. Sie hörte den Wind, der die Gräser rascheln ließ, das Summen der Insekten, und sie roch die frische Erde.

Sonam war fasziniert von den jungen, noch grünen und weichen Eicheln, aus denen sie kleine Kreisel herstellte. Aus Steinen, Blättern und Holz schuf sie in ihrer Fantasie eine Welt, die nur sie sehen konnte: Längliche, in Blätter gehüllte Steine waren Menschen, runde Steine Yaks, kleine Steinchen Vögel, und die Blätter gaben Kleider und Decken, Lager oder Kissen ab.

Erst Jahre später, als meine Mutter als Erwachsene über die einfachen Spielsachen ihrer Kindheit nachdachte, stellte sie fest, wie subjektiv »Realität« sein kann. Erst dann wurde ihr bewusst, dass ihre Puppen weder Gesichtszüge noch Glieder hatten, erst dann zerfiel die Welt ihrer Kinderfantasie in ihre Bestandteile aus Steinen, Blättern und Halmen.

Wenn Sonam neben ihrer greisen Nachbarin saß und mit ihren Figuren spielte, sagte sie nichts, weil die alte Frau auch nichts sagte. Die Alte hatte keine Zähne mehr, nur mehr ein paar schwarze Stummel ragten in ihre Mundhöhle. An ihrem Gürtel trug die Alte eine ausgehöhlte Baumnussschale, die sich öffnen ließ und mit etwas gefüllt war, das Sonam nicht kannte. Sie sah nur, dass sich die Greisin etwas davon auf die Lippen schmierte und auch in den Mund gab. Sonam beobachtete sie genau dabei, konnte aber das Geheimnis der Nussschale nicht ergründen und wagte auch nicht, die Nachbarin zu fragen. Im alten Tibet stellten Kinder Erwachsenen keine Fragen, und Erwachsene erklärten Kindern wenig. Kinder sollten nicht alles wissen und sich nicht in die Angelegenheiten der Erwachsenen einmischen. Sie lernten, indem sie beobachteten und nachahmten.

Auch Sonam hielt sich an diese Regel, die ihr niemand erklärt hatte, weil sie sie ohnehin schon kannte. Sie berührte die geheimnisvolle Nussschale der Nachbarin nie, denn es gibt für Tibeter kaum ein größeres Tabu, als seinen Speichel mit dem eines fremden Menschen zusammenzubringen. Niemals führen zwei nicht verwandte Tibeter eine Speise aus derselben Schüssel zum Mund, niemals essen sie mit demselben Löffel, denn das gilt als unrein. Deshalb lief Sonam zu ihrer Mutter und bettelte darum, für ihre Lippen und ihren Mund auch eine solche Baum-nussschale haben zu dürfen, genauso wie die Alte. Mola hatte keine Zeit, den Wunsch ihrer Tochter zu erfüllen, denn sie musste beten, Wacholder sammeln, dessen wohlriechenden Rauch die Götter schätzten, und in den beiden Öfen im Vorhof des Klosters verbrennen. Sie musste Butter in die Lampen füllen, die

Dochte befestigen, sie musste sich um den Haushalt und um Sonams kleine Schwester kümmern.

»Bitte, Amala, tu's für mich, ich möchte auch so eine Nussschale wie die Alte. Die ganze Zeit über gibt sie sich davon was auf die Lippen und in den Mund. Ich möchte das auch machen.«

Mola wusste natürlich, was die geheimnisvollen Nussschalen der Nachbarin enthielten, und ließ sich schließlich doch noch erweichen. Sie höhlte eine solche Nuss aus und bohrte mühsam je zwei Löcher in jede Hälfte, die sie mit Fäden so miteinander verband, dass ein Döschen entstand, das man auf der einen schmalen Seite öffnen konnte. Dann überreichte sie ihrer Tochter die Nuss, die sie mit Butter gefüllt hatte. Nun saßen die beiden wieder unter einem der Bäume, lauschten dem Gesang der Vögel und den Trommelschlägen Tserings, und hin und wieder nestelten sie die Nüsse vom Gürtel ihrer *chupa*, um sich etwas Butter auf die Lippen zu schmieren und ein bisschen davon zu schlecken.

Eine willkommene Abwechslung im Einerlei dieser Jahre von Sonams Kindheit waren die seltenen Besuche der Dörfler aus dem Tal, die heraufkamen, um Nahrungsmittel zu bringen. Die Bauern spendeten den Klosterinsassen gerne ihr *tsampa*, ihre Butter und ihr getrocknetes Yakfleisch, denn dadurch hatten sie die Gewissheit, dass Sonams Eltern für sie opferten und meditierten, wozu sie selbst nicht in der Lage gewesen wären. So konnten sie sicher sein, dass auch in ihrem Namen Gebete gesprochen wurden, die für ihr Heil und für bessere Wiedergeburten unerlässlich waren.

Als Dank für ihre Gaben erhielten die Bauern Haare des Trishul Rinpoche, die meine Großeltern gesammelt hatten. Alles, was von einem Lama stammte oder auch nur von ihm berührt worden war, galt als heilig. Die Menschen trugen diese spirituellen Schätze entweder in einem Amulett um den Hals oder sie verbrannten sie ebenso wie die Kleidung eines Lama. Den dabei entstehenden, spirituell reinigenden Rauch sogen die Gläubigen dann ein. Sogar aus dem Urin ihrer Lamas formten Mönche früher zusammen mit Lehm kleine Kügelchen, die die Tibeter wie Zaubertabletten schluckten, wenn sie in Bedrängnis waren, Hilfe brauchten oder Krankheit und Unheil vorbeugen wollten. Meine Großeltern hatten jedoch das Problem, dass Trishul Rinpoche schon lange fort war und der Vorrat an Haaren zur Neige ging. Also mischte Tsering Haare von Yaks und Pferden unter die des Rinpoche, um ihre Vorräte zu strecken. Als Mola das bemerkte, wurde sie zornig, sie empfand es als Betrug. Doch Großvater widersprach ihr, schließlich diene das Ganze dem guten Zweck, den Leuten in ihrem Glauben zu helfen. Das empfinde ich als das zutiefst Menschliche an dieser Religion, wie sie von einfachen Menschen praktiziert wird. Solange deren Glaube Berge versetzen kann, ist es gleichgültig, ob »heilige Haare« von einem Guru stammen oder von einem Pferd. Die Chinesen behaupten zwar, die tibetische Gesellschaft habe sich vor ihrer »Befreiung« auf der Stufe des tiefsten Mittelalters befunden und die Bevölkerung sei von der Obrigkeit gezwungen worden, schlimme Sachen zu glauben und menschenverachtende Praktiken zu vollführen, doch dies entspricht nicht den Tatsachen: Niemand zwang die Tibeter zu ihrem Glauben, sie praktizierten ihn freiwillig und fühlten sich glücklich dabei. Das soll nicht heißen, dass ich alle diese Praktiken für nachahmenswert halte. Ich denke, jede Religion und jede Denkweise sollte sich weiterentwickeln. Doch diese Entwicklung muss von innen kommen und darf nicht von außen aufgezwungen werden.

Im Herbst legten meine Großeltern die Wintervorräte an. Sonam sammelte mit ihrer Mutter die trockenen Zweige, die die Büsche und kargen Bäume abgeworfen hatten, um sie als Brennholz zu stapeln. In einem tiefen Erdloch hinter dem Haus, das mein Großvater ausgehoben hatte, wurden *labu*, Bierrettich, *yungma*, Rüben, sowie Kartoffeln eingelagert. Weitere Vorräte für die langen Winter waren getrocknete Erbsen in Stoffbeuteln, getrocknete und zerhackte Blätter der *yungma* und Zwiebeln, die an den Balken in der Küche hingen. Die Butter presste Mola in saubere Schweine- oder Schafsmägen, die sie anschließend zunähte und in einem kühlen Winkel des Hauses lagerte. Solange es noch warm war, wurde die Butter weich und ranzig, aber im Winter fror sie stets zu steinharten Klumpen und hielt sich wunderbar. Es ist übrigens ein Märchen, dass Tibeter gerne ranzige Butter essen oder daraus Buttertee bereiten. Diese verwenden sie nur, wenn sie keine andere Möglichkeit haben, ihre Buttervorräte den Sommer über kühl aufzubewahren.

Im Winter, während draußen die weißen Stürme tobten, hockte Sonam am Feuer und spielte eines der wenigen Spiele, die ihr Mola beigebracht hatte. Es bestand aus flinken Taschenspielertricks mit kleinen *tsampa*-Kügelchen. Sie konnte sich jeden Tag viele Stunden damit beschäftigen, ohne dass es ihr Überdruss bereitet hätte. Da sie keine Spielsachen hatte, bastelte sie sich selbst welche: So drehte sie einfach ein kurzbeiniges Tischchen um, band eine Schnur daran und zog es hinter sich her. Das war ihr Yak, mit dem an der Leine sie durch die Küche polterte, bis sie von ihrer Mutter zur Ruhe ermahnt wurde.

Sonams Bedürfnis zu spielen stieß bei ihren Eltern nicht auf Freude, wenn sie die klösterliche Ruhe zu stören drohte. Das musste sie erleben, als sie angeregt durch die Trommeln ihres

Vaters selbst ein Musikinstrument bauen wollte. Dazu befestigte sie Tonscherben, Holz, Steine und Metallreste an der Wand zwischen ihrem Haus und dem der Nachbarn und begann, johlend und grölend mit einem Stecken darauf herumzuschlagen. Heute noch hat meine Mutter dieses »Konzert gigantischen Ausmaßes« in Erinnerung, wobei sie nicht daran gedacht hatte, dass diese Musik den lokalen Göttern und Geistern nicht behagen könnte. Mola lief sofort wütend aus der Küche und verbot ihr, je wieder ein solches Konzert zu geben, wonach die junge Musikerin tränenüberströmt zurückblieb. Mola meinte das nicht böse, für sie war und ist ihre Religion das Wichtigste. Ihre Götterwelt, zu der keinerlei Späße passen, weder damals noch heute. In allem anderen sah sie unnötige Ablenkung und Störung.

Erst im Frühjahr vergrößerte sich Sonams Welt wieder. Dann genoss sie mit der alten Nachbarin die ersten Sonnenstrahlen und lauschte dabei auf das leise Knistern des harschigen Schnees beim Tauen. Sobald das erste frische Gemüse des Jahres geerntet werden konnte, stiegen Sonam und ihre Mutter die Hänge neben dem Kloster hinauf, um wilden Senf, wilde Zwiebeln, Brennnesseln und die Blätter einer malvenähnlichen Pflanze, die im Tibetischen *tschampa* heißt, zu sammeln. Eine Wohltat nach einem Winter, in dem es mehr als ein halbes Jahr lang keine frische Kost zu essen gegeben hatte. Jedes Mal, bevor sie die erste Brennnesselsuppe der Saison aßen, sprach Mola ein Gebet, um ihre Dankbarkeit dafür auszudrücken, dass die Natur ihre Familie nach dem strengen Winter wieder mit frischen Gewächsen versorgte.

Sie sammelten auch Spitzwegerichblätter, die nur jung und frisch gegessen werden sollten, noch bevor der erste Kuckucksschrei zu hören war. Wenn Sonam während dieser Zeit das Haus verlassen wollte, steckte ihre Mutter ihr etwas zu essen in die Tasche, was für sie ein Luxus war. Beim allerersten Kuckucksschrei musste man sich sofort etwas Essbares in den Mund schieben können. Mola sagte, dass in diesem Moment niemand einen leeren Magen haben dürfe, weil ihm sonst das ganze Jahr ein leerer Bauch drohte.

In ihrem Küchengärtlein baute meine Großmutter viele Ringelblumen an. Deren verlockende Blüten waren für Sonam tabu, weshalb sie wilde Blumen am Waldrand oder auf Wiesen sammelte. Doch auch die durfte sie nicht sinnlos pflücken, weil, wie ihr Mola erklärte, Lebewesen wie Blumen nicht unnütz ausgerupft werden sollten. Nur für den Gebrauch am Altar ließ Mola das Blumenpflücken zu, und ihre Ringelblumen pflanzte sie ausschließlich für die Opfergaben an.

Der Sommer war die prächtigste Jahreszeit für meine Mutter: Dann ging sie mit der Alten von nebenan spazieren, genauso am Stock wie sie, weil sie es ihr auch darin gleichtun wollte. Freilich musste sie die Greisin geleiten, die kaum mehr etwas sehen konnte, und ihr immer sagen, wohin sie gingen und wo sie waren. Die Alte schnaufte dann zufrieden auf und folgte ihrer kleinen Führerin auf Schritt und Tritt.

Wenn es an der Zeit war, den wilden Kümmel zu suchen, spürte Sonam, dass es bald vorbei sein würde mit der herrlichen Wärme. Dass nun bald die Wolken tiefer hängen und die kalten Winde blasen würden, mit denen sich der nächste Herbst ankündigen wollte. Dann stieg Mola zusammen mit Sonam noch höher hinauf in die Berge, um den Wacholder zu sammeln, den sie für die Rauchopfer im Tempel benötigten, und um bei den Hirten Gerste gegen Käse, Butter und Joghurt einzutauschen. Den Joghurt aßen sie noch bei den Hirten, verschiedene Arten von Käse sowie die frische Butter brachten sie in Behältern aus großen Blättern mit nach Hause, die Sonam auf dem Weg hinauf abgebrochen und zu Gefäßen gefaltet hatte, deren Rand sie mit Stäbchen zusammenheftete. Schon geriebenen Käse trug Mola in Stoffbeuteln, der frische Käse war eine Nascherei für die nächsten Tage. Den geriebenen Käse, *chuschip*, aßen sie hauptsächlich mit *tsampa*. *Chura*, den getrockneten Käse, schnitt Mola in Würfelchen, durch die sie einen Faden zog, um den bald steinharten Käse an der Decke hängend aufzubewahren. Diese Würfelchen lutschte Sonam wie Bonbons, die sie lange im Mund behielt, wo sie nach und nach ihren Käsegeschmack entfalten konnten. Das war die Lieblingsnascherei der Tibeter.

So lebte meine Mutter wie die Schweizer Kinderbuchfigur Heidi in Tibet, und deshalb spielte sie auch noch in ihrer Schweizer Zeit am liebsten die tibetische Heidi. Sie fühlt sich auch heute immer noch in der Natur am wohlsten, könnte stundenlang auf einer Blumenwiese sitzen, die Alpen in der Ferne betrachten und zu den Glocken der Kühe und dem Singen der Vögel still vor sich hin träumen. Oder sie freut sich auf der griechischen Insel Paros über das Rauschen des Eukalyptusbaumes, das Gegacker der Nachbarshühner und das Zirpen der Grillen.

DER SCHNEELEOPARD

Eines Morgens wollte Sonam nicht aufstehen und über die Wiesen springen, sondern nur in der Küche am Feuer liegen, in ihr Fell eingemummt. Sie zitterte und fror und schwitzte zur gleichen Zeit, sie sprach wirr, wurde immer schwächer, mochte nichts mehr essen und keinen heißen Tee mehr trinken, und war sogar zu schwach für die geliebten Spiele mit ihren Kügelchen und Steinen.

Also nahm Mola ihre vier Jahre alte Tochter, schnürte sie in ihre *chupa* und ging los, bangen Herzens, hatte sie doch schon zwei Kinder, als sie reglos und kalt waren, so eingeschnürt in die Höhlen der Berge getragen. Dieses hier war aber noch warm, es glühte vor Fieber und war feucht von Schweiß, und Mola hatte große Angst. Sie hatte von den Dorfbewohnern gehört, dass ein Rinpoche im Dorfe weilte, und so ging sie hinunter ins Tal, um den weisen Mann zu fragen, was sie tun könnte. Sie hoffte, dass er Rat wusste bei Krankheit und Verletzung, dass er heilige Pillen aus Kräutern herstellte und wirksame Gebete sprach, die man zu Hause nachsprechen konnte. Tatsächlich empfing sie der Rinpoche sofort. Er griff zu seiner Gebetskette, um *mo* zu machen, den magischen Blick in die Zukunft, den die meisten Rinpoches gut beherrschen. Es dauerte nicht lange, und der Rinpoche gab Mola den Rat:

117

»Trage dein Kind vier Mal um den heiligen See Basum Tso, und es wird gesund werden.«

Mola kannte den heiligen See und wusste nur zu gut, dass ihr eine der anstrengendsten Prüfungen bevorstand, die sie je hatte meistern müssen. Der See lag einige Tagesmärsche entfernt von Pang, und es dauerte zwei Tage, ihn zu umrunden, vor allem mit einem Gewicht auf dem Rücken, wie sie eines tragen würde, denn der See ist fast zwanzig Kilometer lang und über einen Kilometer breit. Sie würde mindestens zwölf Tage unterwegs sein und gehen und gehen, jeden Tag. Es würde eine Tortur werden, ein Kraftakt, doch Mola wusste, dass sie keine andere Wahl hatte.

Sie bedankte sich und ging, um Proviant zu holen. Dann machte sich Mola auf den Weg. Sie ging durch Täler und watete durch Flüsse und stieg über Almen und durchquerte Wälder und kam endlich an das Ufer des heiligen Sees, dessen Wasser smaragdgrün schimmerte wie ein riesengroßer, von dunklem Wald und schneebedeckten Gipfeln eingefasster Kristall. Mola warf sich nieder, als sie das Wasser sah und die Insel in der Mitte des Sees, auf der ein kleines Kloster stand, neben dem bunte Gebetsfahnen aufgespannt waren und von dem sie über das Wasser her leise die Trommeln schlagen hörte. Am unteren Teil des Sees, wo Mola ankam, gab es ein Dorf, und am oberen Teil des Sees ebenfalls. So konnten die Pilger nachts in einem der Dörfer übernachten.

Mola hatte nicht viele Blicke für die Schönheiten des Basum Tso übrig, nachdem sie ihren beschwerlichen Weg angetreten hatte. Sie musste all ihre Kräfte und ihren Willen zusammennehmen, um stetig voranzuschreiten, das leise röchelnde Kind und ein prallgefülltes Säckchen *tsampa*, eine Schale mit Butter und ein Säckchen mit Tee, eine Pfanne und eine Schöpfkelle auf dem Rücken. Glücklicherweise konnte sie dem Seeufer immer auf einem ausgetretenen Pfad folgen, denn die Umrundung des

Basum Tso war schon seit Jahrhunderten eine der großen Pilgerrouten der tibetischen Buddhisten, die traditionell am fünfzehnten Tag des vierten Monats im tibetischen Kalender angefangen wurde. Doch dafür war es in diesem Jahr schon zu spät, weshalb Mola nur wenigen Pilgern begegnete. Normalerweise war man vom unteren Seeufer zum oberen Teil, wo das zweite Dorf lag, einen Tag unterwegs, aber Mola ging so schnell, dass sie den ganzen See in einem Tag umrundete. Nach der halben Strecke legte sie eine Rast ein, schob drei Steine zu einem Dreieck zusammen und entfachte Feuer für ihren Tee. Das Feuermachen war mühsam und nahm viel Zeit in Anspruch. Danach eilte sie so schnell sie konnte weiter, um sich im Dorf am anderen Ende des Sees ein Nachtlager zu suchen. Dort bat sie jemanden um Unterschlupf für eine Nacht. In Tibet war es früher üblich, dass Pilger von den Dörflern aufgenommen und verpflegt wurden. Am nächsten Morgen setzte meine Großmutter ihre Umrundungen fort, so schnell, dass ihr die wenigen anderen Pilger nicht nachkamen. Dabei tat ihr alles weh, ihr Rücken brannte wie Feuer unter ihrer Last, keinen Blick hatte sie für den See und die Berge und den Himmel. Sie dachte nur an das Wohl Sonams und betete im Stillen, dass sie gesund würde. So schaffte sie die vier Runden um den Basum Tso in nur vier Tagen, in der halben Zeit, die Pilger normalerweise brauchen.

Das so hart erkämpfte Wunder geschah wirklich: Nicht lange nach Molas Rückkehr ins Kloster Pang-ri erholte sich Sonam. Das Fieber ging zurück, sie konnte wieder aufstehen und ihren Alltag zwischen Tempel, kleinen Wanderungen mit der alten Nachbarin und dem Sitzen am Kamin aufnehmen. Mola war erleichtert. Tagelang noch tat ihr von ihrem Gewaltmarsch alles weh, aber sie beschwerte sich nicht, sondern sie dankte den Göttern, nicht wieder ein Kind verloren zu haben.

Drohendes Unheil

Der friedliche Alltag Pang-ris sollte bald wieder gestört werden. Hirten brachten die ersten schlechten Nachrichten in das Kloster. Sie erzählten von Kämpfen und Blutvergießen in Kham, zwei bis drei Monate Fußmarsch von Pang-ri entfernt. Dort hätten sich Kampas, wie die für ihre Tapferkeit berühmten Tibeter dieser Region heißen, von denen auch meine Mola abstammt, gegen die chinesischen Besatzer erhoben. Doch diese hätten ihre Truppen in Kham verstärkt und seien dabei, die Freiheitskämpfer zu überrennen. Gleichzeitig würden sie das Land auf der Suche nach versprengten Aufständischen durchkämmen, kein Dorf sei sicher vor ihren Patrouillen. Meine Großeltern hörten diese Nachrichten voller Sorge, auch wenn sie die Gefahr für sich selbst nicht einschätzen konnten. Seit acht Jahren hielten die Chinesen Tibet nun besetzt, und bisher war noch keiner von ihnen im Kloster erschienen.

So lebte meine Familie weiter in ihrer Idylle, bis das große Gebell erklang. Normalerweise bellte der zum Kloster gehörende Hund nie und war froh, wenn er in Ruhe auf seinem Plätzchen liegen konnte. Doch an diesem Morgen bellte und heulte er wie verrückt, wie das zuvor noch niemand von meiner Familie gehört hatte. So laut, dass das Gebell von den Felswänden und Hängen oberhalb des Klosters in schauerlichen Wellen und mit nur kleiner Verzögerung zurückgeworfen wurde. Es war noch früh am Morgen, und Mola ging hinaus, um nach der Ursache für dieses Bellen zu forschen.

Draußen geschahen merkwürdige Dinge. Das Gebüsch gegenüber dem kleinen Wohnhaus bewegte sich, die Erde zitterte leicht, ein Pfeifen durchfuhr die Luft. Mola sah etwas Blaues hinter dem Tempel hervorhüpfen und wusste nicht, was das bedeutete. Einmal, zweimal, dreimal hüpfte das Blau, und auch hinter den Büschen schimmerte es blau. Dann bebte wieder leicht die Erde, und plötzlich erblickte Mola einen chinesischen Soldaten in grüner Tarnuniform und mit geschwärztem Gesicht. Er hielt ein langes Gewehr in den Händen und wirkte gefährlich. An seinem Gürtel baumelte ein Becher aus blauem Email.

Mola erschrak zutiefst und stürzte ins Haus, um Tsering zu berichten, dass die Chinesen gekommen wären. Auch er war voller Angst und wusste nicht, was zu tun sei. Da der Hund keine Ruhe gab, musste Mola wieder hinaus, um ihn anzubinden und zu beruhigen. Tsering sollte im Haus bleiben, weil sie gehört hatten, dass es die Chinesen vor allem auf männliche Tibeter abgesehen hatten, die sie zur Zwangsarbeit mitnahmen.

Draußen bemerkte Mola noch mehr Chinesen mit blauen Emailbechern. Sie tat so, als würde sie sie nicht sehen, und eilte ums Haus. Auch dort stand nur wenige Meter von ihr entfernt ein chinesischer Soldat. Dieser richtete sein Gewehr auf Mola und brüllte sie in einer unverständlichen Sprache an. Ehe sie es sich versah, war sie von Chinesen umringt.

Dann kam ein Tibeter auf sie zu, der die Chinesen begleitete, den Mola aber nicht kannte. Er würde für die Soldaten übersetzen, erklärte er. Die Chinesen wollten wissen, ob das Paar Rebellen im Kloster versteckte. Mola konnte kaum glauben, dass das für die Chinesen der Grund war, hier heraufzukommen. Sie schüttelte den Kopf und bot ihnen an, selbst nachzusehen. Das taten die Soldaten auch und stürmten mit ihren Gewehren das Wohnhaus, doch dort fanden sie nur meinen verängstigten Großvater, meine Mutter und ihre Schwester. Dann liefen sie durch das Kloster, trampelten durch den Tempel und störten die Ruhe der heiligen Räume. Die Chinesen klopften die Wände ab, riefen einander unverständliche Dinge zu und stießen mit ihren Gewehren an die Statuen. Erst nach einiger Zeit gingen sie unverrichteter Dinge fort, nicht ohne meinen Großeltern zu drohen, dass sie wiederkämen und hohe Strafen verhängen würden für das Verstecken von Rebellen.

Als die Chinesen abgezogen waren, setzte ein gewaltiges Unwetter ein. Ohne Vorwarnung begann es zu stürmen und zu schneien. Es donnerte, ein Blitzschlag traf die Klostertür und hinterließ dort eine schwarze Brandspur. Noch nie zuvor war das Kloster von einem Blitz getroffen worden. Selbst unten im Tal riss der Sturm Dächer weg. Ein großes Zelt, das die Chinesen für Versammlungen mitten im Dorf aufgestellt hatten, wurde vom Sturm in mehrere Teile zerfetzt. Alle wussten, dass das ein Zeichen der Götter war, die zornig darüber waren, wie die Chinesen mit ihnen umgingen.

Nur kurze Zeit später, meine Großeltern hatten sich gerade ein bisschen von dem rüden Überfall durch die Soldaten erholt, deutete sich das nächste Unheil an. Wieder gab es Lärm am frühen Morgen, ein Grollen und Jaulen und Krachen und Klopfen, das von den Bergen widerhallte. Mola war vorsichtiger geworden und lugte dieses Mal von innen durch eine Türritze. Als sie nichts sah, öffnete sie die Tür und erblickte den Grund des Lärms: Draußen schlich ein Schneeleopard um die Hütte. Mola schloss die Tür sofort wieder, und erst, als sie sich etwas gefasst hatte, konnte sie den anderen sagen, was sie gesehen hatte:

»Ein Schneeleopard!«

Wieder war das Klopfen und Schnauben zu hören. Vorsichtig schlich sich Tsering zu dem winzigen Fenster und versuchte, ebenfalls einen Blick auf den Leoparden zu erhaschen. Tatsächlich stand dort das große, grauweiß gefleckte Tier mit dem scharfen Gebiss. Das Klopfen seines Schwanzes tönte so laut, dass es als Echo aus dem Gebirge zurückschallte, es klang böse und gefährlich. Meine Großeltern wagten sich erst wieder ins Freie, als vom Schneeleoparden nichts mehr zu sehen oder zu hören war. Nur die Spuren seiner riesigen Tatzen zeichneten sich in den Schneeresten ab, die auf der schattigen Fläche hinter dem Tempel noch nicht geschmolzen waren. Für Mola war das ein Zeichen, dass schreckliche Dinge geschehen würden.

Als zwei Tage später mitten in der Nacht wieder das donnernde Klopfen zu hören war, sprangen meine Großeltern sofort von ihrem Lager auf und rannten zu dem Fensterchen, doch es war nichts zu sehen außer einer sternklaren Nacht und den Umrissen der Berge. Trotzdem wussten sie, dass der Schneeleopard ums Haus geschlichen sein musste, aber keiner wollte hinausgehen und nachsehen. Auch am nächsten Morgen wartete Mola lange und lauschte, bevor sie es wagte, Wasser aus der etwas weiter entfernt liegenden Quelle zu holen. Dabei rief sie wie immer nach dem Hund, aber der kam nicht. Als Mola ihm sein Futter bringen wollte, machte sie eine schreckliche Entdeckung: Der arme *Gaba Lha Gye* lag blutüberströmt in seiner Ecke, sein Bauch war aufgerissen und sein ganzer Körper von Bisswunden entstellt. Meine Großeltern schaufelten ein Loch und vergruben das tote Tier. Sie zündeten eine Butterlampe für ihn an und schlossen ihn in ihre Gebete mit ein.

Bei dieser Vielzahl übler Vorzeichen waren meine Großeltern kaum verwundert, als sie eines Morgens von draußen ein vielstimmiges Gegacker hörten. Vor der Tür bot sich ihnen ein erstaunlicher Anblick: Der gesamte Klosterhof war voller Hühner, die aufgeregt gackernd durcheinanderrannten. Bald sah Mola auch einen Mann aus dem Dorf, der die Hühner hinauf zum Kloster getrieben hatte. Er erzählte, dass die chinesischen Soldaten begonnen hatten, Hühner zu fangen und sie lebend in kochendes Wasser zu werfen. Darüber waren die Dorfbewohner so entsetzt, dass sie beschlossen, ihr Federvieh in Sicherheit zu bringen, und es deshalb in die Berge jagten. Tibeter halten Hühner wegen der Eier und nicht wegen ihres Fleisches, da sie keine kleinen Tiere töten wollen, um sich davon zu ernähren.

Das Versteck der Hühner blieb den Chinesen nicht lange verborgen. Sie fanden bald heraus, wohin die Tiere gebracht worden waren, und kamen abermals zum Kloster. Dort forderten sie Mola auf, ihnen das Federvieh zu übergeben. Dabei hätte meine Großmutter fast ihre sonst übliche Gelassenheit und Ruhe über Bord geworfen und wäre laut geworden, aber sie beherrschte sich und sagte nur, dass sie keine Hühner herausgeben könne, weil ihr diese nicht gehörten. Davon ließen sich die Chinesen nicht beeindrucken und sackten die Hühner dutzendweise ein. Heimlich scheuchte Mola einige Hühner in alle Himmelsrichtungen. Viele flogen auf Bäume, und Mola hoffte, dass die chinesischen Soldaten sie nicht entdecken würden. Einige Hühner retteten sich sogar auf das Klosterdach. Aber auch die Tiere, die von den Chinesen nicht eingefangen wurden, überlebten nicht lange, weil sie schnell zur willkommenen Beute von Greifvögeln und anderen Raubtieren wurden.

Bald darauf kamen wieder chinesische Soldaten, um das Kloster gründlich zu durchsuchen. Diesmal fahndeten sie nicht nach Rebellen oder Hühnern, sondern hielten Ausschau nach Waffen, Gold und anderen Wertgegenständen. Sie hatten Befehl, Kloster auf Kloster systematisch auszuplündern, um ihre Kriegskassen zu füllen, und diesen Auftrag führten sie gewissenhaft durch. Sie trugen Ritualgegenstände aus edlen Metallen, wertvolle Statuen und *thangkas*, teils uralte Rollbilder, aus dem Kloster, aber auch Speere und Messer, die sie für Waffen hielten, obwohl diese nur für rituelle Zeremonien verwendet wurden. Sogar die Messer aus Molas Küche nahmen sie mit, so dass meine Großmutter danach nicht mal mehr eine Rübe oder eine Zwiebel aufschneiden konnte.

Nachdem sie alles zusammengetragen hatten, was ihnen wertvoll erschien, untersuchten die Soldaten das Klostergebäude noch einmal genauestens. An der Fassade sahen sie ein kleines Fenster, ohne einen dazugehörigen Raum finden zu können. Also gingen sie davon aus, dass es dort ein Versteck gäbe, und brüllten meine Großeltern an, sie sollten diese verborgene Kammer öffnen. Die beiden waren ratlos, denn sie wussten nichts von einem solchen Raum, was die Chinesen noch mehr erzürnte. Brutal trommelten sie im oberen Stockwerk des Klosters auf Wände und Decken, bis sie hinter einem schweren Brett eine bislang verborgene Tür entdeckten. Mit Äxten und Speeren, die sie aus dem Kloster gestohlen hatten, brachen sie diese Tür auf und stießen auf einen geheimen Raum voller alter, verstaubter Masken, Waffen und Truhen, die schon viele Jahre vergessen im Halbdunkel gelagert hatten. Von diesem Altarraum hatten selbst meine Großeltern nichts gewusst. Sie fanden auch eine chinesische Emailschüssel, in der in einen Filzbeutel verpackte Silbermünzen lagerten. Der Kommandant der Truppe beschuldigte Mola und Tsering, diese Münzen gestohlen zu haben, was beide heftig bestritten. Mola konnte ohne zu lügen behaupten, sie habe von dem Raum und den darin enthaltenen Gegenständen nichts gewusst. Allerdings entsprach es nicht ganz der Wahrheit, als sie den Chinesen erklärte, sie sollten sich von den Wertsachen nehmen, was sie wollten, für sie seien diese ohne Bedeutung. Sie hatte zwar wirklich keinen Sinn für Gold und Schätze, aber es tat ihr leid um all die Kostbarkeiten, die das Eigentum des Rinpoche waren, das sie zu schützen hatte. Gierig schafften die Soldaten die ihnen wertvoll erscheinenden Gegenstände nach draußen, packten sie ein und zerstörten den Rest mit Tritten und Äxten. Mit ansehen zu müssen, wie schändlich die Chinesen mit den für Tibeter heiligen Gegenständen umgingen, war für meine Großeltern schrecklich. Trotzdem hassten sie die Chinesen nicht, sondern empfanden für sie nur Abscheu und Verachtung und hatten Angst vor ihnen. Später hörten sie, dass zwei Soldaten, die an dem Raub beteiligt waren, auf schlimme Art und Weise ums Leben gekommen sein sollten.

Damals dachte Mola zum ersten Mal an Flucht: Was, wenn sie fortgehen würden aus Tibet, fort aus dem Land, das nun, da die Chinesen über alles bestimmten, nicht mehr ihr eigenes sein konnte? Was wäre, wenn sie nach Indien flohen, in das gelobte Land des Buddhismus? Oder nach Sikkim, in das auch der verehrte Trishul Rinpoche, der Besitzer des Klosters, in dem sie lebten, gegangen war? Dieser neue Gedanke war für sie selbst so unerhört und bisher auch so fern, dass sie mit niemandem darüber sprach, nicht einmal mit ihrem Mann. Nur in ihren Selbstgesprächen vor dem Altar formte sie die unausgesprochene Frage: Ob sie mit ihrer Familie vor den Chinesen fliehen und nach Indien gehen sollte?

Umerziehung

Nach den Überfällen kehrte im Kloster eine Ruhe ein, in der kein Frieden wohnte. Mola und Tsering reparierten notdürftig die eingetretenen Türen und sammelten die verstreuten Blätter aus den heiligen Büchern ein, die in Tibet nur aus losen Seiten bestanden, die mit Schnüren in Stoff oder Holzbrettchen eingebunden waren.

Eines Tages kippte Sonam ein Holztischchen um, das in der Küche stand, setzte ihre kleine Schwester hinein, band eine Schnur an das Tischchen und zog die vor Freude jauchzende Kleine so über die Wiesen rund um das Kloster. Erstaunt hörte Mola, was Sonam ihrer Schwester dabei erzählte:

»Komm, wir fahren nach Indien.«

Meine Großmutter konnte sich nicht erklären, warum Sonam das gesagt hatte, denn sie hatte ihren Fluchtplan noch nicht mit Tsering besprochen. Sie dachte sorgenvoll darüber nach, was geschehen war und was nach all dem Schrecklichen noch alles geschehen könnte. Würden die Chinesen wieder zum Kloster hinaufkommen und alles zerstören? Würden sie Tsering mitnehmen? Würde bald alles verboten sein, was ihnen heilig war? Die Chinesen, so hatte meine Großmutter gehört, wollten alles Religiöse und sogar die Unterschiede zwischen den Adligen und den Bauern abschaffen. Mola konnte das nicht glauben, doch sie sollte bald mit eigenen Augen sehen, wie so etwas durchgesetzt werden kann.

Die Chinesen hatten bereits in ihrem eigenen Riesenreich mit der »Umerziehung« ihrer vielen Hundert Millionen Menschen begonnen, und diese Methode setzten sie nun auch in Tibet ein. Zu diesem Zweck hatten die Soldaten im Dorf Pang ein Zelt aufgestellt, in dem sie regelmäßig Versammlungen abhielten. An denen mussten nicht nur die Dorfbewohner teilnehmen, sondern auch die Mönche und Nonnen, die in den entlegenen Klöstern und Einsiedeleien der Berge lebten. Also wanderte Mola ins Tal, quetschte sich in die Menge und hörte zu, was die Chinesen vortrugen. Sie berichteten von fürchterlichen Zuständen in der tibetischen Gesellschaft, von ausgebeuteten Bauern und bösen Großgrundbesitzern, von nichtsnutzigen Mönchen und raffgierigen Rinpoches. Mola konnte nichts von all dem verstehen, sie betrachtete das, was vorgetragen wurde, als gelogen und fand es widerwärtig.

Nachdem die Chinesen mit ihrer Agitation fertig waren, mussten die Dorfbewohner selbst sprechen. Einen nach dem anderen holten die Soldaten nach vorne aufs Podium und forderten ihn auf, »Selbstkritik« zu üben. Die Dörfler sollten ihren Lebenslauf erzählen und dabei alles überlieferte Tibetische als feudalistisch und alles Chinesische als richtig, fortschrittlich, schön und eine glückliche Zukunft verheißend darstellen.

Die meisten Tibeter aus dem Dorf sagten aus Angst vor den Chinesen, was diese hören wollten: dass das Leben vor der chinesischen Invasion schrecklich gewesen sei, voller Armut und Not, und dass die Adligen sie unterdrückt und die Mönche sie ausgebeutet hätten. Die Tibeter glaubten nichts davon, was sie auf dem Podium erzählten, weshalb sie auch nicht überzeugend wirkten, sondern nur hilflos stammelten oder auswendig gelernte Sätze herleierten. Das machte den Chinesen jedoch nichts aus, für sie war nur wichtig, dass die Tibeter sich nicht auflehnten, sondern klein beigaben.

Am Schluss mussten alle Parolen aufsagen, Sätze wie »Lang lebe Mao Zedong«, auch Mola musste das. Doch während sie dem Genossen Vorsitzenden ein langes Leben wünschte, dachte sie mit aller Kraft, die Chinesen sollten nach Hause gehen.

An einer der nächsten Veranstaltungen musste auch mein Großvater teilnehmen. Ihm erging es nicht anders als Mola, außer dass er als Mönch und für das Bergkloster Verantwortlicher sogar verhört wurde. Dazu musste er vor einen Tisch treten, an dem chinesische Offiziere und Beamte saßen.

»Heraus mit der Sprache, von wem hast du all die Jahre dein Essen bekommen? Wo hast du es gestohlen?«, brüllte ein Offizier Tsering an.

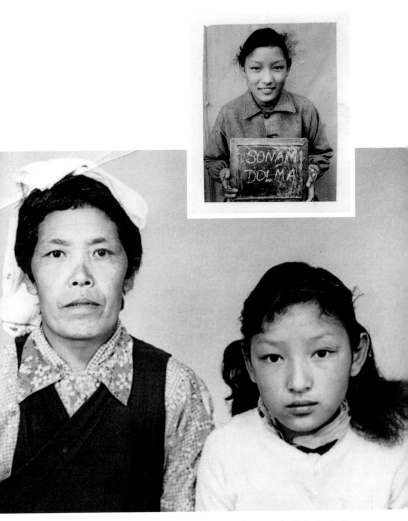

oben: Sonam (12) bei der Aufnahme ins Sterling Castle, Shimla, Indien.
unten: Erstes Foto von Sonam (10) und Mola, Shimla.
Seite zwei: Sonam und Mola (als Hausmutter) im Sterling Castle.
Seite drei: Mola und Sonam (14) in Shimla.
Seite vier: Sonam in ihrem Lieblingspullover, aufgenommen von Martin.
Seite fünf: Sonam und Martin am Ganges, in dem Jahr, als sie sich kennenlernten.
Seite sechs und sieben: Potala, Winterpalast der Dalai Lamas, Anfang der 80er Jahre.

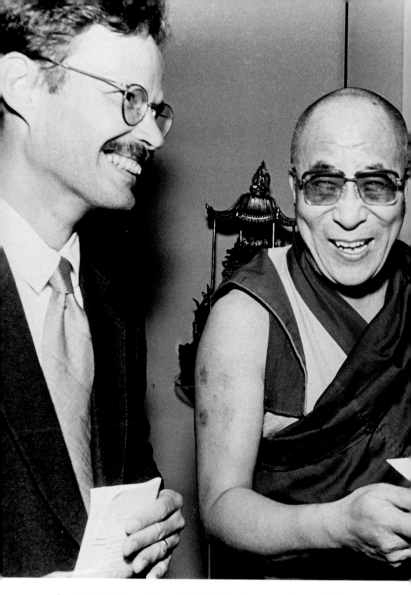

oben: Mandala-Ausstellung im Völkerkundemuseum in Zürich (1992).
Martin überreicht dem Dalai Lama einen Brief, den dieser als etwa
15-Jähriger an Heinrich Harrer geschrieben hatte.

Mein Großvater verstand gut, was der Mann wollte, aber er tat so, als wäre er einfältig. »Wir essen *tsampa* und trinken Tee«, sagte er nur.

»Unsinn!«, schrie ihn der Chinese an. »Ich will wissen, wer dir dein Essen gegeben hat! Und was arbeitest du denn überhaupt?«

Immer wieder stellte der Offizier diese Fragen, aber Tsering antwortete nur, dass er bete und seine Kinder erziehe und Gemüse anbaue und Holz sammle für den Winter, also das tat, was alle taten. Er erzählte so ausführlich und behäbig von seinen täglichen Pflichten, dass ihn die Chinesen bald verärgert entließen. Das war genau das, was mein Großvater hatte erreichen wollen, vermutlich ohne zu wissen, dass es so einfach sein würde. Doch als er durch das Dorf wanderte, frohen Mutes, bald wieder im Kloster sein zu können, sah er überall Militär patrouillieren. Er versteckte sich einige Tage im Dorf bei Bekannten, weil er sich vor den chinesischen Soldaten fürchtete, da er gehört hatte, dass sie wahllos tibetische Männer gefangen nahmen.

Als Tsering nach der Propagandaveranstaltung nicht nach Hause kam, machte sich Mola große Sorgen, denn auch sie hatte von den Verhaftungen gehört. Ihre Verzweiflung wuchs täglich, bis Tsering am fünften Tag endlich heimkam. Erst als es wieder ruhiger geworden war im Dorf, hatte sich mein Großvater aus dem Versteck geschlichen und war unbehelligt hinauf zum Kloster geeilt.

An der nächsten Sitzung nahm daher nur Mola teil. Als sich alle versammelt hatten, rückten die Chinesen mit der nächsten Überraschung heraus: Sie erklärten, den Klöstern und Großgrundbesitzern alles Land wegnehmen zu wollen, das nach tibetischem Verständnis ohnehin nicht ihnen gehört hatte, sondern nur vom Dalai Lama und dem tibetischen Gottesstaat gepachtet war. Dieses Land, das seit Jahrhunderten größtenteils unter der Verwaltung alteingesessener, adliger Familien stand, sollte auf die bisher besitzlosen Bauern, Hirten, Handwerker und Knechte aufgeteilt werden, damit diese es selbst bewirtschaften konnten. Mola war wie die meisten Tibeter entsetzt über die Absicht der Chinesen, die eine bisher festgefügte Welt über den Haufen werfen wollten. Seit Generationen hatten Bauern dem Adel gedient, die Adligen bewundert, gefürchtet und sich bei vielen Entscheidungen auf sie verlassen. Die Adligen hatten den Bauern gesagt, wie sie wirtschaften sollten, sie hatten für Gerichtsbarkeit gesorgt, für die Verwaltung, für den Prunk und auch für den Traum von einem besseren Leben, das möglich war durch die richtige Geburt. Jeder wusste, wo sein Platz war in der Gesellschaft, was er zu tun hatte, wo er stand auf dem Weg zu einer besseren Wiedergeburt, die jeder anstreben konnte.

Plötzlich sollte all das nicht mehr gelten. Die Chinesen steckten die Adligen in Gefängnisse oder sogenannte Arbeitsumerziehungslager, die den erst wenige Jahre zuvor aufgelösten Konzentrationslagern der Nazis kaum nachstanden. Die enteigneten Ländereien teilten sie den bisher besitzlosen Bauern zu. Die Chinesen gingen mit ihnen hinaus auf Wiesen und Felder, schritten die Grundstücke nach Augenmaß ab und verteilten großzügig, was ihnen nicht gehörte.

Zu ihrer großen Überraschung teilte ein chinesischer Beamter Mola mit, dass sie und ihre Familie im Kloster bleiben dürften und dass es ihnen gestattet sei, auch weiterhin die für fromme Mönche und Nonnen vorgeschriebenen Pilgerreisen zu unternehmen. Mola wusste nicht so recht, ob das eine List der Chinesen war, um zu überprüfen, ob sie fliehen wollten. Während Mola den Berg nach Pang-ri hinaufstieg, kam ihr die rettende Idee: Unter dem Vorwand, ihm bei der Feldarbeit helfen zu müssen, wollte sie mit ihrer Familie ihren jüngeren Bruder besuchen, um sich dann von dort aus auf die Flucht zu begeben. Aber was wäre, wenn die Chinesen hinter diese Täuschung kämen?

Die schlechten Nachrichten häuften sich. Mola hörte von anderen Mönchen, die auch zuerst in ihre Klöster zurückgeschickt, dann aber von dort verjagt, verhaftet und eingesperrt wurden. Sie hörte von zerstörten Tempeln und Klöstern, von geschändeten Buddhastatuen und verbrannten heiligen Schriften. Sie hörte, dass Lhasa von chinesischen Truppen belagert werde. Dort hätte ein großer Volksaufstand stattgefunden, weil die Tibeter befürchteten, dass die chinesischen Besatzer den Dalai Lama in ihre unmittelbare Gewalt bringen wollten. Chinesische Offiziere hätten darauf bestanden, dass das Oberhaupt Tibets zu einer Theateraufführung außerhalb seiner Residenz komme, und zwar ohne seine Leibwache und entgegen der jahrhundertealten Tradition auch ohne feierlichen, öffentlichen Geleitzug. Zehntausende Tibeter hatten sich vor der Residenz des vierzehnten Dalai Lama versammelt, um ihn am Besuch dieser Theateraufführung zu hindern und ihn vor dem Zugriff der Chinesen zu beschützen. Das geschah am 10. März 1959, ein für Tibet wichtiges Datum, markiert es doch den offiziellen Beginn der Unruhen in Tibet, auch wenn vor allem in den östlichen Provinzen Kham und Amdo bereits einzelne Aufstände stattgefunden hatten. Der 10. März wird bis heute von Tibetern in aller Welt als »Tag des Tibetaufstandes« begangen, während die chinesische Verwaltung den Tag fünfzig Jahre später in zynischer Manier als »Tag der Befreiung« zum Festtag erklären wollte, den zu feiern sich die Tibeter aber mit Erfolg entziehen konnten.

Als die Chinesen wenige Tage später in die Offensive gingen und den Palast des Dalai Lama mit Artillerie beschossen, erkannte dieser die Ausweglosigkeit seiner Situation und flüchtete in letzter Minute mit einigen seiner Getreuen nach Indien. Tausende fielen in den Kämpfen gegen die Chinesen, unzählige Tibeter wurden verhaftet, gefoltert und ermordet. Als Mola viele Wochen nach den schrecklichen Ereignissen davon erfuhr, sah sie für sich und ihre Familie nur einen Ausweg: die Flucht nach Indien. Meine Großmutter fasste den Entschluss, dem Dalai Lama ins Exil zu folgen. Doch zuerst musste sie Tsering in ihren Plan einweihen.

Mein Großvater wollte aber nichts von Flucht hören. Er sagte, sie hätten den Auftrag des Trishul Rinpoche, auf das Kloster aufzupassen, und den müssten sie erfüllen. Er ließ Molas Einwand nicht gelten, dass der Rinpoche ihnen geraten habe zu gehen, wenn das Leben unter den Chinesen nicht mehr möglich sei.

»Die Chinesen haben uns schon alles genommen, was sie interessiert«, sagte Tsering.

Mola berichtete ihrem Mann alles, was sie über die gefolterten Mönche und die Gefangenenlager gehört hatte, doch Tsering hielt das für Übertreibungen. So vergingen Monate, während deren meine Großeltern über eine mögliche Flucht hin und her diskutierten. Als Tsering erneut an einer Veranstaltung der Chinesen teilnehmen musste, stockte sein Herz über das, was er im Dorf sehen musste. Endlich hatte auch er das Gefühl, als würde ihn jemand gewaltsam in Richtung Flucht stoßen. Tsering sah die stumme Versammlung der Dorfbewohner auf dem Hauptplatz und wusste sofort, dass etwas Schlimmes geschehen sein musste: In der Mitte des Platzes waren Adlige aus dem Dorf und auch aus Nachbardörfern zusammengetrieben worden und mussten sich von den versammelten Bauern und Hirten angaffen lassen. Immer wieder prügelten chinesische Soldaten auf die

Adligen ein, schlugen sie zu Boden, traten sie mit Füßen und zogen sie an den Haaren durch den Schmutz.

Die Dorfbewohner waren entsetzt, aber niemand wagte sich aufzulehnen. Manche weinten leise. Plötzlich zerrte ein chinesischer Offizier wahllos Dörfler in die Mitte des Kreises und forderte sie auf, die ehemaligen Grundbesitzer und ihre Frauen zu schlagen und zu treten. Da wusste Tsering, dass die Chinesen alles vernichten würden und dass er wegmusste mit seiner Familie, nur weit weg von diesem Wahnsinn.

Später erzählten die Dörfler Mola, dass die Chinesen die Adligen verhaftet und in Ställe gepfercht hätten. Sie mussten die Latrinen der Bauern entleeren, mit bloßen Händen Jauche auf die Felder ausbringen und für ihre ehemaligen Knechte und Diener Steine, Brennholz oder Wasser schleppen. Viele der Adligen brachten sich aus Verzweiflung um. Die Chinesen zwangen Mönche und Lamas sogar, Vögel, Insekten, Ratten und andere kleine Tiere zu töten, weil sie wussten, dass das Töten von Lebewesen das Schrecklichste war, was ein gläubiger Buddhist tun konnte. Besonders hohe Lamas mussten in aller Öffentlichkeit um Vergebung für ihren Reichtum betteln, der ihnen längst abgenommen worden war, falls sie ihn überhaupt besessen hatten, denn viele Lamas lebten in einfachen, bescheidenen Verhältnissen. Trotzdem mussten die Dörfler sie verspotten, schlagen und sadistisch quälen, meist während solch öffentlicher, nun fast täglich stattfindender Treffen, die von den Chinesen auf Tibetisch *thamzing* genannt wurden, zu Deutsch in etwa »Kampfsitzung«. Wohl keiner der unfreiwilligen Folterknechte fand Gefallen an seiner Tätigkeit, doch wer sich weigerte, wurde selbst Opfer brutaler Verfolgung.

Die Chinesen behaupteten, sie hätten die tibetische Bevölkerung mit ihren Gewaltmaßnahmen aus den Klauen einer Adels-

und Priesterkaste befreit, doch das stimmt nicht. Natürlich war das alte Tibet keine egalitäre Gesellschaft. Es gab viele Ungerechtigkeiten, die einfachen Menschen hatten wenig zum Leben, viele Diener und Dienerinnen wurden von den adligen und geistlichen Grundbesitzern schlecht bezahlt, ja sogar in einem der Leibeigenschaft ähnlichen Zustand gehalten, der es ihnen verbot, sich vom Hof ihrer Herren zu entfernen oder persönliche Entscheidungen selbst zu treffen. Trotzdem war Tibet ein Staat, dessen Bevölkerung nicht durch äußere Zwänge, sondern durch den gemeinsamen tiefen Glauben zusammengehalten wurde. Die Menschen nahmen ihr Schicksal als gegeben an, als ihr Karma, als das Resultat ihrer Handlungen in früheren Leben. Ein Karma, das sie durch fromme Lebensweise, durch guten Kontakt zu Göttern und Geistern sowie durch die richtige Begleitung im Todesmoment durchaus zu verändern und zum Besseren zu wenden hofften. Die chinesischen Besatzer Tibets verstanden nie, dass sich die Tibeter nicht als rückständiges, unterjochtes und in den Fängen von Klerus und Adel gefangenes Volk fühlten, auch wenn sie es teilweise waren. Die Chinesen wollten nicht glauben, dass sich die Tibeter mit dem unvermeidlichen Hereinbrechen eines neuen Zeitalters selbst und auf ihre Weise weiterentwickelt hätten. Immerhin sind die im Exil lebenden Tibeter heute überall in der Welt demokratisch organisiert und auch fähig, für die Belange ihrer eigenen Freiheit einzustehen.

Das große Gedankengebäude, das das Leben der einfachen tibetischen Bevölkerung bestimmte, war weniger der gelehrte Buddhismus der Mönche, Nonnen und Rinpoches, sondern ein Volksbuddhismus, ein Gemisch aus Buddhismus und animistischen sowie schamanistischen Praktiken. So wie die Tibeter ihre Rinpoches, Gurus, Buddhas und Bodhisattvas schätzten und verehrten, so huldigten sie auch den Tausenden allgegenwärtigen lokalen Gottheiten und Geistern, die sich in jedem Felsblock, auf jedem Berg, in jedem Fluss oder Wald verbergen konnten. Die einfachen Tibeter verehrten ihre Hausgötter, Zeltgötter und Herdgötter, sie fürchteten die umherirrenden Seelen der Verstorbenen, die Wassergeister, Erdgeister und Quellnixen. Wenn die Milch auf dem Herd überkochte, mussten als Erstes die zornigen Hausgötter beschwichtigt werden. Wer einen Pass überquerte, stapelte an dessen höchster Stelle ein paar Steine aufeinander, um dem zuständigen Berggott zu huldigen, und jeder hatte Angst davor, dass seine »Schattenseele« von einem *dongdre*, der umherirrenden Seele eines Verstorbenen, gestohlen werde. Für die Tibeter war ihre gesamte, für den Fremden so kalte, abweisende, felsige und nur anscheinend unwirtliche, leblose Umgebung von unzähligen Wesen belebt, die es je nach Art des betreffenden Geistes zu meiden oder zu verehren, zu besänftigen oder abzuwehren galt. Für die in dieser dicht bevölkerten Geisterwelt lebenden Menschen war dieser Kosmos eine Erklärung für alles, was um sie herum passierte. Eine Erklärung, die durch den Einbruch der Chinesen ein für alle Mal zerstört wurde, da deren Handeln, ihr Denken und auch ihre gesellschaftliche Ordnung nicht mit der alten Welt der Tibeter in Einklang zu bringen waren. Deshalb lehnten die Tibeter dieses neue Gedankengebilde des Kommunismus nicht nur rundweg ab, sondern nahmen es anfangs einfach nicht zur Kenntnis. Doch mit der Zeit fiel es immer schwerer, den alten Glauben aufrechtzuerhalten, hatte sich die Welt der Tibeter doch grundlegend verändert.

Meine Großeltern waren im Vergleich zum durchschnittlichen, in dieser Geisterwelt verharrenden Tibeter gebildete Leute. Sie konnten lesen und schreiben und hatten buddhistische Schriften studiert. Aber auch sie vertrauten in ihrem Alltag in manchen praktischen Dingen auf volksbuddhistische Vorstellungen und Regeln, etwa wenn sie nach alter Sitte günstige Tage für eine Reise aussuchten oder sich auf die Kraft der vom heiligen Atem eines Lama angehauchten Gegenstände verließen. Für sie gehörte all dies zu ihrem Glauben, denn sie machten keinen Unterschied zwischen »echtem« Buddhismus und Aberglauben. Alles war für sie *chö*, wahre buddhistische Religion. Doch auch Mola und Tsering mussten erkennen, dass ihnen gegen die Macht der Chinesen weder Hausgeister noch Götter helfen konnten, sondern dass es für sie nur eine Möglichkeit gab, um ungeschoren davonzukommen – und das war eine baldige Flucht nach Indien.

Abschied

Meine Großeltern behielten die Entscheidung zur Flucht für sich, selbst meiner damals sechsjährigen Mutter und ihrer erst dreijährigen Schwester verschwiegen sie den Plan. Mola erklärte den Kindern, dass sie den Onkel besuchen und danach eine Pilgerreise unternehmen wollten. Auch im Dorf erzählten sie niemandem von ihren Plänen, denn die Gefahr, an die Chinesen verraten zu werden, war zu groß. Immerhin gab es auch Tibeter, die mit den neuen Herrschern sympathisierten und mit ihnen zusammenarbeiteten.

So begannen meine Großeltern, alle Vorbereitungen für ihre lange Reise zu treffen. Sie konnten den Tempel nicht zurücklassen, ohne den Altar mit genügend Opfergaben zu versorgen. Die *tsampa*-Reste, die sie nicht auf die Flucht mitnehmen konnten, kneteten sie mit Wasser und Butter zu einem Teig. Aus dem formten sie nicht wie sonst Figuren oder kleine Kunstwerke als

Opfergaben, dafür war die Zeit zu knapp, sondern sie walzten den Teig nur zu einfachen Ziegeln aus. Die stapelten sie sorgsam vor dem Altar. Dazu füllten sie alle Butterlampengefäße auf, die die Chinesen übersehen hatten. Während ihrer Gebete warfen sie die Gerstenkörner aus dem restlichen Vorrat, den sie zurücklassen mussten, als Opfer über und hinter die Gottheiten. Diese Verrichtungen mussten meine Großeltern auch nachts machen, damit die Nachbarn nichts davon mitbekamen. All diese Vorbereitungen im Tempel dauerten zwei Tage und Nächte.

Während ihrer nächtlichen Gebete vor dem Altar hörten Mola und Tsering plötzlich leises Kinderweinen. Mola eilte nach draußen und fand Sonam weinend vor der Tempeltür, ihre kleine, dreijährige Schwester halb in ihren Armen, halb neben sich her schleifend. Die beiden waren aufgewacht, hatten die Eltern nicht gefunden und Angst bekommen. Mola versuchte alles, um ihre beiden Töchter zu beruhigen, denn die Nachbarn sollten keinen Verdacht schöpfen. Auch ihnen hatte sie erklärt, dass sie eine längere Pilgerreise planten, da ihre kleine Tochter krank sei, und sie dabei gleichzeitig gebeten, während ihrer Abwesenheit auf den Tempel aufzupassen. Mola war erstaunt, dass die Nachbarn keinen Argwohn hegten und selbst offenbar nicht an Flucht dachten. Ganz im Gegenteil freuten sie sich über die neue Aufgabe, wurde dadurch doch der vom Rinpoche ausgesprochene Bann gebrochen, der sie all die Jahre am Betreten des Tempels gehindert hatte.

Während der Gespräche mit den Nachbarn brach bei Mola eine alte Wunde auf: Mein Großvater hatte einst ein Verhältnis mit der Tochter der Nachbarsfamilie, dem sogar ein Kind entsprungen war. Mola hatte davon gewusst und sich damit abgefunden. Anfangs war sie wütend und traurig gewesen und hatte Tsering erklärt, er könne mit dieser Frau zusammenziehen, sie aber werde mit den beiden Kindern zurück in die Einsiedelei gehen, doch Tsering hielt sie zurück und wollte sie nicht fortlassen. Er beteuerte, das Verhältnis mit der Nachbarin beendet zu haben und mit Mola zusammenbleiben zu wollen. Also verzieh ihm Mola und vergaß das Ganze, bis der Moment des Aufbruchs kam.

In der Stunde des Abschieds hatte Mola Mitleid mit dieser Frau, die nun ein Kind von einem Mann hatte, der mit einer anderen Frau verheiratet war, denn vergeben hatte sie Tsering und der Nachbarin schon längst. Aus dem wenigen, das sie besaß, suchte sie einige wertvollere Gegenstände heraus und legte sie zusammen mit Essensvorräten auf einen Haufen. Dann sagte sie zu Tsering, er solle diese Geschenke zu den Nachbarn hinüberbringen und sich verabschieden. Tsering übergab ihnen bei dieser Gelegenheit auch den Schlüsselbund für den Tempel. Die Nachbarn waren überglücklich und schöpften immer noch keinen Verdacht.

Dann geschah etwas, das die Abreise meiner Familie fast verzögert hätte. Tsering ging kurz vor dem geplanten Termin mit einem Stock bewaffnet vom Kloster fort, um erst spätabends erschöpft, über und über mit Erde und Lehm beschmiert sowie mit zerrissenen Kleidern und blutigen Händen zurückzukehren. Meine Mutter dachte schon, es wäre etwas Schlimmes passiert, was auch der Fall war, allerdings anders, als sie gefürchtet hatte: Kein wilder Bär hatte ihren Vater überfallen, sondern er hatte erfolglos nach einem Säckchen von ihm selbst vergrabener Silbermünzen gesucht. Die Münzen hatte er nach der Besetzung Tibets wie viele andere Tibeter auch von den Chinesen geschenkt bekommen, damals ein plumper Versuch, die tibetische Bevölkerung mit kleinen Gaben für sich zu gewinnen. Und diese Münzen konnte Tsering nicht finden!

Meine Großeltern waren sehr besorgt deswegen. Sie brauchten die Münzen, denn sie waren ihre einzigen Wertgegenstände. Sie kannten niemanden in Indien und wussten auch nicht, an wen sie sich dort wenden sollten. Mit dem Geld, hatten sie gehört, konnte man wenigstens etwas zu essen kaufen. Tsering kam arg ins Zweifeln und wollte schon die Flucht abblasen, doch Mola blieb hart: Wenn er nicht ginge, würde sie trotzdem aufbrechen, zusammen mit ihren beiden Kindern.

Also stieg mein Großvater am nächsten Tag in aller Frühe wieder in die Berge hinauf, in die Gegend, wo er die Münzen vergraben hatte. An diesem Abend kam er mit strahlendem Gesicht heim, das Beutelchen mit den Münzen sorgfältig vor allen neugierigen Blicken in seinem Umhang verborgen.

Nun stand dem Aufbruch nichts mehr im Wege. Mola packte *tsampa*, Butter, Trockenfleischstreifen, getrockneten geriebenen Käse, kleine viereckige Stücke Hartkäse und gepresste Teeziegel ein. Außerdem nahm sie eine Pfanne mit klappbaren Henkeln mit, eine zusammenklappbare Kelle, einen kleinen, aber wertvollen Teppich und ein rundes Döschen mit einem Spiegel auf dem Deckel, in dem ein roter Stein lag, der als Desinfektionsmittel diente. Falls sich auf der Flucht jemand verletzen sollte, würde dieser Stein mit etwas Wasser benetzt und auf die Wunde gerieben wahre Wunder wirken. Außerdem musste jeder seine eigene Holzschale in der Brusttasche der *chupa* tragen. Mola selbst besaß eine wunderschöne, wertvolle runde Holzschale mit Deckel, die sie von einem bekannten Rinpoche geschenkt bekommen hatte. Sie packte auch eine Negativform aus Bronze ein, die zur Herstellung von Tonfiguren diente, sogenannten *tsa tsa*. Dazu rollte Mola noch ein paar Decken zusammen, denn es war Anfang November, und der Winter stand vor der Tür. Keiner meiner beiden Großeltern hatte eine genaue Vorstellung von dem

Weg nach Indien, sie wussten bloß, dass die Reise nach Süden gehen müsste. Dass die Strecke durch ein Gebirge führen würde, war ihnen klar, denn Berge verstellten das Pang-Tal von allen Seiten. Jemand hatte ihnen erzählt, dass die Berge in Richtung Indien besonders hoch wären. Dass dies die höchsten Berge der Welt sind, der Gebirgszug des Himalaja, das wussten sie nicht.

Mola band sich ihre kleine Tochter mit einem großen Tuch so fest auf den Rücken, dass kein Wind und keine Kälte zwischen sie beide fahren konnte, bevor alle noch einmal in den Tempel gingen. Tsering und Mola warfen sich zu Boden, beteten ein letztes Mal zu den Gottheiten.

»Seine Heiligkeit, der Dalai Lama, hat das Land verlassen«, murmelte Mola, »wir müssen nun auch fort. Bitte schützt uns und wacht über uns.«

Danach entzündeten sie ein letztes Rauchopfer vor dem Tempel. Sonam stand daneben, verstand nichts und weinte leise vor sich hin. Hier fand ein großer Abschied statt, so viel war ihr klar, aber sie hatte nur einen vagen Verdacht, warum sie plötzlich fortmussten und wohin sie ihre Reise führen würde. Still verharrten meine Großeltern im Gebet. Tränen rollten auch über Molas Wangen, Tränen der Trauer und der Angst und der Unsicherheit, ob sie diesen ihr so heiligen Platz jemals wiedersehen würde. Dann war es Zeit für den Aufbruch in eine ungewisse Zukunft.

Auf der Flucht

Als Mola mit ihrer Familie durch das Dorf Pang wanderte, spürten sie alle die forschenden Blicke, die sich in ihre Rücken zu bohren schienen. Am Dorfausgang versperrten ihnen chinesische Soldaten den Weg und fragten die schwer bepackten Wanderer unwirsch, wohin sie gehen wollten. Mola antwortete geistesgegenwärtig so, wie sie es sich vorgenommen hatte: Sie seien auf dem Weg zu ihrem Bruder, der ein paar Tagesreisen weiter westlich wohne, um dessen Familie bei der Feldarbeit zu helfen. Diese Antwort befriedigte die Chinesen. Anhand der roten Kleidung der beiden Erwachsenen konnten die Soldaten sehen, dass Mola und Tsering Nonne und Mönch waren, in ihren Augen nichtsnutzige Gesellen, denen ein Arbeitseinsatz in der Landwirtschaft guttun würde. Sie ließen meine Familie anstandslos passieren.

Meine Großeltern wollten tatsächlich Molas jüngeren Bruder besuchen, allerdings nur, um sich von ihm zu verabschieden. Er wusste als Einziger von den Fluchtplänen und wollte den Flüchtlingen ein Packpferd übergeben, denn ihre Lasten waren schwer: Tserings Sack mit *tsampa* und Butter wog beinahe die Hälfte seines eigenen Körpergewichts, und Mola hatte mit ihrer kleinen Tochter, dem Geschirr, den Decken und ein paar kleinen Habseligkeiten ebenfalls schwer zu schleppen. Nur die kleine Sonam musste nichts tragen. Sie war froh, wenn sie mit ihren Eltern Schritt halten konnte. Zwei Tage gingen sie entlang des Pang-chu, des Flusses, der auch an Pang vorbeifloss.

Molas Bruder und seine Familie empfingen meine Großeltern warm und herzlich. Das angekündigte Pferd entpuppte sich als altersschwacher Klepper, der Mola und Tsering so leidtat, dass sie ihn anfangs nicht als Tragtier einsetzen wollten. Die anderen Pferde hatten die Chinesen meinem Onkel abgenommen, um sie als Packpferde für ihre Soldaten zu gebrauchen. Meinen Großeltern blieb also nichts anderes übrig, als das Pferd mit *tsampa* und Butter aus ihren Vorräten aufzupäppeln, in der Hoffnung, dass es dadurch in der Lage wäre, wenigstens einen Teil der Lasten zu tragen.

Sie blieben ein paar Tage bei Molas Bruder, bis das Pferd zu Kräften gekommen war. Obwohl der Abschied von meinem Großonkel und seiner Familie ein trauriges Ereignis war, wurde er gefeiert. Es gab Gemüse und *momos*, die tibetischen Teigtaschen, die an diesem Tag mit Fleisch gefüllt waren. Abends servierte Molas Schwägerin *then thug*, wörtlich übersetzt »Gezogene Suppe«, eine Gemüse- und Fleischsuppe mit Chili, Korianderblättern und einer Einlage aus langgezogenen Teigstückchen, denen die Suppe ihren Namen zu verdanken hatte. Dazu tranken die Erwachsenen *chang*, das selbst gebraute Bier der Tibeter. Mola überließ der Familie ihres Bruders ihre *daru*, eine wunderschön klingende Handtrommel, die sie schon ein Leben lang begleitet hatte, sowie eine Glocke, die ihr Trishul Rinpoche geschenkt hatte. Beide Gegenstände waren für sie sehr wertvoll, weshalb sie sie nicht in Pang-ri zurücklassen mochte, doch sie erschienen ihr zu schwer, um sie mit auf die lange Reise zu nehmen. Schluchzend nahm Molas Schwägerin die spirituell bedeutsamen Kultgegenstände entgegen, versprach sie zu hüten wie ihre eigenen und übergab Mola dafür einen silbernen Armreif. Mola wollte das großzügige Geschenk zunächst nicht annehmen, ließ sich nach einigem Zureden aber doch davon überzeugen.

»Den kannst du gut gebrauchen, wenn ihr nichts mehr zu essen habt«, begründete ihre Schwägerin das Geschenk, »der ist nicht schwer, und verkaufen kannst du ihn immer.«

Noch vor dem Morgengrauen des nächsten Tages teilte Tsering die *tsampa*-Vorräte. Eine Hälfte schnürte er dem Pferd auf den Rücken, zusammen mit den Decken und den Küchengegenständen, die andere Hälfte schulterte er selbst. Mola band sich ihre kleine Tochter um, und so marschierten sie los, kurz bevor die Sonne hinter den Bergkämmen auftauchte.

An den folgenden Tagen legten sie weite Strecken zurück, immer entlang eines Flusses. Sie mieden die Wege der Karawanen und der großen Herden, auf denen sich meist auch chinesische Soldaten bewegten, und gingen lieber querfeldein. Ihr Weg führte sie durch leichtes Gelände, über trockenes Gras und durch karges, krüppeliges Buschwerk hindurch. Die Nächte verbrachten sie im Schutz einer kleinen Baumgruppe, an einem nicht einsehbaren Platz am Flussufer oder in einer verlassenen Hütte.

Eines Morgens mussten sie eine traurige Entdeckung machen: Ihr Pferd war wie vom Erdboden verschwunden, obwohl der Vater am Abend dessen Vorderbeine mit einem Strick aneinandergebunden hatte. Tsering hielt Ausschau, aber das Tier war nirgendwo zu sehen. Sie vermuteten, dass es sich selbst von seiner Fessel befreit und auf den Heimweg gemacht hatte.

Ihr Weg wurde immer schwerer, beständig ging es hinauf und hinauf. Bald erschienen hinter mit trockenem Gras bewachsenen Kuppen schroffe, teils schneebedeckte Berge über dem Horizont, und sie sahen den Bön-ri oder »Bön-Berg« im fahlen, durch Nebelfetzen gedämpften Sonnenlicht, den heiligen Berg der alten tibetischen Bön-Religion. An seinem Fuß liegt für die Bönpos, die Verehrer des Bön, der sagenumwobene Ursprung aller Tibeter. Nun wurde es langsam Zeit für meine Familie, den Fluss, an dem sie die letzten Tage entlanggewandert waren, zu überqueren, denn ihr Weg führte am gegenüberliegenden Ufer weiter. Wie durch eine Fügung sahen sie genau im richtigen Moment einen Mann in einem der traditionellen, mit Leder bespannten Holzboote stromabwärts treiben. Sie winkten ihm zu, und tatsächlich steuerte er ihr Ufer an.

Umso größer war ihre Enttäuschung, als der Bootsmann es rundheraus ablehnte, sie überzusetzen. Er ahnte wohl, dass er es mit Flüchtlingen zu tun hatte, und wollte sich keine Schwierigkeiten einhandeln. Sein Vater arbeitete bei den Chinesen, weshalb er wusste, dass die Armee überall in der Gegend Kontrollposten aufgestellt hatte. Mola und Tsering waren so wenigstens gewarnt, verkrochen sich unter ein paar Büschen an der Uferböschung und beschlossen, erst wieder im Schutz der Dunkelheit weiterzugehen. Zu ihrer großen Überraschung kehrte der Mann abends mit seinem Boot zu ihnen zurück und bot an, sie schnell überzusetzen. Dieses Angebot nahmen sie erleichtert an. So konnte meine Familie noch in derselben Nacht ihre Flucht am anderen Ufer fortsetzen. Sie wollten vor Anbruch des nächsten Tages ein nahe gelegenes Kloster erreichen, doch plötzlich drang durch die Dunkelheit heiseres Geschrei, Geklapper und Getrampel von chinesischen Soldaten, das von allen Seiten zu kommen schien. Da Mola und Tsering nicht feststellen konnten, wo sich die Chinesen befanden, beschlossen sie, am Rande eines Feldes zu bleiben und erst in der Morgendämmerung weiterzugehen. Sie hatten Angst, dass die Soldaten in der Dunkelheit auf sie schießen würden.

Als sie im Morgengrauen aufbrachen, war außer dem Rauschen des Flusses und dem Wispern des Grases im frischen Wind nichts mehr von den Soldaten zu hören, doch schon nach wenigen Hundert Metern stießen sie unversehens auf die Chinesen. Einer von ihnen warf eine Art Ball in den Fluss, der dort mit lautem Krachen explodierte, während die anderen Soldaten aufgeregt am Ufer hin und her liefen. Meine Familie konnte sich das nicht erklären. Heute wissen wir, dass die Chinesen auf brutale Art und Weise mit Handgranaten Fische töteten.

Die Soldaten reagierten aggressiv auf meine überraschend aufgetauchte Familie und sahen in ihr offenbar Flüchtlinge, denen sie den Weg abschneiden mussten. Einer von ihnen sprach ein wenig Tibetisch. Ihm konnte meine Großmutter erklären, dass sie Pilger auf dem Weg in das nahe Kloster seien, von wo aus sie den heiligen Berg Bön-ri umrunden wollten. Die Chinesen waren sich uneins, ob sie Mola Glauben schenken sollten, doch sie ließ sich nicht einschüchtern und wiederholte immer wieder nur den Namen Bön-ri und machte Zeichen dafür, dass sie dort beten und um den heiligen Berg pilgern wollten. Solche Verhandlungen mit den Chinesen musste immer Mola führen, denn Großvater war als Mann immer in größerer Gefahr, als aufsässig und damit gefährlich zu gelten.

Mola bekam mit, dass einer der Soldaten meinte, es sei das Einfachste, die Flüchtlinge auf der Stelle zu erschießen. Er hantierte schon mit seinem Gewehr, und es sah so aus, als beabsichtige er, seine Waffe zu gebrauchen. Einer seiner Kameraden schien ihm jedoch zu widersprechen und bedeutete meiner Familie, sie sollte zum Kloster gehen; er dachte wohl, weiter in Richtung Indien kämen sie sowieso nicht. Vielleicht lag es aber auch daran, dass die Chinesen in Ruhe fischen wollten, sie ließen jedenfalls meine Familie ziehen.

Mola, Tsering und Sonam eilten mit klopfenden Herzen weiter. Spätestens jetzt hatte auch meine Mutter verstanden, dass das keine Pilgertour war, sondern ein Marsch, bei dem sie von vielerlei Feinden und Gefahren bedroht sein würden.

Eine Zuflucht

Die Sonne stand schon hoch am Himmel, als meine Familie endlich das Kloster erreichte. Der imposante Bau befand sich auf einem Hügel, dem ein kleines Dorf zu Füßen lag, dessen Häuser im Lauf der Zeit die Hänge rund um das Klostergebäude erreicht hatten. In diesem Kloster konnte meine Familie wieder unter einem Dach und in Sicherheit übernachten, denn Mönche und Nonnen waren dort wie in jedem anderen buddhistischen Kloster auch als Besucher gern gesehen. Der Mesner wies den Gästen einen Schlafplatz zu, und meine Familie fiel in wohlverdienten, tiefen Schlaf. Als Mola wieder aufwachte, waren die Vorbereitungen für die täglichen Gebete bereits in vollem Gange. Rasch weckte sie Tsering, damit auch er daran teilnehmen könne. Sonam schreckte erst hoch, als sie die langgezogenen, tiefen Töne der *dungchen* und der *dungkar* hörte, der alphornähnlichen Metalltrompeten und der Schneckenhörner, die zum Gebet riefen. Sonam schien, als würden die Luft und der Boden rund um sie von den Trommeln der Mönche vibrieren.

Erst nachdem die Gebete beendet waren, begann Mola, sich vorsichtig über die Lage auf ihrer geplanten Route zu erkundigen. Das war kein einfaches Unterfangen, durfte sie doch niemandem ihren Fluchtplan offenbaren, da es auch in Klöstern chinesische Spitzel geben konnte. Also erzählte sie allen, dass sie dabei wären, dreimal den heiligen Berg Bön-ri zu umrunden, eine Art des Pilgerns, die im Tibetischen *kora* genannt wird. Keine leichte Pilgerfahrt, denn jede einzelne Umrundung ist sechzig Kilometer lang und dauert gute zwei Tage, während deren die Gläubigen in großer Höhe über Stock und Stein wandern müssen.

Um sich als fromme Pilger zu zeigen, spendeten Mola und Tsering dem Kloster etwas Butter und *tsampa* und baten die Mönche, sie und ihre Kinder in ihre Gebete mit einzuschließen. Erst nachdem meine Großeltern ihre perfekte Tarnung als Pilger aufgebaut und so das Vertrauen der Mönche gewonnen hatten, wagte Mola, ihnen ein paar gezielte Fragen zu stellen. Doch wie erschreckend fielen die Antworten aus: Draußen um das Kloster waren jede Menge chinesischer Soldaten stationiert, erfuhr sie, weil die Gegend als eine der wichtigsten Fluchtrouten nach Indien galt. Deshalb sei es schwierig, sich von hier unbemerkt davonzuschleichen. Der Mesner des Klosters hatte dagegen eine gute Nachricht für sie: Die meisten chinesischen Soldaten würden bald abziehen müssen, um anderswo gegen tibetische Rebellen zu kämpfen.

Mola war erleichtert über diese Information. Doch dem Mesner selbst misstraute sie immer mehr, da sie bemerkt hatte, dass er ab der zweiten oder dritten Nacht, die sie im Kloster verbracht hatten, nicht schlief, sondern während der nächtlichen Ruhezeit auf und ab ging. Ihr kam es vor, als würde sie der Mann ständig im Auge behalten. Doch was wollte er von ihnen? Hatte er ihre Tarnung als Pilger durchschaut? Arbeitete er im Auftrag der Chinesen?

Heimlich informierte Mola Tsering, und sie beschlossen, fortan noch vorsichtiger zu sein. Beide waren entsetzt von dem Gedanken, dass sich die Macht und der Einfluss der Chinesen selbst über einen so heiligen Ort wie ein Kloster erstreckten und es in Tibet keinen Ort mehr gab, in dem sie ruhig und ohne Furcht leben könnten. Sie hatten keine Ahnung, wie sie weiter vorgehen sollten. Sie wussten zwar, dass der Weg nach Indien über die Berge südlich des Klosters führte, doch sie wussten nicht, welches Tal oder welchen Pass sie nehmen sollten. Da der Mesner sich so merkwürdig verhielt, wagte Mola es nicht einmal mehr, jemand anderen im Kloster zu befragen. So verging ein Tag nach dem anderen mit untätigem Warten. Die Chinesen rückten wie vorausgesagt eine Einheit nach der anderen ab, bis nur noch ein paar alte Soldaten in der Nähe des Klosters zu sehen waren, doch was nützte das meinen Großeltern, wenn sie nicht wussten, in welche Richtung sie marschieren sollten? Sie wussten nicht einmal, wie sie den riesigen Fluss Tsangpo überqueren sollten, der südlich des Klosters so breit wie ein kleiner See dahinströmte.

Verzweifelt über diese Ausweglosigkeit zog sich Mola auf eine Wiese oberhalb des Klosters zurück, um ungestört nachzudenken und zu beten. Plötzlich sah sie hoch oben in den Bergen, in einigen Kilometern Entfernung, eine dünne weiße Rauchsäule in den sonst makellos blauen Himmel aufsteigen. »Ein Zeichen«, dachte Mola sofort, »das kann nichts anderes sein als ein Zeichen der Götter für uns. Ein Rauchopfer als Zeichen dafür, dass wir jetzt fliehen können.« Hastig raffte Mola ihre *chupa* zusammen und eilte zurück zum Kloster, um Tsering davon zu erzählen.

Am nächsten Tag sprach sie im Kloster ein Tibeter an, den Mola noch nie zuvor gesehen hatte. Er fragte sie, wohin sie wolle, was sofort das Misstrauen meiner Großmutter erregte.

»Ich bin mit meiner Familie hier, um eine Pilgerfahrt zu machen«, antwortete sie so ruhig und sicher, wie sie nur konnte, »eines unserer Kinder ist krank.«

Der Mann nickte und sagte: »Wir werden in ein paar Tagen fliehen, wollt ihr mit uns gehen?«

Mola verneinte und wiederholte, dass sie auf einer Pilgerreise seien. Der Mann nickte erneut und schlug ihr vor, dass sie ihn fragen solle, falls sie es sich doch noch anders überlegten. Bevor Großmutter ihm antworten konnte, war der geheimnisvolle Fremde wieder verschwunden.

Mola dachte über diese kurze Begegnung nach und war voller Zweifel. Ihr hatte zwar die ruhige und freundliche Art des Mannes gefallen, doch sie durfte niemandem mehr vertrauen. Sie erzählte Tsering von ihrem Gespräch mit dem Fremden, doch auch er wusste nicht, wie sie sich verhalten sollten.

Als der Mann am nächsten Tag wiederauftauchte, fasste sich Mola ein Herz: »Wir wollen auch flüchten«, sagte sie im Flüsterton, darauf bedacht, dass sie niemand sonst hörte, »können wir uns euch anschließen?«

Der Unbekannte wurde daraufhin noch freundlicher. »Ja«, sagte er einfach, »wir gehen schon morgen Abend. Wenn ihr wollt, könnt ihr mitkommen. Ich bin mit einer Gruppe unterwegs. Fragt nicht nach den Leuten, das erregt nur Aufsehen. Fragt auch niemanden von der Gruppe, alle sind sehr vorsichtig.«

Mola nickte stumm. Sie wusste nicht, was sie sagen sollte, so überwältigt fühlte sie sich von der Güte dieses Fremden. Eilig verabschiedete sie sich, um ihrem Mann zu berichten, was sie eben besprochen hatte. Auf dem Weg zu Tsering sah Mola Menschen, die sich vor dem Kloster niedergelassen hatten, und erkannte in der Gruppe einen Mönch, den sie schon einmal in einem anderen Kloster getroffen hatte. Als sie ihn bemerkte, ahnte sie, dass das die Flüchtlinge sein könnten, und sie beschloss endgültig, sich mit ihrer Familie diesem Treck anzuschließen.

Aufbruch

Am nächsten Morgen begegnete Mola noch einmal dem Mann, der ihr von der Flucht erzählt hatte.

»Wir treffen uns heute Nacht am Fluss«, sagte er, »wir haben ein Boot.«

Mola nickte nur. Etwas am Wesen dieses Mannes verbot es ihr, Fragen zu stellen. Man verabredete sich in Tibet nie zu einer bestimmten Uhrzeit, da niemand eine Uhr besaß. Die Nacht begann, wenn die Berge nicht mehr von den Tälern und den Wäldern und den Steinen zu unterscheiden waren, und sie endete, wenn der erste, der zweite und der dritte Hahn krähte.

Sobald es dunkelte, fand sich meine Familie unterhalb des Klosters ein. Dort warteten bereits andere Flüchtlinge, Männer, Frauen und Kinder, zu denen später noch weitere stießen, bis die Gruppe fast ein Dutzend Menschen umfasste. Einige hatten sogar Packpferde dabei, die mit Vorräten beladen waren. Tsering und Mola mussten ihren Proviant selbst tragen, da ihnen niemand anbot, ihn auf eins der Pferde umzuladen. Sobald alles verstaut war, setzte sich die Gruppe in Bewegung.

Schweigsam wanderten die Flüchtlinge, bis sie zum Ufer des Tsangpo gelangten. Niemand musste sie darauf hinweisen, dass sie keinen Lärm verursachen durften. Jeder spürte, dass er leise zu sein hatte, weil sich hier die meisten Chinesen aufhielten. Die wenigsten ahnten aber, dass sie weiter oben in den Bergen Gefahren begegnen sollten, gegenüber denen Soldaten fast harmlos erschienen.

Nach ein paar Kilometern rastete die Gruppe am Flussufer, während zwei Männer gingen, um ein Boot zu holen. Es dauerte nicht lange, und sie ruderten in einem schweren Kahn herbei, einem traditionellen tibetischen Holzboot mit steilen Seitenwänden aus Holz und einem geschnitzten Pferdekopf am Bug, der stolz in die Fluten vor seinen Nüstern starrte.

Nun entstand Getrappel und Gescharre und Geschnaube, als die Pferde über ein paar Bretter in das bedenklich schaukelnde Boot geführt wurden, doch die Tiere beruhigten sich schnell und standen still neben ihrem hölzernen Ebenbild. Dann kletterten die Flüchtlinge schweigend und mit klammem Gefühl in das Boot. Sonam klopfte das Herz bis zum Hals, sie hatte noch nie in ihrem Leben eine Fähre bestiegen, und so eine große hatte sie sich nicht einmal in ihren Träumen vorstellen können. Dicht gedrängt mussten alle in dem Boot stehen, zum Sitzen war nicht genug Platz. Sonam stand an der Reling und sah auf das schwarze, gefährlich glucksende Wasser, in dem sich ein silberner Mond spiegelte.

Die Männer stießen das Boot mit ihren Rudern vom Ufer ab. Bald umschloss Plätschern und Rauschen und Gurgeln die gesamte Gruppe und erstickte alle anderen Geräusche rundum. Langsam zog die Strömung den Kahn mit sich fort und ließ ihn rasch und immer rascher flussabwärts gleiten. Sonam krallte sich an der Reling fest und starrte in das rabenschwarze Wasser, dessen Bläschen und Wellen und Wirbel sich immer schneller zu bewegen schienen. Angst ergriff die Flüchtlinge, denn alle wussten, dass dieser Fluss zu tief war, um darin stehen zu können, und schwimmen konnte keiner von ihnen. Selbst die Pferde standen so bewegungslos, als wären sie im Stall. Spürten sie die Anspannung der Menschen? Als das Boot die Flussmitte erreicht hatte, begann plötzlich eines der Tiere mit den Hufen zu scharren. Mola hatte Angst, dass sie alle ins Wasser fallen könnten, wenn die Pferde scheuten, doch einer der Männer konnte das ängstliche Tier beruhigen. Alle Menschen standen starr vor Angst und Anspannung, bis das Boot mit seiner Ladung wohlbehalten weit flussabwärts am anderen Ufer ankam.

Eilig verließen sie das Boot. Rasch war die kleine Marschkolonne wieder geordnet und setzte sich aufs Neue in Bewegung, denn es galt, noch vor Sonnenaufgang einen nahen Wald zu erreichen, in dem die Flüchtlinge rasten wollten. Der Lagerplatz erwies sich als feucht, und ein kalter Wind fegte über die Stelle. Mola verteilte die tägliche Ration *tsampa* an ihre Familie. Schlaf fanden die meisten Flüchtlinge trotz der widrigen Umstände, allen voran die Kinder, die todmüde waren von den Strapazen der nächtlichen Wanderung. Doch schon am Abend hatte die Gruppe die nächste anstrengende Etappe des Weges zu bewältigen. In den Talregionen gab es zu viele chinesische Patrouillen, um länger als ein paar Stunden an einem Ort zu rasten. Abwechselnd mussten deshalb immer zwei Männer wach bleiben und die Umgebung beobachten, um bei gefährlichen Situationen zum sofortigen Aufbruch drängen zu können.

Doch es war nicht nötig, so eilig aufzubrechen. Glücklicherweise, denn die nächsten Nachtmärsche sollten noch viel anstrengender werden als der erste: Die Flüchtlinge mussten sich durch dichtes Gestrüpp, Unterholz und krüppeligen Wald kämpfen, der Pfad war von Farnen, Dornen und Unkraut überwuchert. Mola verlor ihren warmen Hut, den ihr vermutlich ein Zweig vom Kopf lüpfte, was sie leider zu spät bemerkte. Wegen der immer stärker einsetzenden Kälte sollte sie diesen Hut bald sehr vermissen.

In den darauffolgenden Nächten musste die Gruppe auf ihrem Weg nach Indien noch etliche kleinere Flüsse überqueren. Das waren keine breiten Ströme wie der größte Fluss Tibets, aber doch Gewässer, bei deren Durchquerung Erwachsene bis zu den Knien oder Hüften nass wurden. Sonam dagegen reichte das Wasser bis zu den Schultern, wenn sie nicht getragen wurde, was nicht immer möglich war, denn es musste schnell gehen, und sowohl Mola als auch Tsering hatten schon genügend Lasten zu schleppen.

Nach ein paar weiteren durchwanderten Nächten war Sonam am Ende, sie träumte nur mehr vom Hinsetzen und Teetrinken und Schlafen. Als Jüngste der Gruppe, wenn man von ihrer kleinen Schwester, die immer getragen wurde, absah, litt sie am meisten unter den Schmerzen ihrer von blauen Flecken, Kratzern, Blasen und Abschürfungen entstellten Füße. Nachdem die anderen während einer Rast diese gemarterten Füße zu Gesicht bekommen hatten, beschlossen sie, Sonam auf eines der Pferde zu setzen. Obwohl sie Angst vor dem großen Tier hatte, war sie dennoch heilfroh, nicht mehr selbst weitergehen zu müssen. Geduldig ließ sie sich bei Einbruch der nächsten Nacht auf das Gepäck binden, das mit Lederschnüren am Pferderücken befestigt war, und kauerte sich tief zwischen zwei Säcke voller *tsampa*, damit sie möglichst wenig sehen musste von den steil abfallenden Hängen neben dem Pfad und den Steinen und dem Schnee, der nun öfter auf den Höhenzügen lag. Denn der Weg nach Indien führte die Gruppe immer höher hinauf in die Berge.

Der Pferderücken schaukelte Sonam bedenklich, doch die gleichmäßigen Bewegungen hatten auch etwas Beruhigendes für sie, und es dauerte nicht lange, bis sie tief und fest schlief. Umso jäher fiel ihr Erwachen aus, als das Pferd plötzlich ausrutschte und seitlich vom Pfad in die Tiefe stürzte. Es überschlug sich fast, bäumte sich auf und schaffte es gerade so, zum Liegen zu kommen und nicht noch tiefer den Hang hinabzurutschen. Sonam lag eng an dem Pferd, doch da sie am Gepäck festgebunden war, konnte sie sich nicht befreien. Im ersten Moment hatte sie keine Ahnung, wo sie war. In der Dunkelheit konnte sie nichts erkennen, doch sie spürte, dass sie unter mehreren Gepäckstücken begraben neben dem verschwitzten Pferdeleib lag. Sie wollte schon schreien, aber dann schoss es ihr durch den Kopf, dass sie ja auf der Flucht waren und niemand etwas sagen oder gar rufen durfte, und sie stöhnte nur leise.

Die Erwachsenen hatten den Sturz bemerkt und eilten den Hang hinab. Wie wild zerrte Tsering auf der Suche nach seiner Tochter an den Säcken, auch Mola half mit und noch zwei Männer, bis sie eine leise in sich hinein weinende, schockstarre Sonam fanden. Sie war unverletzt, aber mitgenommen von dem Schrecken, der sie ohne Vorwarnung schlafend ereilt hatte. Doch es war keine Zeit für eine Rast. Die drei Männer zogen das Pferd an einem Strick wieder auf die Beine und brachten es zum Pfad hinauf. Sie banden die Ladung erneut fest, nur Sonam wollte nicht wieder auf den Pferderücken. Lieber trabte sie trotz ihrer schmerzenden Füße hinter der Mutter her.

Die Passhöhe

Je höher sie kamen, desto weiter trat die Angst vor den Chinesen zurück gegenüber der Angst vor den Naturgewalten. Nun gingen sie nicht mehr nachts, sondern am Tag, doch auch bei Helligkeit war es schwer genug für die Flüchtlinge, sich einen Weg zu bahnen zwischen felsigen Rinnen und steilen Abstürzen und durch oft hüfttiefe Schneefelder. Zu allem Überfluss begann es zu schneien, ein eiskalter Wind blies die Wolken, die auf den Bergkämmen lagen, wie schwere feuchte Säcke tief in die Täler hinunter. Der Winter nistete sich mit aller Macht im Himalaja ein, und die Flüchtlingsgruppe meiner Großeltern musste immer höher hinauf in eine Bergwelt, die die meisten von ihnen noch nie aus solch unmittelbarer Nähe gesehen hatten.

Während ihres Anstiegs versuchte Mola an nichts anderes zu denken als daran, wie sie ihre Kinder sicher durch diese Schneewüste bringen konnte. Sonam hingegen erinnerte sich an die gemütliche Küche zu Hause in Pang-ri, an ihr kuscheliges Fellbett neben der Feuerstelle und an den heißen Buttertee, den sie dort jeden Morgen in sich hineinschlürfte, damals noch ohne zu wissen, dass sie im Paradies auf Erden leben durfte. Sie dachte an nichts anderes als an ihre heitere Vergangenheit, vor ihrem inneren Auge sah sie duftende Blumenwiesen und hohe Baumwipfel, die sich in lauen Frühlingswinden wiegten, bis sie erneut stürzte und so mit einem Ruck in die Gegenwart katapultiert wurde. In ein tiefes, finsteres, eisiges Loch, aus dem heraus ihr sogar das kleine Stück des grauen, mit Wolken und Schnee verhangenen Himmels wie eine glückliche Verheißung vorkam.

Eine Verheißung, zu der sie nun keinen Zutritt mehr hatte, denn es gelang ihr nicht, die glatten und kalten und eisigen Wände ihres Gefängnisses zu überwinden, in das sie durch einen unachtsamen Tritt geraten war.

Hatte sie jemand fallen gesehen? Gingen die anderen weiter? Sollte sie um Hilfe schreien? Durfte sie schreien? Würde sie jemand hören in ihrem eisigen Gefängnis?

Nein, hämmerte es im Kopf meiner Mutter, nein, es geht nicht. Ruhe! Still! Sie hören uns! »Amala!«, hörte Sonam sich plötzlich schreien, »Amala!«, ohne dass sie merkte, geschrien zu haben. Es schrie in ihr, als wäre jemand anderer für ihr Schreien verantwortlich, doch auch der hatte keinen Erfolg, denn es passierte nichts, außer dass der Schnee fiel und der Himmel grau war. Da sprang meine kleine Mutter von wilder, unermesslicher Verzweiflung getrieben die Wand ihres eisigen Gefängnisses an, krallte sich mit ihren vor Kälte tauben Fingern in den Schnee, hackte ihre Schuhe voll Eisklumpen in das bläuliche Weiß unter ihr, dehnte sich hinauf, schrie, zog sich mit aller Kraft ihrer Arme hoch, trat gegen den Schnee, einmal, zweimal, noch ein Mal, bis sie sich mit einem gewaltigen Ruck über die Kante des Lochs schieben konnte und trotz aller Kälte schwitzend und schnaufend im Schnee zu liegen kam.

Doch wo waren die anderen? Sie sah sie nur noch als graue Schatten im Weiß verschwinden, auf dem Weg vor sich, der nicht mehr war als ein paar knietiefe Löcher im Schnee. Sonam sprang auf, sprang diesen Weg entlang weiter von Loch zu Loch, so schnell sie ihre Beine tragen konnten, in bockartigen Sprüngen strauchelnd, stolpernd, immer wieder im Schnee landend, bis die grauen Schatten vor ihr größer und größer wurden und sie sah, dass da Mola ging und Tsering und alle anderen. Sie drückte ihr Gesicht an Molas *chupa*, die strich ihr geistesabwesend über den Kopf, ohne innezuhalten, nur auf ihren Schritt konzentriert, der nie langsamer werden durfte. Sicher hatte sie nichts mitbekommen, dachte Sonam, und nahm sich vor, ihr erst am Abend von ihrem Unglück und auch ihrem Glück zu erzählen, wohl in der nächsten klammen, feuchten und eisigen Höhle, in der sie wie in den Nächten zuvor eng aneinandergedrückt auf ihren feuchten Decken übernachten würden.

Waren diese nasskalten Nächte schon schlimm, so sollten die kommenden Tage noch viel schlimmer werden. Der Berg vor ihnen schien immer ungestümer in die Höhe zu wachsen, immer wilder nach dem Himmel zu streben. Es reichte ihm nicht mehr, sich langsam zu erheben, in weiten Hängen, die sich gut queren und emporsteigen ließen, sondern er musste seine Flanken so steil halten, dass die Flüchtlingsgruppe nur mehr in unzähligen Kehren vorankam. Nun schienen auch die Pferde am

Ende ihrer Kräfte zu sein. Sie strauchelten, blieben stehen und wurden störrisch wie Yaks. Die Männer trieben sie mit halblauten Rufen und Schlägen und Tritten an, bis auch das nichts mehr half. So mussten die Flüchtenden die Vorratssäcke von den Pferden abnehmen, um die Tiere sich selbst zu überlassen. Dabei konnten sie auf den Instinkt der Pferde vertrauen, die sich nach einer kurzen Zeit der Erholung auf den Weg zurück machen würden, auf ihrer eigenen Spur hinunter ins Tal, in auch für sie erträglichere Gefilde.

Als plötzlich die Wolken aufrissen, sahen die Menschen erst, wo sie wirklich waren: Unter ihnen tat sich ein gewaltiger Abgrund auf, jeder Schritt neben der Spur wäre ein Schritt ins Leere gewesen. Doch über ihnen stieg der Berg in gleißendem Weiß hoch und verbündete sich irgendwo dort oben mit dem unermesslich blauen Himmel in einer Helligkeit, die allen die Tränen in die Augen trieb und die Augäpfel rötete und sie ihre Lider schmerzhaft zusammenpressen ließ, was aber nicht half gegen das Stechen dieses strahlenden Lichts.

Fast wie ein Wunder schien es allen, als der Hang auf einmal sanfter wurde und sich ein Tal vor ihnen auftat, in dem ein paar windschiefe Hütten standen. Zuerst befürchteten alle, dass sich darin Chinesen verstecken würden, doch als sie sahen, dass im Schnee keine Spuren zu sehen waren, die zu den Hütten führten, gingen sie hinein. Sie fanden nichts als leere Räume und blinde Fenster und angelehnte Türen. Endlich konnten sie wieder einmal auf halbwegs trockenem Boden lagern, ohne Wind und ohne Schnee. Sie fanden sogar einen Herd und trieben ein paar brennbare Holzstückchen auf, die sie aus dem Gebäude brachen, und entzündeten ein kleines Feuer für den ersten heißen Tee seit Wochen. Sie waren fast glücklich, denn nun mussten sie schon knapp vor der Grenze sein, als einer der ihren, den sie draußen als Wache aufgestellt hatten, mit erschrockenem Gesicht zu ihnen in die Stube stürzte: »Menschen! Von der anderen Seite!«

Sollte alles vorbei sein? Waren das Soldaten? Niemals würden sie sich nach all diesen Strapazen wieder zurück nach Tibet schaffen lassen! Mit dem Mut der Verzweiflung eilten die Männer nach draußen, um drei Tibeter zu sehen, die vom Pass hinunter zu ihnen kamen. Diesen Männern schienen der Schnee und die Kälte und die Anstrengung nichts auszumachen, sie bewegten sich schnell wie Schneeleoparden über die unwirtlichen Hänge. Es waren, wie sich bald herausstellte, tibetische Hirten, die Tiere über die Grenze gebracht hatten und jetzt wieder nach Tibet gingen, um neue Tiere zu holen.

Die Hirten warnten die Gruppe meiner Großeltern:

»Ihr könnt hier unmöglich bleiben«, sagte der offensichtliche Anführer der drei, »es ist zu gefährlich. Vor wenigen Tagen waren die Chinesen hier und haben eine Gruppe unserer Leute gefangen genommen und nach Tibet zurückgebracht.«

»Diese Häuser sind eine Falle«, sagte der Zweite, »sie wissen, dass die Menschen hier oben erschöpft sind und rasten wollen. Ihr müsst weiter!«

Also packten Mola und Tsering und die anderen der Gruppe in Windeseile ihre Sachen zusammen, schulterten ihre Lasten, bedankten sich bei den drei Hirten und machten sich auf den Weg. Besonders schmerzlich war es für die Flüchtlinge, dass sie kurz vor einem heißen Tee wieder hinaus in die Kälte mussten, aber es blieb ihnen nichts anderes übrig. Chinesen waren keine zu sehen, was nicht viel hieß, denn rundherum war alles weiß und voll Nebel und Schnee, da hätte eine chinesische Kompanie in ein paar Hundert Metern Entfernung stehen können, und sie hätten sie nicht gesehen. Tröstlich war nur, dass es den Chinesen mit ihnen genauso ergangen wäre.

Der Hang, den sie nun entlangmarschierten, wurde weniger steil, und aus dem Nebel lösten sich auf einmal Schatten, dann grüne Schemen, dann Soldaten. Sonam erschrak zutiefst: Waren das tatsächlich die Chinesen, die sie gefangen nehmen und zurückschicken würden nach Tibet? Waren nun alle Qualen vergeblich? Auch die anderen hatten Angst und berieten sich. Doch wenn das der Grenzpass wäre, könnten es dann auch indische Soldaten sein? Die Flüchtlinge kamen überein, dass es kein Zurück mehr gebe und dass diese Soldaten sie ohnehin einholen würden, weshalb sie beschlossen weiterzumarschieren. Doch die Soldaten machten keine Anstalten, die Flüchtlinge aufzuhalten oder zu bedrohen, sie zeigten im Gegenteil freundliche Mienen. Ihre Gesichter sahen anders aus als die der Chinesen, die Mola und die anderen Tibeter gesehen hatten, und auch ihre Sprache klang anders. Selbst ihre Uniformen hatten eine andere Farbe. Das mussten Inder sein!

Die Tibeter wussten nicht, was sie sagen sollten, aber ihr Anführer, der Kaufmann, wechselte ein paar Worte mit den fremden Männern, mühsam in deren Sprache radebrechend. Dann sagte er zu den anderen nur:

»Das sind Inder!«

Er sagte noch etwas von »Grenze« und »geschafft«, aber das ging im Lärm unter, der zwischen den Flüchtlingen entstand, im Weinen und Lachen und Beten und einander Glück wünschen und einem vielstimmigen »*lha gyalo*«, dem zu so einer Passbesteigung passenden Ausruf, der so viel meint wie »Mögen die Götter siegen!«, und der einen nebelverhangenen Pass in einen der glücklichsten Orte auf Erden verwandelte.

Gelobtes Land

Nun waren die Flüchtlinge zwar in Freiheit, aber noch lange nicht am Ziel ihrer Reise, von dem sie keine genaue Vorstellung hatten. Auch auf der indischen Seite des Passes gab es nichts außer Eis und Schnee und Fels. Es gab nichts zu essen, keinen heißen Tee und auch keine Hütte, die ihnen Schutz geboten hätte. Also gingen sie weiter, wie sie auch die Tage zuvor gegangen waren. Meiner Mutter kam alles so leicht vor, als hätte man sie von einer unglaublich schweren Last befreit. Selbst den Wind, der über den Pass pfiff, empfand sie nicht mehr als schlimm und kalt. Außerdem ging es fast immer bergab, und zwischen den Wolkenfetzen taten sich erste Blicke in blassgrüne Täler auf, in denen Wiesen zu erkennen waren und Flüsse. Endlich sah meine Mutter all das, was sie seit Wochen vermisst hatte. Nun konnte alles gut werden, das spürten auch meine Großeltern. Alle hatten den Weg geschafft, niemand war erfroren, verhungert oder abgestürzt. Alle waren frohen Mutes, bald unter der Obhut des Dalai Lama zu stehen.

So stiegen sie hungrig, aber glücklich tiefer und tiefer, bis der Schnee zurückwich und Wiesen zwischen den Schneeflecken zu sehen waren und die ersten Bäume am Wegrand standen. Knapp unterhalb der Baumgrenze erreichten sie ein Armeelager, wo sie endlich etwas zu essen und zu trinken bekamen und mit Proviant für die nächsten Tage versorgt wurden. Dann schrieben die Soldaten ihre Namen auf und kontrollierten das Gepäck. Sogar ausziehen sollten sich die Flüchtlinge, auch meine Großeltern und meine Mutter, aber das lehnten alle ab. Für einen Tibeter gibt es keine Nacktheit vor anderen, und vor fremden Menschen schon gar nicht. Das mussten sogar die Inder akzeptieren.

Mit den nun wieder prallgefüllten Säcken voller Reis, Mehl, Tee und *dhal*, indischen Linsen, marschierten die Flüchtlinge weiter zu Tal. Das feuchte und schwüle Wetter, in das sie kamen, setzte ihnen zu, und die Freude und Leichtigkeit der ersten Schritte auf freiem Boden wichen bald der Erschöpfung. Ihr Weg führte sie über wackelige Hängebrücken aus miteinander verflochtenen Bambusstangen und erneut steile Hänge hinauf. Nach ein paar Kilometern anstrengender Strecke trafen sie auf indische Hirten, die ihnen anboten, ihren Proviant zu tragen. Einige aus der Gruppe nahmen dieses Angebot gerne an, doch sie waren nicht lange froh über diese unerwartete Hilfe, weil ihre Träger immer schneller und schneller wurden und plötzlich im dichten Wald auf einen seitlichen Pfad abbogen und nicht mehr zu sehen waren, obwohl die Tibeter ihnen nachliefen und vergeblich versuchten, sie wiederzufinden.

Die Bestohlenen waren verzweifelt über den Verlust von so vielen Lebensmitteln, doch sie konnten nicht noch länger nach den Trägern suchen, denn die anderen aus der Gruppe drängten auf den Weitermarsch hinunter ins Tal. Weiter talwärts vermuteten sie große tibetische Flüchtlingsdörfer, aber sie wussten nicht, wo sie lagen. Sie wollten dort Freunde oder Verwandte suchen, und sie wollten zum Dalai Lama, da ihnen dieser wohl am besten helfen könnte.

Auf ihrem weiteren Weg stießen sie aber nicht auf tibetische Siedlungen, sondern auf ein Militärlager. Die Soldaten hatten schon auf die Tibeter gewartet. Sie führten sie in Baracken, wo sie schlafen konnten, was die erschöpften Flüchtlinge nur zu gerne getan hätten, wenn sie nicht so durstig gewesen wären. Sie hatten zwar Teeblätter, aber kein Wasser. Wie sollten sie das ihren indischen Bewachern erklären, denn der Führer und Dolmetscher der Gruppe, der tibetische Geschäftsmann, hatte sich bereits von ihnen getrennt.

»*Pani, pani*«, sagte Mola plötzlich zu den Indern. Diese verstanden sofort und brachten Wasser. Das Wort dafür hatte Mola einmal in Tibet aufgeschnappt, als ihr jemand Geschichten über Indien erzählt hatte, und dieses Wort hat Mola nie vergessen. Die anderen Tibeter waren erstaunt über Molas Sprachkenntnisse und sehr dankbar. Doch dann fiel ihnen auf, dass es in ihrer Baracke zwar einen Herd gab, aber kein Brennholz.

»*Lakhri*«, sagte Mola nun, das indische Wort für Holz. Wieder verstanden die Soldaten und brachten einen Stoß dürrer Äste. *Pani* und *lakhri* waren die einzigen indischen Wörter, die Mola kannte, doch sie sollten ihr nicht nur in diesem Lager, sondern auch später noch mehr als hilfreich sein.

Die Nachtruhe nach all der Anstrengung fiel kurz aus, denn am nächsten Tag wurden die Flüchtlinge von den Soldaten früh geweckt. Sie schrien wie wild und trieben die Gruppe meiner Großeltern hierhin und dorthin, ohne dass die Tibeter verstanden, was sie von ihnen wollten. Wie Vieh kamen sie sich vor, das von einem Pferch in den anderen gescheucht wird, bis sie vor einem metallenen Kasten standen, in den sie alle steigen mussten. Ehe sie verstanden, was nun passierte, banden die Soldaten sie mit dicken Schnüren an den Boden dieses Kastens an und schlossen dessen Türen. Nun saßen die Tibeter fast im Dunkeln, als plötzlich gewaltiger Lärm anhob, wie das Brüllen eines Drachens oder das Knattern des Windes, nur viel lauter. Alle hatten Angst und schrien Fragen, die die Soldaten nicht verstanden, nur Sonam sah, was geschah.

»Wir sind in einem Eisenvogel«, brüllte das Mädchen, »wir fliegen!« Sonam zeigte auf das Fensterchen hinter ihrem Platz, aus dem man sehen konnte, wie sich das Ding, in dem sie gefangen waren, höher und höher hob und die Erde und die Bäume und die Zelte und die Menschen kleiner und kleiner unter sich ließ, denn die Soldaten hatten die Tibeter in einen großen Transporthubschrauber verfrachtet.

»Nein«, schrie Tsering zurück, der von seinem Platz aus nichts erkennen konnte, aber keiner durfte aufstehen und seinen Platz wechseln, »warum fliegen? Wir fliegen doch nicht!«

Sonam klebte am Fenster und konnte nicht fassen, dass sie wirklich in der Luft waren wie Vögel. Nach einer Stunde gab es einen starken Ruck. Der Lärm ließ nach, und Tsering sagte: »Jetzt fliegen wir, ich kann es spüren.«

Aber in diesem Moment waren sie schon gelandet, wie Sonam aus dem Fenster sah, und die Türen gingen wieder auf und andere Soldaten scheuchten sie ins Freie.

»Warum, sind wir nicht eben erst eingestiegen?«, fragte Tsering die Soldaten, doch die verstanden meinen Großvater nicht und schoben auch ihn hinaus. Dieser neue Ort war viel heißer und schwüler und feuchter als der Ort, an dem sie in den hohlen Eisenvogel geklettert waren, so dass die Flüchtlinge vermuteten, sie wären in ein anderes Land geflogen worden.

Dass sie noch in Indien waren, merkten die Tibeter dann an den Soldaten, die sie in Empfang nahmen. Sie hatten die gleichen Uniformen an wie die am Abflugort, und sie schoben und scheuchten und gaben ihre Befehle genauso herrisch und ungeduldig wie ihre Kameraden zuvor. Es herrschte große Verwirrung, weil niemand ihre Kommandos verstand und die Tibeter auf Geschrei verstört und ängstlich reagierten. So dauerte es lange, bis alle in einem bereitgestellten Lastwagen saßen. Dieser schaffte meine Familie und die anderen Flüchtlinge über holprige Straßen in eine Stadt, deren Namen meine Großmutter nicht mehr weiß. Sie weiß nur, dass sie im indischen Bundesstaat Assam lag, im äußersten Nordosten des Riesenreiches, zwischen Bhutan und Bangladesch. Je weiter die Tibeter fuhren, umso deutlicher sahen sie, dass alles anders war als in Tibet: Hier gab es viel mehr Menschen, die Dörfer waren groß wie tibetische Städte und die Städte so groß wie nichts, was sie bisher gesehen hatten. Alles war viel grüner und feuchter und üppiger als bei ihnen zu Hause. Alles war lauter und ging schneller und fühlte sich fremd an für die ehemaligen Bewohner des abgeschiedenen Bergklosters Pang-ri.

Die schwerste Umstellung für meine Familie brachte das ungewohnte Klima mit sich. Die Hitze war so unerträglich groß, dass sich bereits nach kurzer Zeit niemand mehr vorstellen konnte, eben noch unter Kälte, Schnee und Eis gelitten zu haben. Obwohl es Winter war, fühlte es sich an wie im tibetischen Hochsommer, und es wurde von Tag zu Tag heißer. Alle Tibeter schwitzten wegen ihrer dicken Kleidung, den *chupas* und Jacken und wollenen Hosen, waren matt und erschöpft.

Die Inder brachten die Gruppe in eine kleine Siedlung am Stadtrand. Dort standen Baracken aus Bambusgeflecht, die übervoll von tibetischen Flüchtlingen belegt waren. Für einige aus Molas Gruppe und auch für Mola selbst gab es ein freudiges Wiedersehen mit Bekannten aus Tibet.

Eigentlich hätte es nun ein Fest der Freude, der Freiheit und auch der Rettung vor allen Gefahren der Flucht geben müssen, doch davon war keine Rede, ganz im Gegenteil. Die Stimmung im Lager war gedrückt, fast depressiv, und es dauerte nicht lange, bis die Neuankömmlinge herausfanden, warum das so war.

Im Lager

Meine Großeltern und auch die anderen aus ihrer Flüchtlingsgruppe genossen es, wieder unter Landsleuten, Freunden und Verwandten zu weilen. Sie freuten sich darüber, in Sicherheit zu sein, als willkommene Gäste eines Staates, der ihnen zu essen und zu trinken gab, ihnen Hütten zur Verfügung stellte und einen Platz zum Leben. Doch bald merkten sie, dass dieses Leben ihnen nicht Sicherheit, sondern Verderben brachte. Alle hatten zum Dalai Lama gewollt, hatten sich einen paradiesischen tibetischen Hafen mitten in Indien vorgestellt, doch niemand wusste, wo sich der Dalai Lama aufhielt, und niemand konnte sich auf die Suche nach dem geistigen Oberhaupt machen, denn von nun an ging es nur noch um das nackte Überleben von einem Tag auf den anderen.

Es fing beim Trinkwasser an. In Tibet war Wasser für alle etwas Selbstverständliches gewesen. Frisches, klares und kaltes Quellwasser, über das so gut wie jeder in unbegrenzten Mengen verfügen konnte, denn es herrschte an vielem Mangel, aber nicht an Wasser. Doch was für ein Wasser gab es hier: Aus dem Brunnen in der Mitte der tibetischen Siedlung lief eine warme, trübe, manchmal braune Brühe. Alle litten wegen der ungewohnten Hitze unter starkem Durst, doch es gab nichts anderes zu trinken als dieses Wasser. Sie versuchten, Tee daraus zuzubereiten, denn Tibeter tranken Wasser meistens in Form von Tee oder nahmen es als Suppe zu sich. Den starken, bitteren und rötlichen Tee aus den Blättern der Assammischung, die sie von den Indern bekommen hatten, konnte keiner von ihnen trinken. Wenn sie nur etwas *tsampa* erhalten hätten, um den schrecklichen Teegeschmack abzumildern, doch das war hier unbekannt.

Schon nach wenigen Tagen bekamen die ersten Flüchtlinge aus Molas Gruppe Durchfall, mussten sich erbrechen und litten unter Magenkrämpfen. In meiner Familie erkrankten Mola und Sonams Schwester, die als Jüngste den ungewohnten hygienischen Verhältnissen am hilflosesten ausgeliefert war. Bereits nach einer Woche gab es in der Flüchtlingsgruppe keinen mehr, der nicht mindestens über Übelkeit und Durchfall klagte, und das war nur der Anfang. Bald erfuhr Mola, dass von den mehreren Hundert Lagerinsassen fast täglich jemand starb, denn es gab zwar eine Apotheke und ein paar Medikamente, doch die hatten keine Wirkung. Auch Mola kaufte ein Fläschchen mit einer süßen, roten Flüssigkeit für ihre kleine Tochter, die nur mehr fiebernd und apathisch auf ihrer Matte lag, aber Sonams Schwester ging es nicht besser davon. Bald schied sie keinen Stuhl mehr aus, sondern schleimiges Blut. Mola band sich ihre Tochter um und ging mit ihr in ein Krankenhaus in der Nähe des Lagers, von dem sie gehört hatte. Dort wurde das Mädchen zwar untersucht, aber nicht behandelt. Als Mola am nächsten Tag wieder zurück ins Lager kam, trug sie ihre Tochter nicht am Rücken, sondern im Arm, als würde sie schlafen, doch das Mädchen schlief nicht, es war tot.

»Sie ist nicht mehr Mensch«, sagte Mola nur.

Mit knapp vier Jahren starb Sonams Schwester. Nach der Überquerung des höchsten Gebirges der Welt war sie an der Ebene gescheitert, vergiftet von schmutzigem Wasser oder schlechter Kost, ausgetrocknet durch den Flüssigkeitsmangel. Ihr Körper war den fremden Keimen erlegen.

Mola weinte, was Sonam kaum je gesehen hatte. Ihre Mutter weinte zusammengesunken, in sich gekehrt, die Kleine in ihren Armen. Tibeter können ihre Trauer auch laut nach draußen tragen, können schreien, hysterisch sein, sich auf den Boden werfen, trampeln, doch für den Verstorbenen soll das nicht gut sein. Meine Großeltern ließen von Mönchen im Lager *powa* machen, das Ritual, um dem Bewusstsein das richtige Verlassen des Körpers zu ermöglichen. Dann brachten sie das Mädchen zu einem Platz unweit des Lagers, an dem fast immer ein Feuer qualmte. Dort wurden die vielen toten Flüchtlinge verbrannt, und auch Sonams Schwester wurde dort den Flammen übergeben, im Freien, auf einem kleinen steinernen Podest, so dass jeder zusehen konnte. Neugierige gab es jedoch keine, die Verbrennungen von Krankheitsopfern waren ein alltäglicher Anblick. Die sterblichen Reste ihrer Tochter formten sie mit der Metallform, die sie von zu Hause mitgebracht hatten, zu *tsa tsa*, kleinen Figuren aus Asche und Ton, die sie an das Ufer des Flusses stellten, der sich neben dem Lager dahinschlängelte. Neunundvierzig Tage lang beteten Mola und Tsering um ihr totes Kind, wie es ihnen ihre Religion vorschrieb.

Nun wurde auch Sonam krank. Meine Großeltern machten sich große Sorgen, dass ihre letzte verbliebene Tochter auch in Lebensgefahr wäre. Sollte es ein Fehler gewesen sein, aus Tibet zu fliehen? Mola versuchte, das Weizenmehl, das sie als Nahrung gestellt bekamen, zu rösten, um daraus etwas Ähnliches wie *tsampa* zu machen. Das Ergebnis war kläglich, aber es fühlte sich trotzdem besser an, als jeden Tag den ungewohnten Reis zu essen. Die Helfer der indischen Regierung verteilten auch Linsen, Zucker und Öl, doch das wenigste davon konnte Mola gebrauchen. Die Linsen warfen die Tibeter heimlich weg, weil sie keine Ahnung hatten, wie man sie zubereitet. Die Tibeter wussten zwar, wie man Reis kocht, aber sie waren ihn nur als seltene Beilage und nicht als Hauptnahrungsquelle gewohnt. Verzweifelt suchten sie nach Milch, um daraus selbst Butter oder Joghurt herzustellen, doch die gab es nirgends zu kaufen.

Umso größer war die Freude, als Mola auf einem Markt in der Nähe getrocknetes Fleisch fand. Alle Tibeter, die noch ein bisschen Geld bei sich hatten, kauften sofort dort ein, auch wenn das Fleisch nicht appetitlich aussah mit all den Fliegen, die es beständig umschwirrten. Dass sie davon gegessen hatten, sollten sie bitter bereuen, denn es entpuppte sich als verdorben. Die meisten erkrankten unverzüglich, litten unter Durchfall und Erbrechen. Sie hatten nicht bedacht, dass man unter den in Indien herrschenden hygienischen Verhältnissen und bei den hohen Temperaturen kein Trockenfleisch essen durfte.

Erst nach rund zwei Monaten ergab sich eine Möglichkeit, aus der Hölle dieses Lagers zu entkommen: Mola hörte, dass manche Tibeter nach Shimla reisen durften, in die Hauptstadt des indischen Bundesstaates Himachal Pradesh, der weit im Norden Indiens lag, auf über zweitausend Metern Höhe, in den Ausläufern des Himalajas. Dort wäre es zwar auch wärmer als in Tibet, aber viel kühler als hier, es gäbe Milch und Joghurt, und auch die Stadt, in der der Dalai Lama jetzt lebe, sei nicht weit von dort entfernt. Shimla erschien Mola mit einem Mal als die Lösung für alle drängenden Probleme ihrer Familie.

Doch bevor meine Familie in die rettende Stadt im Himalaja durfte, mussten meine Großeltern zwei Hürden nehmen: Sie brauchten Ausweise und sie mussten bei einer Untersuchung als gesund erklärt werden, denn die Inder wollten keine Kranken und Infizierten nach Shimla reisen lassen, wo die Seuchen noch nicht aufgetreten waren, mit denen die Tibeter in Assam zu kämpfen hatten. Das war eine widersinnige Anordnung, da gerade die Kranken dringend frische Luft, sauberes Wasser und nichtverseuchte Nahrungsmittel benötigten, doch keiner der Flüchtlinge konnte Einfluss auf diese Regelung nehmen, also taten alle ihr Bestes, um ihr zu entsprechen. Mola organisierte die Ausweise für sich und die Ihren, dann wuschen sie sich sorgfältig, zogen ihre besten Kleider an und gingen aufrecht zu der Hütte, in der die Untersuchungen über ihre Reisetauglichkeit stattfinden sollten. Meine Großeltern klammerten sich an die Hoffnung, dass sie und Sonam nicht genau dann, wenn sie vor dem Arzt standen, ein Übelkeitsanfall oder Stuhldrang überwältigen würde.

In der Hütte teilte ein Arzt die Tibeter ein: Auf eine Seite kamen die angeblich Gesunden, auf die andere Seite die Kranken. Meine Familie hatte großes Glück und konnte den Lastwagen besteigen, der sie nach Shimla bringen sollte. Als der Fahrer den Motor startete, versuchte eine Freundin Molas, eine Nonne, auf den Lastwagen zu kommen, doch indische Sicherheitskräfte hielten sie zurück. Sie war krank und vom Arzt ausgesondert worden, aus einem dummen Zufall heraus, denn sie war nicht kränker als Mola, Tsering oder Sonam. Schreiend lief die Nonne dem Lastwagen nach, als dieser sich bereits in Bewegung gesetzt hatte. Mola beugte sich über die Ladefläche und versuchte, die Hände der Nonne zu ergreifen, damit sie sich noch auf den Lastwagen schwingen könne, aber der Wagen fuhr schon so schnell, dass Mola ihre Hände nicht mehr zu fassen bekam. Schreiend und weinend lief die Nonne hinter dem Laster her. Auch Mola schrie, um den Fahrer zum Anhalten zu bewegen, doch der ließ sich davon nicht beeindrucken, falls er das Geschrei überhaupt hörte. Sonam sah die Nonne, die sie so gerne mochte, immer kleiner werden, und Tränen rollten über ihre Wangen.

Später erfuhr Mola, dass die Nonne ein paar Monate nach ihrer Abreise an den Krankheiten gestorben war, die sie genauso wie Mola, Tsering, Sonam und einige andere Tibeter in Shimla hätte auskurieren können. Dieses Bild der dem Lastwagen nachlaufenden, immer kleiner werdenden, verzweifelten Nonne hat sich meiner Mutter bis heute unverrückbar ins Bewusstsein eingegraben, als Bild einer Frau in der Gewissheit, zum Tode verurteilt zu sein.

Steine

Shimla kam meiner Familie wie das Paradies vor. An steilen, bewaldeten Hängen wuchsen Häuser in den Himmel, wie sie meine Familie nie zuvor gesehen hatte, mit weißen Wänden und großen Fenstern und bunten Dächern und spitzen Türmen. Engländer hatten dieses Städtchen zu Anfang des 19. Jahrhunderts gebaut, damit britische Kolonialbeamte vor der schwülen Hitze der indischen Ebene in die kühlen Höhen ihrer Sommerresidenzen fliehen konnten.

Mola, Tsering und Sonam genossen es, endlich wieder reichlich frisches Wasser zu bekommen. Als Mola auf dem Markt Gerstenkörner und Milch sah, machte sie sich sofort an die Produktion von *tsampa* und Joghurt, und es dauerte nicht lange, bis sich der Gesundheitszustand aller drei rapide verbesserte.

Die weißen Sommerpaläste der Engländer bekamen meine Großeltern allerdings nur von außen zu Gesicht, was schon ein Fortschritt war, denn zur Kolonialzeit waren die Promenade und die schönen, sauberen Straßen zwischen ihren Villen den

170

Europäern vorbehalten. Inder und andere Asiaten konnten das strahlende Paradies nur aus der Ferne bestaunen, von ihren Häuschen und Hütten aus, die sie in gebührendem Abstand errichten mussten.

Richtig in der indischen Gesellschaft anzukommen war den Tibetern auch Anfang der sechziger Jahre nicht erlaubt, denn die Inder achteten darauf, dass ihnen die Neuankömmlinge keinen Platz streitig machten. Sie wiesen die Flüchtlinge in alte, hölzerne Baracken ein, in denen für sie merkwürdige Dinge passierten. Eines Tages erschienen dort Ärzte und untersuchten die verängstigten Flüchtlinge. Alle mussten ihren Oberkörper entblößen, was erst nach langen Diskussionen und wortreichen Klagen geschah, die kein Inder verstand. Die Mediziner pressten den Tibetern ihr kaltes Stethoskop auf die Brust und stachen ihnen mit einer Nadel in den Oberarm, dass sie vor Schmerz schrien, ohne zu wissen, wofür das alles gut sein sollte.

Glücklicherweise hörten meine Großeltern ein paar Wochen nach ihrer Ankunft in Shimla, dass sich in dem Bergstädtchen auch Dudjom Rinpoche niedergelassen hatte. Diesen Rinpoche kannte Mola gut, denn sie hatte an Belehrungen von ihm teilgenommen, als sie noch als Nonne in den Bergen Tibets lebte. Für zwei Monate war sie seinerzeit zu ihm nach Dechen Deng gegangen, weil sie erfahren hatte, dass Dudjom Rinpoche in diesem Kloster wichtige Initiationen geben würde. Später hatte Mola ihm auch beim Wiederaufbau des Klosters Zangdrok Palri geholfen, das in den fünfziger Jahren durch ein schweres Erdbeben zerstört worden war. Dudjom Rinpoche hatte es sich zum Ziel gesetzt, diese spirituell bedeutsame Stätte wiederaufzubauen. Dabei wurde er von freiwilligen Gläubigen unterstützt, so auch von meiner Großmutter. Es galt, durch den Bau und ihn begleitende Riten und Gebete die Erdgeister so zu besänftigen, dass die Erde an diesem heiligen Platz wieder zur Ruhe kommen könne.

Mola war überglücklich, als sie erfuhr, dass Dudjom Rinpoche, der oberste Guru der Schule der Nyingmapas, in Shimla weilte. Jetzt fühlte sie sich fast so wie zu Hause. Dudjom Rinpoche galt als eine direkte Reinkarnation von Shariputra, dem wichtigsten Schüler Buddhas, auch wenn das in ihm lebende Bewusstsein danach schon viele andere bedeutende Inkarnationen durchlaufen hatte. Mit einer schriftlichen Bewilligung in der Tasche, den Rinpoche besuchen zu dürfen, machte sich eine kleine Gruppe von Tibetern auf den Weg zu seinem Haus. Die Flüchtlinge wollten dem verehrten Meister alles erzählen, was sie auf ihrer Flucht erlebt hatten.

Die Mönche, die mit Dudjom Rinpoche in einem großen Haus wohnten, ließen die Gruppe herein, und der Guru empfing jeden Einzelnen herzlich. Ehrfürchtig und in gebeugter Haltung folgten meine Großmutter und die anderen Seiner Heiligkeit in dessen Räume. Dort setzten sie sich auf den Boden. Mit nach unten gesenktem Blick erzählte Mola weinend von ihrer Flucht und dem Tod ihrer jüngsten Tochter. Am Schluss der Audienz übergab sie Dudjom Rinpoche eine Opfergabe und bat ihn um ein spezielles Gebet für ihr totes Kind. Als der verehrte Guru zusagte, linderte das die Trauer Molas beträchtlich, denn nun wusste sie das Schicksal ihrer verstorbenen Tochter in guten Händen, da dieser hohe Lama sie so kurz nach ihrem Tod in seine Gebete einschließen wollte.

Nach diesem Besuch fühlten sich die Tibeter aus Molas Flüchtlingsgruppe besser für ihr neues Leben in Indien gewappnet, das sich bald als hart genug erweisen sollte. Denn sie wurden in einzelne Gruppen aufgeteilt und mit Lastwagen zu weit voneinander entfernten Baustellen an entlegenen Bergstraßen gebracht, auf denen sie fortan arbeiteten. Dies war eine damals für Flüchtlinge übliche Maßnahme: Mehr als dreißigtausend Tibeter mussten in einem Straßenbauprogramm mitarbeiten, das die indischen Behörden für die tibetischen Flüchtlinge geschaffen hatten, da es sonst keine Beschäftigungsmöglichkeit für sie gab. Viele Tibeter starben während dieser Arbeiten an Erschöpfung oder Krankheiten, die durch schlechte Ernährung verursacht wurden.

Man brachte meine Familie und ihre Gruppe an eine Baustelle tief in den abgeschiedenen Wäldern hinter Shimla, die zu weit entfernt von der Stadt war, um jeden Abend dorthin zurückzukehren. Also spannten Mola und Tsering am Rand der Baustelle zwischen Bäumen oder in die Erde gesteckten Ästen eine Plane auf, die ihren Schlafplatz vor den im herannahenden Sommer immer häufigeren Regengüssen schützen sollte. Nur die Gebete, die meine Großeltern weiterhin jeden Tag sprachen, halfen ihnen, dieses harte Leben zu ertragen.

Fortan bestimmten Steine ihren Alltag. Steine so groß wie Kürbisse, die sie zuerst mit großen, dann mit kleinen Hämmern bearbeiten mussten, ohne Maschinen und ohne Werkzeug außer Meißeln, Schaufeln und Trögen, in denen sie das zu Kies zerkleinerte Material an die Stellen trugen, wo es gebraucht wurde. Jeden Tag saßen meine Großeltern unter der glühenden Sonne oder im strömenden Regen mitten auf der Straße und klopften Steine. Selbst Sonam half mit. Sie hatte ein halbes Dutzend große Steine vor sich liegen und schlug mit einem Hammer so lange auf sie ein, bis sie kleiner und kleiner und zuletzt zu Kies wurden. Mola und Tsering mussten Sonam nicht zwingen, auf den Baustellen mitzuarbeiten, denn für meine Mutter war es selbstverständlich, ihren Eltern zu helfen. Die Steine bedeuteten für Sonam nicht nur Arbeit, sondern waren zwischendurch auch

Spielzeug, Fantasiefiguren, Murmeln und Schätze, sie waren ihre Welt.

Das Leben auf der Straße und unter der Plane am Wegesrand war schon anstrengend genug, doch es wurde noch unangenehmer, als mit dem Sommer der Monsunregen kam. Das Wasser floss in breiten Strömen von den Planen, die die Schlafplätze der Tibeter schützen sollten, weichte manchmal ihre Vorräte auf, verwandelte die Wege in Sturzbäche, den Waldboden in einen feuchten Schwamm und die nur oberflächlich geschotterten Straßen in mit Furchen durchzogene, ausgewaschene, unpassierbare Holperstrecken, für deren Ausbesserung die Tibeter zuständig waren. Durch den Monsunregen lösten sich auch Muren, die die Straßen mit Erde, Schlamm und Geröll bedeckten. Darunter fanden sich riesige Felsbrocken, die so schwer waren, dass die Flüchtlinge sie nur mit vereinten Kräften von der Straße schieben konnten. Danach mussten die Tibeter tagelang Erde und Geröll von den Straßen wegschaufeln, bevor sie aus ihren frisch geklopften Steinen einen neuen Straßenbelag herstellen konnten. Verkehr hatten sie nicht zu befürchten, denn während der Regenzeit blieben viele Straßen wegen der drohenden Erdrutschgefahr gesperrt.

Tsering litt sehr unter den harten Lebensbedingungen und erkrankte durch die schwere Arbeit, die ungewohnte Feuchtigkeit oder die unhygienischen Bedingungen. Er wurde zusehends schwächer und konnte bald kaum mehr arbeiten. Die Steine waren zu schwer für ihn, und er schaffte es nicht mehr, den Hammer zu schwingen. Sein indischer Chef hatte kein Verständnis für Tserings Erkrankung, für ihn zählte nur die Menge der Steine, die jemand am Ende eines Tages zerkleinert hatte. Selbst die besten und gesündesten Arbeiter verdienten in einem Monat schwerer Arbeit nicht mehr als ein paar Dutzend Rupien, umgerechnet kaum fünf Dollar. Das Geld reichte gerade, um etwas Gerste und Reis zu kaufen, alles andere war Luxus. Wenn die Ausbesserungsarbeiten an einem Straßenstück fertiggestellt waren, rollten die Tibeter ihre Planen zusammen, schulterten ihre Decken, Töpfe und ihre spärlichen Vorräte, um zu Fuß zur nächsten Baustelle zu wandern. Dabei konnten sie nie sicher sein, am Ende des Monats wirklich ihren schmalen Lohn zu bekommen, denn ihr Chef versuchte die Tibeter zu betrügen, wo er nur konnte. Er wusste, dass sie rechtlose Flüchtlinge waren, die sich weder beschweren noch auf ihrem Lohn bestehen konnten. Jede Verhandlung mit ihm glich einem Kampf, den die Tibeter mit Händen und Füßen ausfechten mussten, denn keiner von ihnen sprach Indisch, und kein Inder verstand Tibetisch. Wenn der Chef nicht kam oder ihnen keinen Lohn gab, blieb den Tibetern nichts übrig, als in das nächste Dorf betteln zu gehen. Die Menschen dort besaßen auch kaum etwas, aber wenn jeder nur ein Löffelchen Mehl, Reis oder eine Frucht gab, hatte Mola am Ende des Tages die Zutaten für ein bescheidenes Mahl beisammen.

Mein Großvater war bald so geschwächt, dass er kaum mehr aufstehen konnte, Mola war an der Grenze ihrer Belastbarkeit: Sie klopfte vom Morgengrauen bis zur Abenddämmerung Steine, dann kämpfte sie um ihr Geld, besorgte etwas zu essen, bereitete es zu und versorgte Tsering und natürlich auch meine Mutter. Dazu sollte sie noch alle paar Wochen mit dem gesamten Hab und Gut ihrer Familie auf eine neue Baustelle ziehen, zusammen mit einem Mann, der kaum einen Fuß vor den anderen setzen, geschweige denn etwas tragen konnte.

Mola wusste sich nicht mehr anders zu helfen und brachte Tsering in das Krankenhaus von Shimla. Sie hoffte, dass die Ärzte ihn wieder gesund machen würden.

Sonam war traurig über die Abwesenheit des Vaters und besorgt über seinen Zustand, aber sie empfand die Lücke unter ihrer gemeinsamen Plane auch als Vorteil: Zum ersten Mal seit vielen Monaten konnte sie sich ausstrecken, und zum ersten Mal hatte sie einen Platz von vielleicht einem Quadratmeter nur für sich, auf dem sie ihre Steinchen und Äste und Wurzeln sortieren konnte, wie sie wollte. Glücklicherweise konnte Sonams Pala jedoch bald zu seiner Familie zurückkehren. Er war zwar noch nicht gesund, doch es ging ihm besser, und er verließ das Krankenhaus wieder, da man ihm dort weder helfen konnte noch wollte.

Wenige Tage später kamen zwei Abgesandte der tibetischen Exilregierung in das Zeltlager, um Flüchtlingskinder für eine neu gegründete tibetische Schule anzuwerben. Sonam hätte gern die Schule besucht, doch sie konnte es sich nicht vorstellen, ohne ihre Eltern zu leben, was erforderlich gewesen wäre, da sich das Schulhaus einige Kilometer entfernt in Chotta Shimla befand. Auch Mola wollte ihre Tochter nicht gehen lassen. Sie hatte Angst, dass ihrem letzten überlebenden Kind etwas passieren könnte, und sie fürchtete die traditionellen tibetischen Erziehungsmethoden, die sich meist auf die Wirkung von Drill, Schlägen und Strenge verließen. Den beiden Abgesandten blieb nichts anderes übrig, als unverrichteter Dinge wieder abzuziehen, was sie nur unter Murren und der Ankündigung taten, bald wiederkommen zu wollen.

Schon wenige Tage später mussten meine Großeltern und Sonam weiterziehen, zur nächsten Baustelle. Vielleicht erschienen die tibetischen Beamten tatsächlich später noch einmal, um meine Mutter mitzunehmen, doch in diesem Fall fanden sie nichts anderes vor als ein paar zertrampelte Grashalme, verlassene Feuerstellen und geknickte Äste.

Beim Arzt in Baghi

Eines Morgens konnte Sonam nicht mehr aufstehen, kalter Schweiß stand auf ihrer Stirn, ihre Augen waren glasig, sie zitterte am ganzen Leib. Auf den staubigen Baustellen hatte sie sich an ihren Beinen viele kleine Verletzungen und Abschürfungen zugezogen, die sich entzündet und zu eitern begonnen hatten. Mola wollte ihre Tochter ins Krankenhaus schaffen, aber Tsering riet davon ab, wusste er doch aus eigener Erfahrung, dass man sich dort nicht um die mittellosen Patienten kümmerte. Also schulterte er seine Tochter und schleppte sie unter Aufbietung all seiner Kräfte über eine steile Gebirgsstraße mehrere Stunden durch einen Wald bergauf nach Baghi, zur winzigen medizinischen Station eines indischen Arztes, von dem er schon Gutes gehört hatte. Mola begleitete ihn, sie trug den Proviant, den sie bei einer längeren Behandlung benötigen würden. Der Arzt empfing meine Familie tatsächlich, sah sich Sonam an, reinigte ihre Wunden und verabreichte ihr Medikamente. Eine Woche lang musste Sonam bei ihm in Behandlung bleiben. Für diese Zeit errichteten alle drei ein Lager neben dessen Haus.

Während Sonam behandelt wurde, gingen Mola und Tsering zu den nahen Apfelplantagen, für die Baghi bekannt war. Sie lasen das Fallobst vom Boden auf und nahmen es mit zu ihrem Lagerplatz. Sonam durfte jedoch keine Äpfel essen, da ihre Eltern meinten, dieses Obst würde das Fieber steigen lassen und die Entzündung verschlimmern. Als sie einmal allein war, holte sie sich dennoch eine der für sie verbotenen Früchte und aß sie mit großem Appetit. Hinterher litt sie zwar unter schlechtem Gewissen, doch die Angst, dass es ihr schlechter gehen würde, war unbegründet, denn nichts an ihrem Zustand verschlimmerte sich. Ein zweites Mal konnte sie nicht mehr zu den Äpfeln greifen, da Mola und Tsering ununterbrochen bei ihr wachten. Die Tibeter glauben, dass das Fieber steige, wenn ein Kranker tagsüber einschläft. Deshalb weckte Mola ihre Tochter am Tage immer wieder auf, sobald dieser die Augen zufielen.

Meine Mutter erholte sich trotzdem, und als sie wieder laufen konnte, gab mein Großvater der Krankenschwester, die für den Arzt arbeitete, das Geld für die Behandlung, und die Familie machte sich auf den Weg nach unten. Sie waren dem Arzt sehr dankbar für seine Hilfe. Doch einige Tage später, als sie wieder in ihrem Lager waren, kam jemand vorbei und brachte das Geld zurück, das Tsering dem Arzt bezahlt hatte, denn der wollte nichts kassieren von seinen ärmsten Patienten. Meine Großeltern, die jede Rupie dringend gebrauchen konnten, waren überglücklich und gerührt von der Güte dieses Arztes. Sie sahen, dass es in Indien Menschen gab, die ihnen uneigennützig halfen.

Zwei Jahre verbrachten Mola, Tsering und Sonam zusammen mit den anderen tibetischen Steineklopfern in den Wäldern um Shimla. Bei Monsun saßen sie im Regen, Schlamm und Nebel, bei Trockenheit drang der Straßenstaub durch alle Ritzen und in alle Poren. Tsering ging es wieder so schlecht, dass er zurück ins Krankenhaus musste. Mola und Sonam versorgten ihn dort regelmäßig mit Mahlzeiten und Tee, denn mittellose Patienten wurden im Krankenhaus nicht verpflegt. Mein Großvater erholte sich nur langsam von seinem unbekannten Leiden und verbrachte mehrere Monate im Krankenhaus.

Mola war erschöpft und aufgerieben von der harten körperlichen Arbeit, die sie neben der Versorgung ihres Mannes und ihrer Tochter zu bewältigen hatte, und beschloss deshalb, mit Sonam in die Stadt zu ziehen. Dort müsste sich ihrer Meinung nach eine andere Möglichkeit finden lassen, um die paar Rupien zu verdienen, die sie zum Überleben brauchten. So wanderte sie mit der knapp achtjährigen Sonam, wie immer schwer beladen, eine der endlosen Schotterstraßen entlang, die sich in engen Serpentinen auf den Hügel zog, auf dem Shimla lag.

Mola benötigte nicht lange, um eine Geschäftsidee zu entwickeln: Das bisschen Geld, das ihr vom Steineklopfen übrig geblieben war und das sie nicht für Gerste, Milch oder Gemüse ausgeben musste, investierte sie in eine neue Arbeit. Sie kaufte Rohwolle, die sie mühsam trocknete, kardierte, sponn und zu Pullovern strickte, wie sie sie aus Tibet kannte. Diese Pullover verkaufte sie in Läden, die westliche Touristen besuchten, die in die indischen Berge kamen, ohne daran zu denken, dass es dort oben oft nicht wärmer war als in den europäischen Alpen.

Bald arbeitete Mola Tag und Nacht, um etwas Geld beiseitelegen zu können. Dabei kamen nur winzige Beträge zusammen, aber es war mehr, als die Familie zum nackten Überleben benötigte. Wünsche gab es ohnehin genug. Sonam wollte so gerne einen Schulranzen haben, wie sie ihn bei den indischen Kindern gesehen hatte. Mola war entsetzt, denn mit dieser Ausgabe wären all ihre Ersparnisse mit einem Mal aufgebraucht worden, aber Sonam bettelte so lange und herzerweichend, bis ihre Mutter nachgab und eines Tages tatsächlich mit einer neuen Schultasche heimkam. Sonam war überglücklich, stopfte den Ranzen mit altem Papier voll, das sie von der Straße aufgesammelt hatte, und stolzierte fortan mit der Tasche auf dem Rücken durch die Stadt. Leider musste es dabeibleiben, denn einen Schulbesuch ihrer Tochter hätte sich Mola niemals leisten können. Ihr Einkommen reichte weder für das Schulgeld noch für eine Schuluniform oder für Lehrbücher.

Mola litt sehr darunter, unter welch elenden Verhältnissen ihre Familie hier in Indien leben musste. In Tibet hatte sie zwar auch nur wenig besessen, doch als Nonne hatte sie von den Gläubigen immer das Nötigste geschenkt bekommen. Hier kümmerte sich kein Mensch um eine tibetische Nonne, nicht einmal die Tibeter, die in Shimla lebten, denn auch sie waren allesamt selbst Flüchtlinge und hatten genug damit zu tun, ihr eigenes Überleben zu sichern.

Auf Pilgerfahrt

In Indien träumten sich die geflohenen Tibeter in das Reich ihres Glaubens, da ihnen ihr irdisches Reich abhandengekommen war. Dudjom Rinpoche war neben dem Dalai Lama nicht nur für meine Großmutter ein spirituelles Vorbild. Der Rinpoche lebte in Shimla, hielt sich aber auch häufig in dem viel weiter östlich, an der Grenze zum damaligen buddhistischen Königreich Sikkim gelegenen Städtchen Kalimpong auf, das damals von vielen tibetischen Flüchtlingen, vor allem Mönchen, bevölkert war.

Meine Großeltern lebten nach wie vor in bitterster Armut, ihr Besitz passte in zwei Koffer, doch ihre Sehnsucht nach Spiritualität war groß. Morgens und abends verrichteten sie ihre Gebete, wie sie es ihr ganzes Leben lang getan hatten. Schmerzlich vermissten sie jedoch die Rituale und die Belehrungen von Dudjom Rinpoche, ja sie vermissten das ferne Tibet, das Land hinter den Bergrücken am nördlichen Horizont, in dem sie früher in Frieden gelebt hatten. Doch dieses friedliche Tibet ihrer Erinnerung existierte zu jener Zeit, Anfang der sechziger Jahre, nicht mehr. Die Chinesen hatten längst damit begonnen, das soziale und kulturelle Gefüge des Landes umzupflügen. Sie enteigneten den Adel, zerstörten die Klöster, vertrieben die Mönche, folterten hohe geistliche Würdenträger, zerschlugen die Verwaltung des Staates, an dessen Spitze der Dalai Lama gestanden hatte, sperrten die Großgrundbesitzer in Arbeitslager und begünstigten die Einwanderung Zehntausender, später Hunderttausender Han-Chinesen. In Tibet sollte kein Stein auf dem anderen bleiben.

Als meine Großeltern erfahren hatten, dass Dudjom Rinpoche in Kalimpong eine große *mani-rilbu*-Zeremonie abhalten wollte, beschlossen sie, daran teilzunehmen, um den Segen des Meisters zu bekommen. Also packten sie ihre wenigen Besitztümer zusammen und bestiegen mit ihrer Tochter und einigen anderen Tibetern einen altertümlichen Zug, der sie Richtung Osten transportieren sollte.

Zu ihrer großen Freude hatten die tibetischen Pilger mitbekommen, dass es an der Spitze des Zuges, an der Dampflokomotive, einen Hahn gab, aus dem heißes Wasser floss. Also nutzten sie jeden der zahlreichen Halte des meist gemächlich durch die indischen Ebenen keuchenden Zuges, um mit Töpfen und Teekesseln nach vorne zur Lokomotive zu laufen und dort ihre Behältnisse mit heißem Wasser zu füllen. Sonam hatte jedes Mal große Angst davor, dass der Zug wieder losfahren könnte, bevor ihr Pala mit dem Wasser zurückkommen würde, weshalb sie die aufregende Reise nicht genießen konnte. Bei der Zubereitung ihres geliebten tibetischen Buttertees und dem Mischen des warmen Wassers mit *tsampa* wurden die tibetischen Pilger allerdings oft unterbrochen, weil sie ohne Tickets reisten, die sie sich selbst in der billigsten Zugklasse nicht leisten konnten. Immer wieder mussten sie deshalb eilig den Zug verlassen, um einem Schaffner zu entkommen, und fanden sich dann in einem allen unbekannten, für sie namenlosen indischen Ort wieder, mitten im Gewusel von Menschen, Fahrrädern, Eselskarren und Autos, das sie immer wieder in heillose Verwirrung trieb. Danach mussten sie sich umständlich einen neuen Zug suchen, der sie weiter in Richtung Kalimpong bringen würde.

Doch sie kamen alle wohlbehalten in Kalimpong an, in der Stadt, die so weit nördlich lag, dass man von ihr aus die schneeweißen, in der Sonne blitzenden Berge des Himalajas zum Greifen nah sehen konnte, unter ihnen den Gipfel des Kanchenjunga, des dritthöchsten Berges der Welt. Obwohl meine Familie keine allzu guten Erinnerungen an diese Gebirgskette hatte, bedeutete ihr Anblick für sie doch ein Stück Heimat. Ein Stück Sehnsucht, das sich wie ein Traumbild hinter den waldigen Hügeln Kalimpongs in den makellos blauen Himmel erhob.

Aus allen Regionen Nordindiens und aus den angrenzenden Ländern Bhutan und Nepal waren Hunderte Tibeter angereist, um den Initiationen beizuwohnen, die unter der Leitung von Dudjom Rinpoche stattfinden sollten. Mola und ihre Familie ließen sich neben der großen weißen Villa des Rinpoche nieder, wo Pilger ein Dorf mit provisorischen Hütten aus Bambusstangen errichteten, deren Dächer sie mit den riesigen Blättern einer Pflanze deckten, die sie nie zuvor gesehen hatten. Fast alle waren mit leeren Händen gekommen, doch die Stimmung der Pilger war hervorragend. Alle schätzten sich glücklich, an einem so heiligen Ort beisammen sein zu dürfen und Verwandte und alte Freunde zu treffen.

Der Rinpoche hatte mehrere Töchter, die Sonam zu ihrer Spielkameradin erwählt hatten. Wann immer sie konnten, riefen sie nach ihr, um sie zum Mitspielen aufzufordern. Sobald Mola die Rufe der Mädchen von nebenan hörte, scheuchte sie Sonam in das Haus des Rinpoche und schärfte ihr ein, den höheren Töchtern stets zu Willen zu sein, sie nicht zu beleidigen, ihnen zu gehorchen und vorsichtig mit ihnen umzugehen, damit sie während eines Spiels nicht beschmutzt oder gar verletzt würden. Mola sorgte sich um die Kinder des heiligen Mannes, die ihr noch viel wertvoller vorkamen als ihr eigenes Kind. All diese Anweisungen benötigte Sonam nicht, denn sie wusste nur zu gut, wen sie vor sich hatte: Die Kinder einer göttlichen Wiedergeburt, denen man wie deren Vater und deren ganzer Familie jederzeit höchsten Respekt schuldig war. So konnte Sonam mit den Kindern Dudjom Rinpoches nicht sorglos spielen, da sie sich durch die eigene Minderwertigkeit, die sie stets empfand, eingeengt und unsicher fühlte. Dadurch genossen die Kinder des Rinpoche einen Vorteil, den sie weidlich ausnutzten, um Sonam oft bis aufs Blut zu ärgern. Diese wagte sich aber nur in den wenigen Fällen zu wehren, in denen ihr die anderen Kinder Dinge auftrugen, die ihr allzu abwegig erschienen.

Die Gläubigen waren bereits mitten in der *mani-rilbu*-Zeremonie. Die Erwachsenen beteten Tag und Nacht zusammen mit Dudjom Rinpoche. Wer nicht mehr konnte, legte sich schlafen und wurde von anderen Betenden abgelöst. *Rilbu* heißen die heiligen Kügelchen, die die meisten Tibeter einmal täglich essen, *mani* kommt von dem Mantra *om mani peme hung*. Die eine Woche lang Tag und Nacht andauernde Zeremonie, die in Kalimpong stattfand, diente vor allem der komplizierten Herstellung dieser heiligen Kugeln, die nicht nur aus fein zerriebenen heiligen Kräutern, Wurzeln und Ästchen, sondern auch aus zermahlenen Knochen verstorbener Rinpoches sowie aus Haaren, Nägeln und Kleidungsstücken sehr hoher Gurus hergestellt wurden.

Nach dem Gebet besuchten Mola und Tsering mit ihrer Sonam gläubige Tibeter, die sich schon lange Zeit zuvor in Kalimpong niedergelassen hatten, und erhielten von ihnen *tsampa*, Trockenfleisch und manchmal sogar einige Rupien, denn es galt für jeden Buddhisten als gute Tat, mittellose Pilger zu beschenken. Bei diesen Gängen durch Kalimpong bewunderten die drei die prächtigen Sommerresidenzen der britischen Kolonialherren, die vor den heißen Sommern Kalkuttas hierhergeflohen waren.

Doch der einstmals blühende Handelsknotenpunkt hatte seine beste Zeit schon hinter sich, was meiner Familie nicht auffiel, da sie noch nie einen so prächtigen, von Tausenden Blüten geschmückten und sauberen Ort gesehen hatten. Kalimpong war indes längst zu einem bedeutungslosen Provinzstädtchen geworden, denn die britischen Kolonialisten hatten das Land verlassen, und seit der kommunistischen Revolution in China und der chinesischen Besatzung Tibets war die Grenze zum nördlichen Nachbarn gesperrt und die alte Handelsroute blockiert.

Eines Tages hörte meine Großmutter, dass weiße christliche Missionare vor ihrer Kirche regelmäßig Milchpulver verteilten. So machte sich die ganze Familie auf den Weg dorthin, um dieses wertvolle Pulver zu holen, aus dem man angeblich Milch machen konnte, was sie noch nie zuvor gesehen hatten. Tatsächlich bekamen sie ihr Gefäß mit dem weißen Puder gefüllt. Dieses Milchholen entwickelte sich bald zur Routine, und wenn Mola keine Zeit hatte, schickte sie Sonam, denn diese milde Gabe war für die Familie an manchen Tagen das wichtigste Lebensmittel. Mola war dankbar für diese Hilfe, wunderte sich aber über die Schriften, die die Missionare zusammen mit ihren Spenden verteilten. Die waren zwar auf Tibetisch abgefasst, wie Molas heilige Schriften, doch darin standen für sie unverständliche Worte über einen Vater, der im Himmel wohnen sollte und seinen Sohn auf die Erde geschickt hatte, damit der sterbe für die Menschen. Das kam ihr alles merkwürdig vor. Sie wusste nichts Rechtes damit anzufangen, doch sie merkte, dass die Weißen ihr Milchpulver nur denjenigen gaben, die auch diese Zettel annahmen, was sie dann natürlich auch tat. Die Schriften verbrannte sie später sorgfältig, denn das Geschriebene war in tibetischen Lettern abgefasst, die für Mola wie für alle Tibeter heilig sind, weshalb man sie nicht auf den Boden legen, mit Füßen treten oder gar wegwerfen durfte. Nur das Verbrennen war eine ihrem Status angemessene Entsorgungsart, denn aufheben wollte sie die merkwürdigen Geschichten von dem Vater, den sie noch nie gesehen hatte, nun auch wieder nicht.

Plötzlich veränderte sich die Situation in Kalimpong. Man schrieb das Wasser-Tiger-Jahr, es war Herbst 1962, der Indisch-Chinesische Grenzkrieg brach aus, chinesische Soldaten drangen auf indisches Staatsgebiet vor, die indischen Truppen konnten die Angreifer nicht aufhalten, innerhalb kürzester Zeit gab es fast zweitausend Tote. Dudjom Rinpoche war über diese Vorgänge im Bilde und hatte sie den Pilgern in seiner spirituellen Sprache erklärt.

Also flüchteten Mola, Tsering und Sonam wieder. Sie kletterten erneut in Züge, mussten beim Reisen immer auf der Hut sein, weil sie sich keine Tickets kaufen konnten, und rührten ihr *tsampa* mit dem heißen Wasser aus dem Kessel der Dampflok an. Bevor sie nach Shimla zurückkehrten, wollten sie noch andere heilige buddhistische Orte aufsuchen. Sie pilgerten zum Tso Pema, dem heiligen Lotussee in Rewalsar in der Nähe der Stadt Mandi, an den Ort, von dem aus Padmasambhava, der aus einer Lotusblüte geborene Guru Rinpoche, aufgebrochen war, um den Buddhismus nach Tibet zu bringen. Sogar nach Bodh Gaya kam meine Familie, wo der Baum stand, unter dem Siddhartha Gautama, der historische Buddha, vor rund zweitausendfünfhundert Jahren erleuchtet wurde. In Delhi, der indischen Hauptstadt, besuchte meine Familie viele Tempel, die so groß und prächtig waren, wie meine Vorfahren sie noch nie gesehen hatten.

Sonam hatte bald genug von all den Tempeln, Götterstatuen und Opferritualen. Da ihre Eltern durch die vielen für die Reise nötigen Ausgaben kein Geld mehr hatten, lief Sonam immer dann, wenn sie rasteten, zusammen mit anderen Kindern durch die riesige, ihr völlig unbekannte Stadt, um die Leute um ein paar Paise anzubetteln, die kleinere Einheit der indischen Rupie. Dabei entwickelte meine Mutter eine Hartnäckigkeit, die sie sich von indischen Bettelkindern abgeschaut hatte, die ihren Opfern so lange nachrannten, bis sie etwas bekamen. Mola sah es nicht gern, dass ihre Tochter betteln ging, weshalb Sonam es meist heimlich tat.

An all diesen heiligen buddhistischen Stätten, die sie auf ihrer Pilgerreise besucht hatte, beten zu dürfen, war für meine Großmutter ein außergewöhnliches Erlebnis, da sie, als sie noch in Tibet lebte, nie angenommen hatte, diese heiligen Orte einmal mit eigenen Augen sehen zu können.

Swiserland

Als meine Familie und die anderen Pilger wieder nach Shimla zurückgekehrt waren, sorgte auch dort die Weltpolitik für unruhige Zeiten. Das Himalajastädtchen liegt nahe an der umstrittenen Grenze Indiens zu seinem ungeliebten Nachbarland Pakistan. Beide Länder beanspruchten den Himalajastaat Kaschmir für sich, besetzten ihn und teilten ihn unter sich auf. Mitte der sechziger Jahre griffen pakistanische Soldaten den indischen Bundesstaat Jammu und Kaschmir an, was zum sogenannten Zweiten Indisch-Pakistanischen Krieg führte.

Meine Familie wusste zu dieser Zeit nichts von diesen politischen Verstrickungen, sie litt bloß unter deren Folgen. Immer wieder heulten Sirenen, dann mussten sie sich im Wald in Sicherheit bringen, sich dort auf den Boden werfen, die Ohren zuhalten, ein Stück Holz zwischen die Zähne pressen und auf die Bombe warten, bis Entwarnung gegeben wurde.

Eines Tages verbreitete sich in der tibetischen Gemeinde Shimlas das Gerücht, man habe die Flüchtlingsgruppe, mit der Mola, Tsering und Sonam nach Indien gekommen waren, für die Weiterreise in ein geheimnisvolles Reich namens »Swiserland« ausgewählt, in dem es fast so hohe Berge geben sollte wie in Tibet, jedenfalls auch Eis und Schnee und vielleicht sogar Bären und Wölfe, aber wohl keine Yaks. Es wäre eine große Ehre, dorthin kommen zu dürfen. Mola wusste nicht, was sie davon halten sollte: Es klang gut, aber was, wenn es dort wieder keine Häuser für sie geben sollte? Wenn niemand Tibetisch verstünde? Doch sie dachte nicht weiter darüber nach, sondern ließ die Dinge an sich herankommen, und ihr Karma schlug den Schweizer Plänen ohnehin ein Schnippchen: Sie erfuhr, dass die Behörden eine andere Gruppe von Tibetern ausgewählt hätten. Meine Familie sollte stattdessen in dem Bundesstaat Orissa im Südosten Indiens angesiedelt werden.

Dort wollte die indische Regierung den Tibetern ein Stück Land mitten in einem riesigen Waldgebiet schenken, das sie selbst roden und bewirtschaften sollten. Niemand wusste etwas Genaueres über den Plan, doch alle machten sich fertig für die Abreise und begaben sich zum Bahnhof, obwohl ihnen niemand gesagt hatte, wann der Zug nach Orissa abfahren würde. Noch aus Tibet waren sie gewohnt, eine solche Einladung anzunehmen, sobald sie ausgesprochen worden war, und dann an Ort und Stelle zu warten, bis es so weit wäre.

Zum Erstaunen der indischen Bevölkerung stellten die Tibeter ihre Zelte direkt vor dem Bahnhof auf, entfachten ihre Feuer, rührten ihr *tsampa* in den kochenden Tee ein und streuten ein paar Flocken Butter darüber. Die Szene sah wie ein tibetisches Nomadenlager aus, wenn auch mitten vor dem Bahnhof einer indischen Kleinstadt.

So vergingen Tage, dann Wochen, bis Tsering wieder krank wurde. Er litt unter heftigen Verdauungsproblemen und schrecklichem Durchfall, hatte Blut im Stuhl und wurde zusehends schwächer. Plötzlich hieß es, dass der Zug nach Orissa täglich erwartet würde, und tatsächlich stand er am nächsten Morgen im Bahnhof. Mola entschied jedoch, dass Tsering in seinem Zustand unmöglich diese mehrtägige Reise antreten könne, und wollte deshalb mit Sonam in Shimla bleiben, obwohl der Mönch Tharchin-la ihr geraten hatte, nach Orissa mitzufahren. Während alle anderen Tibeter den lange erwarteten Zug bestiegen, diesmal nicht als Schwarzfahrer, sondern als offizielle Gäste der indischen Regierung, blieb meine Familie in Shimla.

Der Abschied fiel tränenreich und dramatisch aus, obwohl Mola versicherte und damals auch glaubte, dass sie der Gruppe nachreisen würden, sobald sich Tserings Zustand gebessert hätte. Doch das Schicksal hatte es dieses Mal nicht schlecht gemeint mit meiner Familie: Der den Tibetern zugedachte Wald in Orissa entpuppte sich als unwegsamer Dschungel voller Schlangen und giftiger Insekten, das Klima war tropisch und die Gewässer mit Krankheitskeimen verseucht. Viele Tibeter mussten ihren Entschluss, nach Orissa zu reisen, mit dem Leben bezahlen, weil sie mit den klimatischen Verhältnissen am Rande des Indischen Ozeans nicht zurechtkamen.

Meine Familie entkam so zwar diesem tödlichen Dschungellager, doch sie war alles andere als in Sicherheit. Da es Tsering immer schlechter ging, wollte Mola ihn in das Krankenhaus von Shimla bringen, aber mein Großvater war viel zu geschwächt, um den Weg dorthin bewältigen zu können. Verzweifelt rannte Mola auf der Suche nach Hilfe für ihren Mann durch die Stadt, doch die indischen Stellen fühlten sich nicht zuständig für einen todkranken, mittellosen tibetischen Mönch. Erst als sie auf »Save the Children« stieß, hatte Mola Erfolg: Die weiße Mitarbeiterin im Büro der britischen Hilfsorganisation versprach, ein Auto zu schicken, das Tsering ins Krankenhaus bringen könnte. Mola mochte kaum glauben, dass die nette Frau ihr Wort halten würde, doch tatsächlich kam am nächsten Morgen ein Wagen, um Tsering abzuholen.

Mola und Sonam mussten sich nun eine neue Unterkunft suchen, denn zu zweit konnten sie nicht auf der Straße vor dem Bahnhof bleiben. Aber wo sollten sie wohnen, ohne Geld und ohne Freunde, die nun alle in dem Zug nach Orissa saßen? Mola machte sich auf die Suche nach einer Bleibe, während Sonam auf das Gepäck aufpassen sollte. Der Vormittag verging, es wurde Nachmittag, und der Abend brach herein. Meine Mutter hatte Durst, ihr Magen knurrte vor Hunger, und sie hatte Angst vor den Indern, die geschäftig über die riesige Treppe zu ihren Füßen liefen, sie schamlos anstarrten und wohl darüber nachdachten, worauf dieses fremdländisch aussehende Mädchen wartete. Sie fürchtete sich vor den indischen Bettlern, denen klar war, dass sie von ihr keine Almosen zu erwarten hatten, die sie aber dennoch mit lauernden Blicken umkreisten. Sie fühlte sich beobachtet von den Kaufleuten, die in ihren düsteren, mit tausenderlei Tand vollgestopften Buden zu beiden Seiten der Treppe saßen.

Sonam hockte zusammengekauert zwischen den Gepäckstücken und krallte sich an ihren Taschen fest. Sie spürte, wie in ihr die Tränen hochstiegen, und begann zu weinen, bis ihre Tränen wieder versiegten. Sie befand sich bereits in einem Zustand verzweifelter Starre, als Mola endlich auftauchte, gehetzt und erschöpft, doch mit einer guten Nachricht: Sie hatte ein Quartier für sie beide gefunden.

Alte Freundschaft

Sonam konnte ihr Glück kaum fassen, ihre Tränen flossen sofort wieder, wortlos fiel sie der Mutter um den Hals. Die Unterkunft entpuppte sich als abbruchreifes Haus, das sich bereits so an den stark geneigten Hang, auf dem es stand, angepasst hatte, dass es aussah, als würde es jeden Moment hinunterrutschen. Die Hütte war von ihren Besitzern längst aufgegeben worden und durfte aus Sicherheitsgründen nicht mehr betreten werden. Also konnten sie bleiben, denn wer sollte sich in einem indischen Bergstädtchen um die Sicherheit zweier tibetischer Flüchtlinge Sorgen machen?

Der Zustand des Hauses war jedoch so schlecht, dass sich Mola nach ein paar Wochen auf die Suche nach einem neuen Quartier machte und im eine Stunde Fußmarsch von Shimla entfernten Weiler Kilti fündig wurde. Dort wohnte eine alte Freundin aus Tibet, die aus einer ehemals reichen und angesehenen Adelsfamilie stammende Nonne Ani Pema-la. In deren unmittelbarer Nachbarschaft gab es eine Hütte, die Mola für wenig Geld mieten konnte, das sie sich mit Pulloverstricken verdienen wollte.

Mola und Ani Pema-la hatten früher eine Zeit lang gleichzeitig in der Einsiedelei gelebt und freuten sich über ihr Wiedersehen. Obwohl sie sich in einer gemeinsamen Notlage befanden, lebten alte Gewohnheiten sofort wieder auf: Mola sorgte wie früher für ihre adlige Freundin, die dies von meiner Großmutter auch erwartete. Mola musste für sie in Shimla einkaufen oder Wasser holen, kochen, waschen und putzen.

Da Mola immer beschäftigt war, blieb meine Mutter den ganzen Tag sich selbst überlassen. Das wirkte sich auf Dauer schlecht auf ihren Zustand aus: Sie vernachlässigte ihre Körperpflege, bekam Läuse und war bald nur noch ein Häufchen Elend voller Eiter, Krätze, Ekzeme und Ausschläge. Mola merkte wegen ihrer vielen Verpflichtungen nicht, wie schlecht es um ihre Tochter stand. Als sie es endlich mitbekam, wusch sie Sonam gründlich, rasierte ihr die Haare vom Kopf und versorgte ihre Wunden. Sonam fand ihre Glatze zwar schlimm und verließ deshalb in den nächsten Wochen nur mit Kopftuch die Hütte, doch sie war froh darüber, dass die Wunden zu heilen anfingen.

Pema hatte den schlechten Zustand Sonams bereits lange vor Mola bemerkt, doch für sie lag es außerhalb jeder Vorstellung, selbst etwas dagegen zu tun. Sie war kein böser Mensch, im Gegenteil, Sonam liebte sie sehr, aber es gehörte sich nicht, sich mit dem Kind einer sozial niedriger stehenden Frau zu beschäftigen. So lebten die Klassenunterschiede der tibetischen Adelsgesellschaft selbst in den armseligen Hütten vor den Toren des indischen Himalajastädtchens Shimla ungebrochen fort.

Immer wenn Mola aus Shimla zurückkam und einen Pullover verkauft hatte, brachte sie nicht nur Sonam, sondern auch ihrer Freundin Früchte mit. Dann saßen Pema und Sonam nebeneinander und aßen den Apfel oder die Birne, die Mola für jede von ihnen gekauft hatte.

Mola merkte indes bald, dass sie ihre Tätigkeiten einschränken musste, um sich nicht völlig aufzureiben und ihre Tochter nicht allzu sehr zu vernachlässigen, doch sie wusste noch keine

Möglichkeit, wie sie finanziell auskommen könnte. Für sie war die Zeit in Kilti besonders schwer, da sie meistens auf sich allein gestellt war, denn Tsering durfte nur selten das Krankenhaus verlassen und sie besuchen. Er brachte seiner Frau und seiner Tochter dann immer gekochte Fleischreste auf Knochen mit, die noch warm waren und die er den Köchen von Speiselokalen abgekauft hatte.

Sonam half ihrer Mutter, so gut es ging. Sie schleppte das Brennholz heran und band sich mit einer Schnur einen leeren Kokosnussölkanister auf den Rücken, mit dem sie eine gute halbe Stunde zur nächsten Quelle marschierte. Dort füllte sie ihn halb mit Wasser, denn mehr hätte sie nicht heben können. Für den Rückweg brauchte sie fast eine Stunde. War sie ohne ihren Kanister in Shimla unterwegs, sammelte sie die Kohlenstückchen ein, die die übervollen Lastwagen verloren hatten. Als sie dabei von Polizisten beobachtet wurde, ließ sie vor Schreck ihre Kohlen fallen und rannte so schnell sie konnte, um in der Menge zu verschwinden.

Das höchste Gefühl von Luxus waren für Sonam die äußerst seltenen Spaziergänge mit ihrer Mutter auf der Promenade von Shimla. Dort gab es einen Luftballonverkäufer. Immer wenn sie ihn sah, bettelte Sonam ihre Mutter an, ihr einen Ballon zu kaufen, doch Mola lehnte ab, sie waren ihr zu teuer. Nur ein einziges Mal ließ sich Mola von ihrer Tochter umstimmen und kaufte ihr doch einen Ballon. Das war einer der größten Glücksmomente für meine Mutter in Shimla, als sie mit dem Ballon in der einen und mit Mola an der anderen Hand durch die Stadt gehen durfte. Der Luftballon zerplatzte zwar bald, doch das Glücksgefühl blieb, so groß und unzerstörbar war es.

Als sie fast kein Geld mehr hatte, besann sich Mola in ihrer Not auf eine alte Technik des Destillierens von Gerstenbier, die sie aus dem Dorf ihrer Kindheit kannte. Sie sah, wie viel Alkohol die Menschen in Shimla tranken, und kam auf die Idee, Schnaps zu brennen, um ihn zu verkaufen. Das Destillieren war ihr zwar unangenehm, ist Alkohol wie alle Betäubungs- und Rauschmittel im Buddhismus doch schlecht angesehen. Ein Buddhist soll sich durch Versenkung, Meditation und Gebet in höhere Sphären erheben, nicht durch irgendwelche Drogen. Doch dies war ein Notfall, und wie hätte meine Familie sonst überleben sollen? Also begann Mola mit ihrer neuen Arbeit, und sie verrichtete sie so gründlich wie alles andere, was sie in ihrem Leben anfasst. Sie hätte den Schnaps auch strecken können, doch dies widerstrebte ihr. Wenn die Menschen von ihr Alkohol kauften, dann sollten sie für ihr Geld beste Qualität bekommen, alles andere wäre ihr noch unehrenhafter vorgekommen.

Mola hatte vermutlich auch wegen der Güte ihres Destillats großen Erfolg und kam kaum nach mit dem Produzieren. Eines Nachts erschien ein betrunkener Kunde bei ihr und verlangte lautstark nach noch mehr Schnaps. Als Mola ihm nichts mehr verkaufen wollte, begann er zu randalieren und zündete den Vorhang am Zugang zur Hütte meiner Familie an. Mola stürzte sofort hinaus, nahm einen stets beim Eingang griffbereiten, mit Wasser gefüllten Eimer und löschte damit das Feuer. Am nächsten Morgen lag der Brandstifter immer noch vor ihrer Haustür und schlief dort wie bewusstlos seinen Rausch aus. Nach diesem Erlebnis schloss Mola ihre eben erst eröffnete Destillerie, denn dieser Zwischenfall war für sie ein Zeichen dafür, dass ihre unbuddhistische Schnapsbrennerei kein gutes Karma brachte.

Schlechtes Karma erfuhr meine Großmutter auch durch einen Zwischenfall mit Ada, einem Verwandten, der sie besuchte, nachdem er aus Tibet nach Indien geflohen war. Obwohl Mola kaum Vorräte hatte, bewirtete sie den Mann. In ihrer Küche bereitete sie ihm Essen zu, während Ada erschöpft auf ihrem Bett saß. Als sie ihm das Mahl brachte, verhielt Ada sich seltsam, wie erschrocken oder ertappt. Er aß schnell und verabschiedete sich kurz darauf eilig. Mola kam das merkwürdig vor. Instinktiv sah sie unter dem Kissen nach, neben dem Ada gesessen hatte, denn dort befand sich der Platz für ihre Wertgegenstände, die nicht viel Raum einnahmen: ein paar chinesische Münzen und wenige indische Banknoten, ihr gesamtes Erspartes. Wie vom Blitz getroffen stand Mola da, als sie feststellen musste, dass alles gestohlen war, ihre wenigen Reserven, die ihrer Familie das Überleben für ein paar Monate hätten sichern können.

Mola war verzweifelt, sie war wie gelähmt, zu keinem klaren Gedanken fähig. Sollte ihr Verwandter sie bestohlen haben? Als Tsering am selben Tag wieder einmal aus dem Krankenhaus heimkam, erzählte sie ihm alles. Zornentbrannt wollte er sofort Ada aufsuchen, um ihm sein Diebesgut, wenn nötig mit Gewalt, wieder abzunehmen. Nur mühsam konnte Mola ihn zurückhalten. Sie wollte keinen Streit, schon gar nicht in der eigenen Familie. Also ging sie zu Adas Frau und klärte sie über die Tat ihres Mannes auf. Diese wollte es nicht glauben, doch Mola blieb standhaft und ging erst wieder, als ihr Adas Frau zusicherte, ihren Mann zur Rede stellen zu wollen.

Eine Woche lang geschah nichts. Meine Großeltern sorgten sich bereits um ihre Zukunft. Mehrmals musste Mola Tsering davon abhalten, das Geld zu holen, bis Adas Frau endlich kam und mit finsterer Mine das Gestohlene zurückbrachte, ohne ein Wort über die Sache zu verlieren. Auch Mola erwähnte die Angelegenheit danach gegenüber ihren Verwandten nie wieder. Sie hat ein so großes Herz, dass sie Ada und seiner Frau viele Jahre später, als es ihr finanziell besser ging, immer wieder Geld überwies, weil sie wusste, dass Ada nach wie vor arm war.

Meine Mutter war zwölf Jahre alt, als ein völlig neues Kapitel in ihrem Leben begann: Indische Männer begannen sich für sie zu interessieren. Das war eine Welt, mit der sie noch nichts zu tun haben wollte, doch verhindern konnte sie es trotzdem nicht. Der erste Mann, der Interesse an ihr hatte, war der Neffe des Hausbesitzers, der meiner Familie eine seiner Hütten vermietete und gleich nebenan wohnte. Dieser Neffe war mindestens doppelt so alt wie meine Mutter und noch dazu indischer Metzger, ging also einem Beruf nach, der jedem Buddhisten ein Grauen war. Immer wenn Sonam am Haus seines Onkels vorbeiging, machten der Neffe und die Männer, die normalerweise dort mit ihm herumlungerten, zweideutige Bemerkungen, die Sonam zwar nicht verstehen, deren Sinn sie jedoch fühlen konnte, denn dieser traf sie schmerzhaft. Sie spürte, dass diese Andeutungen etwas mit ihr und diesem Metzger zu tun hatten, vor dem sie sich schrecklich fürchtete. Als er sie einmal am Arm packte, während sie vorbeiging, entfuhr meiner armen Amala instinktiv ein Schrei und Panik erfasste sie. Mit aller Kraft riss sie sich los und stürzte unter dem Gelächter und Gefeixe der Männer ins Haus ihrer Eltern. Fortan versuchte sie, wann immer es möglich war, einen großen Bogen um das Nachbarhaus zu machen, und versteckte sich sofort, wenn der Metzger oder sein Onkel sich anschickten, Sonams Familie zu besuchen.

Zu dieser Zeit verfiel Tsering immer mehr. Wie ein alter Mann ging er am Stock und schleppte sich mühsam den Weg von Shimla zur Hütte seiner Familie hinauf. Er malte auf Holzbrettchen indische Motive, Tempel, Berge, Wasser holende Frauen oder wilde Tiere, die sein Auftraggeber an Touristenläden in der

Stadt verkaufte, und trug so etwas zum Lebensunterhalt der Familie bei. Sonam war glücklich, dass ihr Pala nicht mehr im Krankenhaus sein musste. Zu ihrem vollständigen Glück fehlte nur noch, mit ihrer Schultasche in eine richtige Schule gehen zu dürfen.

In der Nähe ihres Weilers gab es eine Dorfschule, in der ein alter Lehrer über fünfzehn indische Kinder herrschte, deren Eltern nur wenig für die Schule ausgeben konnten. Der Unterricht fand meist vor der ebenerdigen, mit Wellblech gedeckten Baracke statt, die Kinder saßen auf dem Erdboden im Staub und kritzelten mit Bleistiftstummeln in ihre zerknitterten Hefte. Sonam ging oft zu dieser Schule hinüber und saß neben den anderen Kindern, ohne mitmachen zu dürfen, weil sie kein Schulgeld zahlen konnte. Sie war froh, wenn sie der Lehrer nicht fortjagte, denn sie fürchtete sich vor ihm, weil er schielte, dass sie nie wusste, ob er sie ansah oder nicht.

Als Mola von Sonams Besuchen in der Dorfschule erfuhr, ging sie zum Lehrer, brachte ihm Tee und süßes Brot, das sie selbst gebacken hatte, und pries ihm so lange ihre Tochter an, bis er sich erweichen ließ und Sonam in seiner Schule mitmachen lassen wollte, wenn sie von ihrer Mutter immer wieder süße Brote mitbringen würde. Sonam bekam zwar nicht viel vom Unterricht mit, weil die anderen schon viel weiter waren, und vermutlich auch, weil sich der Lehrer nicht groß um sie kümmerte. Trotzdem war sie glücklich, endlich dabei sein zu dürfen. Doch ihr neues Leben als Schülerin begann mit einer Namensänderung: Ihren tibetischen Namen konnte der Lehrer nicht aussprechen, also nannten er und die anderen Kinder in der Schule Sonam fortan Shantakumar ohne dass Sonam je erfahren sollte, was dieser Name bedeutet.

Bittere Tage in Summer Hill

In den bewaldeten Bergen, die sich hinter Shimla in Richtung des riesigen Himalajabogens erhoben, stand auf halber Höhe Sterling Castle, eine sagenumwobene Villa, die von »Save the Children« geführt wurde, der Hilfsorganisation, die Mola schon einmal geholfen hatte, als sie nicht wusste, wie sie meinen kranken Großvater Tsering ins Krankenhaus transportieren sollte. Sterling Castle beherbergte ein Waisenhaus, eine Krankenstation und eine Schule für tibetische Kinder. Mola wusste zwar, dass es in Indien Hilfe für Arme gab, doch sie wusste nicht, wie sie diese Hilfe erhalten könnte. Obwohl sie gehört hatte, dass in Sterling Castle Europäer lebten, die viel Gutes taten, betrachtete sie das stolze Haus mit den weithin über die grünen Baumkronen leuchtenden weißen Mauern, seinen hohen Toren und verglasten Veranden als für sie verschlossen und unerreichbar.

Auch meine Mutter Sonam wusste von diesem Schloss, und sie wusste, dass dort die Nichte Ani Pema-las, der adligen Nachbarin meiner Familie, arbeitete. Als ihre Neugierde zu groß wurde, beschloss Sonam, zusammen mit einer Freundin zum Sterling Castle zu gehen und um bunte Kügelchen zu betteln, die dort offenbar abgegeben wurden.

Pemas Nichte empfing Sonam tatsächlich recht herzlich und übergab ihr in der Tat ein Päckchen mit den Kügelchen, von denen sie immer nur eines essen durfte, und ein langes schwarzes Kleid, das sie gleich anprobieren sollte. Sonam war aber viel zu scheu, um sich vor der unbekannten Frau halb auszuziehen. Diese schüttelte nur den Kopf und gab ihr das Kleid mit. Es war schon fast dunkel, als meine Mutter nach einem dreistündigen Fußmarsch überglücklich mit dem Kleid und den Tabletten zu Hause eintraf. Ihr Vater kam ihr wütend entgegen, er hatte sich große Sorgen um sie gemacht, und verbot ihr, noch einmal nach Sterling Castle zu gehen. Das Kleid war Sonam zwar viel zu groß, aber sobald die Ärmel umgeschlagen und die langen Schöße hinter den Gürtel geschoben waren, fühlte sie sich von allen bewundert.

Obwohl die Eltern es ihr verboten hatten, ging meine Mutter wann immer sich die Gelegenheit bot nach Sterling Castle. Manchmal kam sie mit diesen süßen Tabletten zurück, einem Vitaminpräparat, wie sie erst später erfuhr, manchmal mit Kleidung. Die Schwestern mussten Sonam ins Herz geschlossen haben, denn sie ließen sie nie mit leeren Händen ziehen. Als meine Mutter bei einem ihrer Besuche zufällig am »Sick Room«, dem Schlafsaal der Krankenstation, vorbeikam, war es um sie geschehen: So einen wunderschönen großen, weißen Raum mit Fenstern hoch wie ein Tempel, in dem zwei Reihen mit ebenso weiß bezogenen Betten mit weißen Kissen und weißen Decken standen, hatte Sonam noch nie gesehen. Sie beschloss, dass sie auch in einem dieser wunderbaren Bettchen liegen wollte. Das nächste Mal würde sie als Kranke kommen und genau hier übernachten!

So geschah es auch: Als sie sich leicht krank und fiebrig fühlte, sagte Sonam ihren Eltern, dass sie für ein paar Tage im Sterling Castle bleiben würde, worüber die Eltern froh waren, weil sie ihre Tochter dort gut versorgt wussten. Die Schwester nahm sie, da sie keine Unbekannte mehr war, ohne Umstände in die Krankenstation auf, und schon lag Sonam in einem dieser für sie so erstrebenswerten Bettchen. Doch was war das? Den übrigen Kindern im Schlafsaal schien es nicht gutzugehen. Eines weinte, ein anderes schluchzte in sich hinein, wieder ein anderes starrte apathisch an die Decke. Noch schlimmer wurde es nach Einbruch der Dunkelheit: Dann zogen die Klagelaute durch das gesamte Gebäude, an allen Ecken und Enden schluchzte und wimmerte es.

Auch an Sonams Bett war etwas merkwürdig: Das Laken klebte und knisterte, was sie sich nicht erklären konnte, bis sie herausfand, dass über der Matratze noch eine Gummimatte lag. Diese war schuld an dem schweißnassen Betttuch. Schlaflos wälzte sich Sonam die Nacht hindurch auf ihrem Prachtbett, wagte es am nächsten Morgen aber nicht, eine der Schwestern zu bitten, die Gummimatte zu entfernen, denn meine Mutter wollte nicht undankbar erscheinen. Erst als Mola zu Besuch war, erzählte sie ihr von dem Problem. Großmutter sprach mit einer der Schwestern, und schon war die Matte beseitigt. Doch viel schlimmer als diese Gummimatte war Sonams Heimweh. Schließlich war sie zum ersten Mal in ihrem Leben von ihrer Mutter getrennt. Als Mola sie besuchte und sie ihre Amala im Vergleich zu all den gut genährten und gut gekleideten Menschen in Sterling Castle als dürr, arm und traurig empfand, war ihr so elend zumute, dass sie nachts heimlich ins Kissen weinte. Sonam machte sich große Sorgen um ihre Mutter und auch um ihren Vater, nachdem sie erfahren hatte, dass es ihm wieder schlecht ging. Dadurch wurde ihr Aufenthalt in der Krankenstation für sie alles andere als eine Erholung.

Auch sonst verlief dieser Krankenhausbesuch nicht so angenehm, wie Sonam ihn sich vorgestellt hatte: Morgens gab es Porridge zu essen, Haferflockensuppe mit Zucker. Noch nie hatte meine Mutter etwas so Süßes und Klebriges gegessen, und als sie danach noch einen Löffel Lebertran schlucken musste, schwor sie sich, den weißen Schlafraum so schnell wie möglich zu verlassen. Das war nicht so einfach, denn die Schwestern wollten sie nicht gehen lassen. Sie bestanden darauf, dass sie so lange bliebe, bis sie völlig gesund sei.

Erst zehn Tage später konnte Mola ihre gut gepflegte und sichtlich erleichterte Tochter abholen. Dabei traf sie in Sterling Castle Ani Pema-las Nichte und fragte sie nach Arbeit. Zu ihrer großen Freude erhielt Mola bald Bescheid, dass sie und Sonam für »Save the Children« arbeiten könnten.

So kam Mola zu ihrer ersten Anstellung, direkt nach der Entlassung Sonams. Sie konnte zwar nicht in Sterling Castle selbst arbeiten, aber in Summer Hill, einer Dependance der Stiftung, die noch schöner als die Zentrale mitten im Wald auf einem felsigen, gezackten Grat gelegen war. Die Salons mit atemberaubendem Blick auf das Tal von Shimla und die Vorgebirge des Himalaja wurden jedoch nicht mehr wie in der Kolonialzeit von gut gelaunten englischen Sommerfrischlern besucht, sondern waren voll mit tibetischen Waisenkindern, die meist schreiend und wimmernd in ihren Bettchen lagen. Als Mola mit ihrer Tochter nach Summer Hill kam, um ihre Arbeit anzutreten, engagierte die englische Leiterin des Heimes auf der Stelle auch Sonam, denn die kleine Belegschaft brauchte jede Hilfe, die sie bekommen konnte. Sonam war damals gerade dreizehn geworden – für die englische Leitung des Hauses höchste Zeit, das Mädchen zum Arbeiten zu schicken.

Doch welch harter Job das war: Im »Baby Room« hatten Mola und Sonam zwölf Wickelkinder zu versorgen, denen sie die Windeln wechseln, die sie füttern und waschen mussten und die dennoch dauernd schrien, weil sie in ihrem kurzen Leben bereits schreckliche Dinge durchgemacht hatten. Eigentlich sollte eine andere tibetische Schwester Mola und Sonam bei der Arbeit unterstützen, aber die war schon länger in Summer Hill, konnte ein wenig Englisch und schmeichelte sich bei der Schweizer Oberschwester ein, so dass es ihr auf diese Weise gelang, alle Arbeit auf die beiden Neuankömmlinge abzuschieben. Doch

Lotti, die Oberschwester und Leiterin der Station, war freundlich zu ihren tibetischen Helferinnen. Als sie erfuhr, wie jung Sonam noch war, empfand auch sie deren Tätigkeit als zu hart. Meine Mutter bekam daraufhin von ihr eine rosarote Plastikpuppe geschenkt, die ihre Augen schloss, wenn man sie hinlegte, und die fast so groß wie ein echtes Baby war. Spielen konnte sie mit der Puppe aber nicht, denn sie musste nach wie vor ihre schwere Arbeit verrichten und sich mit den Säuglingen beschäftigen. Als Mola bemerkte, wie sehr ihre Tochter von ihren Aufgaben überfordert war, übernahm sie von da an auch noch ihren Teil der Arbeit.

Meinem Großvater ging es unterdessen immer schlechter. Summer Hill lag ziemlich weit entfernt vom Snowden Hospital, in dem Tsering lag. Mola musste dem Schwerkranken jeden Tag etwas zu essen bringen, denn in dem indischen Krankhaus wurden die mittellosen Patienten nicht verpflegt. Also kochte Großmutter abends in dem winzigen Zimmer in Summer Hill, das sie mit Sonam bewohnte, auf einem Gaskocher Suppe für Tsering, die sie ihm in ihrer Mittagspause am jeweils nächsten Tag brachte. Sie hatte nur eine Stunde frei, weshalb sie mit Beginn der Pause sofort hinunter ins Tal lief und dort in einem indischen Teeladen gegenüber vom Krankenhaus die Suppe für wenig Geld aufwärmen ließ, um sie Tsering heiß bringen zu können. Dann hatte sie lediglich Zeit für eine kurze Begrüßung und musste anschließend wieder nach Summer Hill hinauflaufen. Dort konnte sie noch im Stehen eine Tasse Tee trinken, bevor sie wieder mit der Arbeit beginnen musste.

Die Ärzte bemühten sich mit einer einzigen Ausnahme kaum um meinen Großvater, der meist sich selbst überlassen vor sich hin vegetieren musste. Wenn dieser eine Arzt Dienst hatte, was leider viel zu selten der Fall war, kümmerte er sich um Tsering und gab ihm Medikamente, die ihm halfen. Dann war auch das indische Personal stets freundlich zu meinem Großvater. Er durfte sich in ein Bett legen, erhielt saubere Kleidung und sogar etwas zu essen, doch sobald der gute Arzt das Krankenhaus wieder verlassen hatte, wurde der arme Tsering aus seinem Bett geworfen, in eine leere, trostlose Kammer geschafft und dort seinem Schicksal überlassen.

Die gemeinsamen Besuche Molas und Sonams bei Tsering, die nur sonntags stattfinden konnten, verliefen für beide immer deprimierender. Sonam war schockiert darüber, ihren Vater auf dem blanken Boden liegen sehen zu müssen, nur mit einer von Blutflecken besudelten Wolldecke ausgestattet, und mit vor Schmerzen aufgerissenen Augen. Sein Bauch war aufgeschwollen wie bei einem verhungernden Kind, was daran lag, dass Tsering kein Wasser mehr lassen konnte. Wenn er vor Schmerzen schrie, weil sie nicht mehr auszuhalten waren, stach ihm ein Arzt die Bauchdecke auf, aus der Wasser und Urin und Blut flossen. Mola war verzweifelt, dass sie aus Geldmangel keine bessere Pflege für ihren Mann organisieren konnte. Sonam litt sehr unter den Umständen, die im Krankenhaus herrschten, unter den Schreien der anderen Patienten, die genauso wenig behandelt wurden wie ihr Pala. Der Geruch von Desinfektionsmitteln, Urin und Erbrochenem bereitete ihr Übelkeit, so dass sie ihre Mutter bat, nicht mehr ins Krankenhaus mitgehen zu müssen, obwohl es ihr im Herzen wehtat, ihren Vater nicht zu sehen. Es waren bittere Tage, Wochen und Monate für Mola und meine Mutter, die machtlos mit ansehen mussten, wie Tsering mehr und mehr verfiel.

Nach einigen Monaten erfuhr Oberschwester Lotti, dass Mola täglich hinunter in das Krankenhaus und wieder hinauf nach

Summer Hill lief, und bot ihr großzügigerweise an, ihren Arbeitsplatz von Summer Hill nach Sterling Castle zu verlegen, denn von dort hatte sie es näher zu ihrem Mann. Mola nahm das Angebot dankend an und übersiedelte mit Sonam dorthin.

Das Vermächtnis

»Du darfst niemandem sagen, dass wir Mann und Frau sind!«, wisperte Tsering Mola zu, die neben ihm auf dem Boden hockte und sich tief hinunterbeugen musste, um ihn zu verstehen. »Wenn ich tot bin, dann behaupte immer, ich wäre nur ein Bekannter von dir, nicht dein Mann.«

Mola verstand, warum Tsering das gesagt hatte, doch es tat ihr sehr weh.

»Sie dürfen im Krankhaus nicht wissen, dass wir zusammengehören, sonst musst du meine Bestattung zahlen. Die kannst du dir nicht leisten. Du brauchst alles, was du verdienst, um Essen für dich und Sonam zu kaufen …« Meinem Großvater war die Sorge um seine beiden Hinterbliebenen wichtiger als seine Aussichten auf das nächste Dasein.

Diese Sätze wurden zu einem Vermächtnis, denn schon kurz darauf war Tsering nicht mehr ansprechbar. Bei ihrem nächsten Besuch erkannte Großvater Mola zwar noch, als sie ihm eindringlich sagte, er solle sich keine Sorgen mehr machen um sie und ihre Tochter, sondern sich nun, wie er dies Zeit seines Lebens gelernt hatte, auf den Tod vorbereiten und sich von den weltlichen Dingen lösen.

Tsering schien diesen Rat zu beherzigen, denn nur wenige Minuten später setzte sein Atem aus und sein Bewusstsein machte sich auf zu einem neuen Leben. Mola sprach Gebete, entfernte sich aber bald, denn man sollte sie nicht bei dem Verstorbenen finden. Eilig machte sie sich auf den Weg zu Kathok Oentrul Rinpoche, einem wichtigen Geistlichen, um ihm vom Tod ihres Mannes zu erzählen, damit dieser sofort die *powa*-Zeremonie und die für einen Verstorbenen nötige Totenzeremonie durchführe, die wie vorgeschrieben neunundvierzig Tage dauern sollte. Die Mönchskleidung ihres verstorbenen Mannes, den roten Rock und den Überwurf, ließ Mola nach Kalimpong zu Dudjom Rinpoche bringen. Unter Tibetern ist es Brauch, den betenden Mönchen die Totenzeremonien mit Dingen aus dem Besitz des Verstorbenen zu bezahlen, wenn man selbst nicht genügend Geld dafür hat, denn auch Dudjom Rinpoche sollte notwendige Rituale für eine günstige Wiedergeburt Tserings durchführen.

Später rief jemand vom Krankenhaus in Sterling Castle an und verlangte von Mola, dass sie den Toten hole, doch Mola erwiderte, der Verstorbene sei kein Verwandter von ihr. Am selben Tag rief erneut jemand aus dem Krankenhaus an und erkundigte sich nach Hinterbliebenen meines Großvaters, die dessen Verbrennung bezahlen könnten. Wieder wurde Mola ans Telefon geholt. Sie erklärte, den Toten zwar zu kennen, er sei aber nur ein Bekannter von ihr gewesen. Mola schmerzte diese Lüge sehr, doch sie wusste, dass sich jetzt das Krankenhaus um Tserings Verbrennung kümmern und er so wenigstens eine halbwegs würdige Bestattung erhalten würde. Auch Mola selbst betete neunundvierzig Tage lang, sie zündete Butterlampen an, vollführte die vorgeschriebenen Zeremonien und tat alles, was in ihrer Macht stand, um meinem Großvater einen guten Übergang zu seinem neuen Leben zu ermöglichen.

Sonam litt ebenfalls unter dem Tod ihres Vaters, ohne ihre Trauer nach außen zu tragen, was auch daran lag, dass sich außer Mola niemand um diesen Schmerz kümmerte, denn die beiden hatten damals weder vertrauenswürdige Verwandte noch richtige Freunde in Shimla.

Nach all dem Leid gab es für Mola und Sonam auch Grund zur Freude: In Sterling Castle war Großmutter in die Küche versetzt worden. Sie durfte mit Sonam an ihrer Arbeitsstelle wohnen bleiben, und das Heim bekam einen neuen Leiter, einen Engländer, mit dem sich Mola gut verstand. Er war der erste aller »Save the Children«-Mitarbeiter, der fand, dass Sonam in eine Schule gehörte, immerhin konnte sie mit ihren dreizehn Jahren weder Lesen noch Schreiben. Sonam war begeistert von der Erlaubnis, die Schule in Sterling Castle besuchen zu dürfen, zusammen mit den anderen tibetischen Flüchtlingskindern, die dort lebten. Sie war zwar zwei Köpfe größer und auch doppelt so alt wie ihre Klassenkameraden, musste aber doch in der ersten Klasse zusammen mit den ABC-Schützen das Alphabet und das kleine Einmaleins lernen, noch dazu in englischer Sprache, neben dem Tibetischunterricht, den tibetische Lehrer erteilten. Jeden Morgen stellte sie sich zusammen mit den anderen Schulkindern vor dem Schloss auf, sang mit ihnen die tibetische Hymne, sprach tibetische Gebete und marschierte dann mit ihnen in Zweierreihe in Richtung der Klassenzimmer.

Besonders glücklich war Sonam, als sie in einer stillen Ecke des Schlösschens in einer Holzkiste reich bebilderte Märchenbücher fand, die von Cinderella, dem englischen Aschenputtel, und Alice im Wunderland handelten. Mit ihnen konnte sie sich in eine für sie neue Welt hineinträumen, in der es von Prinzen, Prinzessinnen und Drachen nur so wimmelte.

Die »Senior Staff Members« von Sterling Castle, der Direktor, die Krankenschwester, das leitende Personal und die Lehrerschaft, pflegten in einem eigenen Speiseraum zu essen. Als der Kellner, der sonst dort bediente, krank wurde, musste Sonam beim Servieren helfen, wobei sie nicht schlecht darüber staunte, was alles auf den schön dekorierten Tisch kam: Braten, gebackene Kartoffeln, Gemüse, hinterher Obst und Süßigkeiten. Am nächsten Morgen brachte sie auch das Frühstück ins Speisezimmer. Neben Butter, frischer Milch und Tee musste sie ein braunes Getränk servieren, das so köstlich duftete, dass sie nicht anders konnte, als verbotenerweise davon zu probieren. Fast wäre sie von der Flüssigkeit zurückgeprallt, so köstlich schmeckte dieses süße, warme Gebräu, dessen Geschmack sie heute noch auf der Zunge hat und von dem sie erst viel später erfuhr, dass es Kakao hieß.

Das Essen für die tibetischen Kinder und die einfachen tibetischen Angestellten wie Mola war dagegen bescheiden: Sie bekamen neben Tee stets die gleichen, in Öl gebackenen, vor Fett triefenden Fladenbrote, oder gedämpfte Teigklößchen, die schwer im Magen lagen, weil ihre Hefe nicht aufgegangen war, dazu *dhal* und Gemüse. Ein zwar sättigendes, aber ungesundes Einerlei, das nur einmal im Monat mit einem Ei pro Kind aufgebessert wurde. Abends gab es stets die gleiche Suppe, die mit mehr Fett als Fleisch und mit mehr Teigwaren als Gemüse auf den Tisch kam.

Manchmal konnte Mola die eintönige Kost jedoch durch Obst oder andere Leckereien aufbessern, die sie selbst auf dem Markt besorgte, denn bettelarm waren Sonam und Mola nun nicht mehr. Zum ersten Mal seit ihrer Flucht aus Tibet besaßen sie mehr, als sie zum täglichen Überleben brauchten. Zum Neujahrsfest konnte Mola ihrer Tochter sogar glänzende braune Lederschuhe kaufen, auch wenn sie dafür fünfzig Rupien, einen ganzen Monatslohn, opfern musste. Diese Schuhe empfand

Sonam als so schön und wertvoll, dass sie beschloss, sie nur zum Neujahrsfest anzuziehen, und sie das ganze Jahr über wie Schmuckstücke in ihrem Zimmer aufstellte. Wie groß war die Enttäuschung meiner Mutter, als ihr die Schuhe beim nächsten Neujahrsfest nicht mehr passten! Sogar ein Foto von sich und Sonam ließ Mola anfertigen, von einem richtigen Fotografen, das erste Foto ihres Lebens. Für Mola eine arge Geldverschwendung, die sie nicht freiwillig unternahm, sondern auf Wunsch eines Rinpoches, der vorgeschlagen hatte, Sonam in eine christliche Schule zu schicken. Im Fotoatelier war Mola so aufgeregt, dass sie vergaß, vor der Kamera ihr Sonnentuch vom Kopf zu nehmen, was sie bis heute jedes Mal ärgert, wenn sie das abgegriffene und zerknickte Bild in die Hand nimmt. Doch die ganze Aufregung war umsonst, denn der Geistliche ertrank kurz darauf beim Baden, und aus dem Plan mit Sonams Schulwechsel wurde nichts.

Meine Mutter ist immer noch froh über dieses Bild, ist es doch das erste und noch für lange Zeit auch einzige Dokument ihrer Kindheit, das sie durch alle Stationen und über alle Schicksalsschläge bis in die Gegenwart retten konnte.

Kundün

Der größte Wunsch Molas war es, nach Dharamsala zu reisen, an den Sitz der tibetischen Exilregierung, wo damals schon der Dalai Lama lebte, Audienzen gab, Menschen segnete, Initiationen durchführte und sein spirituelles Leben im Exil fortführte, so gut es ihm möglich war, wenn auch in einem weit bescheideneren Rahmen als in seiner angestammten Heimat: Standen dem »Ozean-Lehrer« in Lhasa noch zwei riesige Paläste zur Verfügung, der Norbulingka für den Sommer und der Potala mit seinen angeblich neunhundertneunundneunzig Zimmern für den Winter, so bewohnte Tenzin Gyatso nun eine Residenz, die nicht viel größer war als ein schönes Einfamilienhaus. Die ersehnte Reise konnte Mola aber nicht antreten, weil sie noch lange nicht genug Geld gespart hatte, um sich eine so weite Fahrt leisten zu können. Umso größer war ihre Freude, als sie erfuhr, dass *kundün*, wie die Tibeter ihr geistiges und weltliches Oberhaupt meistens nennen, eine Reise nach Shimla plane und dort Sterling Castle besuchen wolle, um sich selbst ein Bild von der Situation tibetischer Flüchtlingskinder zu machen.

Am Tag der lange geplanten Ankunft Seiner Heiligkeit war Mola genauso wie alle anderen Tibeter in Sterling Castle bis ins Innerste aufgewühlt. Alles musste blitzblank sein, die Kinder ordentlich herausgeputzt, und Mola selbst trug wie die anderen Angestellten auch ihre beste und strahlendste weiße Schürze. Meine Großmutter konnte es kaum fassen, als sie mit den anderen vor dem Tor in einer Reihe stand, um den Dalai Lama zu begrüßen, und Seine Heiligkeit leibhaftig vor ihr stand. Er war offensichtlich ein Mensch aus Fleisch und Blut, der zwar genauso aussah wie auf den Tausenden Bildchen und Amuletten und Anhängern, auf die sein Gesicht gedruckt war, der aber noch etwas anderes hatte, was kein Bild der Welt zeigen konnte. Mola spürte Wärme, Liebe und Nähe, wie sie sie bei keinem anderen Menschen gespürt hatte, und sie fühlte sich von seiner Güte umfasst, als der Dalai Lama vor sie hintrat und sie lächelnd, ja lachend, wie er meistens mit den Menschen spricht, fragte:

»Bist du Köchin?«

Mola brauchte eine kleine Ewigkeit, bis sie antworten konnte, denn darauf war sie nicht vorbereitet. Alle Blicke lasteten auf ihr, doch dieser Bodhisattva, das Erleuchtungswesen in Menschengestalt, war nicht ungeduldig und auch nicht in Eile. Es wirkte so, als hätte Seine Heiligkeit alle Zeit dieser Welt, nur um vor Mola zu stehen und sie anzusehen und anzulachen und auf ihre Antwort zu warten, ob sie eine Köchin sei.

»Ja«, murmelte sie leise, mit vor der Brust gefalteten Händen, mit tief gebeugtem Oberkörper, ohne den Kopf zu heben und den Dalai Lama anzusehen.

»Zeig deine Hände«, sagte der Dalai Lama zu ihr, und als sie zögerte, ihre gefalteten Hände von der Brust zu nehmen, griff der Dalai Lama einfach mit einer unglaublich sanften Geste nach diesen Händen und zog sie zu sich und sah sie an und lächelte immer noch. Er sah auf diese trockenen, zerfurchten, zerrissenen Hände, die spröde waren von der Küchenarbeit, mit schwarzen Rändern vom Heizen mit der Kohle, rissig vom Scheuerpulver, vom Abwaschwasser und vom Bodenwienern. Doch der Dalai Lama hielt Molas Hände und drehte und wendete sie in seinen weichen, makellosen Händen, klopfte auf diese Hände und sagte nur:

»Die sind so hart«, dann ging sein Sprechen fast in glucksendem Lachen unter, »du hast zu viel gearbeitet.«

Mola stand mit gebeugtem Oberkörper und gesenktem Blick vor ihm und war erfüllt von Glück. Lächelnd ließ er ihre harten Hände los, lachte sie an, nickte ihr zu und ging weiter, um mit der Frau zu sprechen, die neben Mola stand. »Jetzt musst du nicht mehr so hart arbeiten«, dachte meine Großmutter, »weil er bei dir war, weil er dich berührt hat.« Für einen Tibeter ist es das Höchste, den Dalai Lama einmal in seinem Leben zu sehen. Meine Großmutter wusste, dass sie ihm nun nie mehr wieder begegnen müsse, denn sie war von ihm gesegnet worden, und das sollte für ein Leben reichen.

Die Wirkung des Segens folgte dieser wunderbaren Begegnung tatsächlich auf dem Fuß: Bald nach dem Besuch des Dalai Lama musste Mola keine Hilfsdienste in der Küche mehr verrichten, sondern wurde Betreuerin in einer Heimgruppe in Sterling Castle, wo sie selbstständig für die Pflege und Erziehung von einem Dutzend Kinder verantwortlich war, als wäre sie deren Mutter. Doch es sollte sich noch mehr zum Besseren wenden. Wie gut alles werden sollte, davon hatte Mola damals noch keine Ahnung.

Nächstenliebe

Bald nach dem Besuch des Dalai Lama unternahm Sonams Klasse einen Ausflug nach Neu-Delhi, in die indische Hauptstadt, zweitgrößte Metropole des Landes, schon damals ein Moloch mit fast drei Millionen Einwohnern. Waren die anderen Mädchen hocherfreut über diese Abwechslung vom Schulalltag, so war Sonam verzweifelt darüber, sich für eine ganze Woche von Mola trennen zu müssen. Meine Mutter hatte fürchterliche Angst um ihre Amala, die zwar erst fünfundvierzig Jahre alt, in Sonams Augen aber bereits in hohem Alter war. Das lag daran, dass viele Mütter um sie herum viel jünger waren, es lag aber auch an der Selbsteinschätzung Molas, die Sonam immer wieder erzählte, wie schrecklich alt und verbraucht sie schon sei. Noch kurz vor ihrer Abreise dachte Sonam allen Ernstes, dass sie ihre Mutter vielleicht nie mehr wiedersehen würde.

Auf dem Gruppenfoto, das vor der Abreise gemacht wurde, sah meine Mutter wie eine der Lehrerinnen aus, weil auch sie die Köpfe ihrer Mitschülerinnen bei weitem überragte, war sie doch etliche Jahre älter als ihre Klassenkameradinnen. Außerdem trug sie als Einzige tibetische Tracht, während die Schulkleider aller anderen Mädchen im schönsten Rosa strahlten, doch ein solches Kleid konnte Mola nicht bezahlen.

Zu allem Überfluss wurden in Neu-Delhi Sonams Socken löchrig. Mola hatte ihr zwar ein wenig Geld mitgegeben, doch Sonam wagte es nicht, in Läden zu gehen und nach Socken zu fragen. So durchlebte sie die Woche in der großen Stadt mit durchlöcherten Socken an den Füßen, voller Zweifel und Unsicherheiten und Ängsten um ihre Mutter. Sie genoss keine der großen Sehenswürdigkeiten, sondern wollte nichts anderes als zurück nach Shimla, während ihre Freundinnen nicht genug bekommen konnten von ihrer Reise und immer noch mehr Paläste und Tempel und Einkaufsstraßen und Läden sehen wollten.

Eines Tages wurde ein freundlicher älterer Herr, Mister Sweeny, ein Ex-Major der britischen Armee, zum neuen Leiter von Sterling Castle bestellt, und von nun an wendete sich dort vieles zum Besseren. Die Unterschiede zwischen dem höhergestellten Personal und den einfachen Mitarbeitern wurden geringer, das Essen für die Kinder besser, der Umgangston freundlicher, und selbst die Lehrer Sonams schienen mit der Zeit bessere Laune zu bekommen.

Manchmal gab es willkommene Abwechslungen im täglichen Unterrichtseinerlei, etwa wenn Mister Sweeny Filme zeigte, die er aus seiner Heimat mitgebracht hatte. In einem dieser Filme sah man, wie Kinder in England lebten, wie sie frühstückten, in die Schule gingen, zu Mittag aßen. Sonam wunderte sich am meisten darüber, wie man mit Messer und Gabel essen konnte. Sie war noch daran gewöhnt, mit der Hand zu essen oder mit einem Löffel, wenn die Speisen zu breiig waren. Besteck hatte sie einmal gesehen, als sie im Lehrerzimmer servieren durfte, doch damit gegessen hatte sie noch nie. Spannend fand sie diese Art des Essens, verlockend auch, und sie fragte sich, ob sie jemals so essen würde, in ferner Zukunft, fand das aber ziemlich unwahrscheinlich.

Mister Sweeny kam nach und nach immer mehr in Kontakt mit Mola und Sonam, er schien die beiden zu mögen. Meine Mutter nannte er stets »big girl«, während er für sie, aber auch für die meisten anderen Schülerinnen zu »Uncle Sweeny« wurde, zu einem guten Bekannten mit großem Herzen. Uncle Sweeny entsprach so gar nicht dem Bild des asiatischen Mannes, für den Frauen Menschen zweiter Klasse sind, sondern er entpuppte sich als englischer Gentleman, auch wenn damals keine der Tibeterinnen eine Ahnung davon hatte, was das sein könnte. Als er ein Ferienlager organisierte und Mola bei dieser Gelegenheit ein schweres Gepäckstück auf dem Rücken trug, fand Uncle Sweeny, dass dies zu schwer sei für sie, und nahm ihr die Last ab. Für Mola war das etwas Neues und Ungewohntes: Wie konnte eine so hochgestellte Person einer so einfachen Frau wie ihr eine Last abnehmen, abgesehen davon, dass es in Asien normal war, dass Frauen schwere Lasten trugen?

Uncle Sweeny war sehr freigiebig. Das stellte sich heraus, als ihn Mola vor einer seiner Ferienreisen nach England bat, dort für Sonam eine Uhr zu kaufen. Im Austausch dafür bot sie Uncle Sweeny ihren Silberreif an, den sie von ihrer Schwägerin in Tibet geschenkt bekommen hatte. Das lehnte er ab und sagte, Mola solle diesen wunderschönen Armreif behalten. Doch wie sehr staunte Mola, als er aus den Ferien zurückkam und Sonam ein in schönes Papier gewickeltes Geschenk überreichte, eine feine Damenuhr, die meine Mutter viele Jahre lang tragen sollte. Uncle Sweeny war eben ein durch und durch aufrichtiger, gütiger Mensch, der sich noch bis ins hohe Alter hinein der Tibeter annahm und Projekte für diese initiierte und umsetzte, wenn auch nicht immer mit Erfolg, da er in seinem Glauben an das Gute im Menschen manchmal arg enttäuscht wurde.

Bald fand Uncle Sweeny, dass meine Mutter in eine andere Schule müsse, in eine Schule für größere Mädchen, eine gute Viertelstunde entfernt von Sterling Castle: in die Auckland-House-School. Sonam hatte schon oft Mädchen gesehen, die diese Schule besuchten. Sie hatten alle schicke Uniformen an, mit braunen Jacken mit einem auf die Brusttasche gestickten, goldenen Wappen, braunen Röcken, gelben Blusen und gelb-braun gestreiften Krawatten. Dazu trugen sie gelbe Socken und braune Schuhe und sahen unglaublich elegant aus, wie Sonam fand. Viele dieser Mädchen stammten aus reichen indischen und sogar ausländischen Elternhäusern und waren von ihren Eltern in das der Schule angeschlossene Internat geschickt worden, weil es einen guten Ruf hatte.

»Dafür haben wir kein Geld«, war Molas erster Einwand, aber davon ließ sich Uncle Sweeny keinesfalls beeindrucken. Er versprach, einen Sponsor für meine Mutter zu finden, eine englische Familie, die jeden Monat das Schulgeld für sie überweisen sollte, und als Dank nichts zu erwarten hatte als einige Briefe, die Sonam an diese Familie schreiben würde. So geschah es auch, und meine Mutter wechselte ins Auckland House.

Sonam kam aufgrund ihres Alters in die fünfte Klasse, was schwer für sie war, da sie dort so gut wie nichts verstand. Unterrichtssprache war ausschließlich Englisch, das viele ihrer Klassenkameradinnen von klein auf beherrschten. Entsprechend bescheiden fielen Sonams Prüfungsergebnisse aus, meistens war sie die Klassenschlechteste. Mola konnte ihr nicht helfen, da sie weder Englisch sprach noch etwas von Mathematik, Erdkunde oder Chemie wusste. Ihr Fachgebiet, die tibetische Götterwelt, war nicht gefragt in Auckland House, doch sie setzte sie trotzdem ein: Vor jeder großen Prüfung zelebrierte Mola ein Rauch-opfer, indem sie Butter und *tsampa* verbrannte, um übelwollen-de Geister zu besänftigen. Dazu sprach sie besondere Gebete, die Sonam helfen sollten. All das nutzte nicht viel, denn ihre Tochter blieb trotzdem die schlechteste Schülerin der Klasse, doch natürlich wussten weder sie noch Mola, ob sie ohne diese Gebete nicht noch viel schlechter abgeschnitten hätte.

Besonders in Mathematik verliefen sich Sonams Arbeiten stets in einem einzigen Chaos. Wenn sie Zahlen, Formeln und Gleichungen vor sich liegen sah, begannen diese regelmäßig zu tanzen. Sie gerieten in Bewegung, sprangen vor ihr auf und ab, verhedderten sich ineinander und richteten ein gewaltiges Durch-einander an. Nur in Handarbeiten war meine Mutter gut. Aus Stoffresten konnte sie schöne Puppen basteln, auch das Nähen und Stricken ging ihr leicht von der Hand.

In Auckland House gab es eine nette, mit einem Inder ver-heiratete englische Lehrerin, Jessica Singh, die Sonam auf An-raten Uncle Sweenys Nachhilfeunterricht in Englisch erteilte. Meine Mutter war dankbar, eine so wunderbare und nette Per-son als Privatlehrerin zu haben. Auch später, nachdem sich ihre Wege längst getrennt hatten, brach der Kontakt zwischen So-nam und Jessica Singh nicht ab. Mrs Singh ließ meiner Mutter noch lange jeden Monat zwanzig Rupien zukommen, damit sie sich frische Milch leisten konnte, und sie bezahlte einen Teil ih-res Schulgelds, zusammen mit zwei weiteren Sponsorinnen, Margret Davis und Margrit Steiner, ihrer geliebten, in der Zwi-schenzeit leider verstorbenen Schweizer Patenmutter. Diese Menschen wird Sonam nie vergessen. Sie machten ihr Leben er-träglicher und zeigten ihr, was Nächstenliebe bedeuten kann.

Meine Mutter hatte diese Wärme und Zuneigung bitter nö-tig, war ihr Alltag doch viel zu oft rau und unmenschlich. So blieb ihr, was dessen negative Seiten betrifft, in Sterling Castle die tibetische Aufseherin über die Heimmutter Diky-la mindestens genauso unvergesslich wie ihre Wohltäterinnen. In regelmäßigen Abständen mussten die Kinder am Abend, wenn sie bereits ihre Pyjamas angezogen hatten, nach draußen in das Zelt, in dem die herrische Frau Hof hielt, und ihr dort die Unterhosen zeigen, mit nach außen gekehrter Innenseite. Wehe den Kindern, deren Hosen schmutzig waren! Für diese setzte es Schläge mit einem steifen Gummiknüppel, bis ihre Hände blutig waren. Dieses Ritual vollführte die Tibeterin im Geheimen, ohne dass einer der europäischen Angestellten von Sterling Castle es bemerkte, wohingegen die tibetischen Mitarbeiter alle sehr wohl davon wussten, wenn auch keiner es wagte, etwas gegen das sadistische Benehmen Diky-las zu unternehmen. Meine Mutter kann ihre Angst von damals heute noch fühlen!

Sobald Sonam aus der Schule nach Hause gekommen war, warf sie ihren Ranzen in eine Ecke und war auch schon auf dem weitläufigen Gelände von Sterling Castle unterwegs, wo sie mit Mola immer noch wohnte. Sie tollte mit den anderen Kindern durch den Garten und kletterte mit ihnen aufs Dach, um den weißen Studenten zuzusehen, meistens freiwillige Helfer aus England, die sich dort beinahe splitternackt sonnten, bis sie rot wie frisch gehäutete Hühner waren, was für Sonam und ihre Freundinnen eine wunderbare Quelle der Heiterkeit darstellte. Oft tuschelten sie miteinander, ob die Weißen nicht längst kochen würden oder verbrennen oder ob sie nicht schon tot wären, wie sie da reglos und brutzelnd in der Sonne lagen. Erst wenn es dunkel wurde, kam Sonam zurück zu Mola, die sie jedes Mal wütend zur Rede stellte, wo sie denn so lange gewesen sei, doch auch das machte Sonam nichts aus. Es war, seit sie Tibet verlassen hatte, die erste Zeit in ihrem Leben, in der sie frei von Sorgen einfach Kind sein und nach Herzenslust spielen konnte.

Wichtiger als der Unterricht war für Sonam das Kennenlernen der ihr bis dahin fremden Kultur der Weißen. Jeden Morgen ging sie mit den anderen Schülerinnen in die Kirche, denn Auckland House war eine Klosterschule. Die Gebete und Gesänge, die sie dort zusammen absolvierten, betrachtete Sonam weniger als Gottesdienst denn als interessante Erfahrung. Nicht einen Moment dachte sie daran, dass Jesus oder Maria oder all die Heiligen, die sie in der Kirche kennenlernten, etwas Göttliches an sich hätten. Sie konnte sich nicht vorstellen, dass die etwas mit einer Religion zu tun haben könnten, wie Mola und alle anderen Tibeter sie pflegten. Sonam fand es schön und interessant in der Kirche, ihr gefielen die Lieder, aber es war für sie genauso Theater wie ihr erstes wirkliches Theaterstück, das Shakespeare-Drama, das die Schüler der oberen Klassen in der Aula der Schule zum Besten gaben.

Die Karten für diese Aufführung wären für sie viel zu teuer gewesen, doch Uncle Sweeny nahm sie einfach an der Hand, sagte nur »big girl, let's go«, und schon saß sie mit ihm auf den besten Plätzen, stolz wie noch nie, und genoss es, den älteren Schülern und Schülerinnen bei den sonderbaren Verwicklungen, die sie auf der Bühne darstellten, zuzusehen. Sie bedauerte lediglich, dass Mola nicht mit dabei sein konnte, zwischen all den stolzen Eltern der Schüler, meistens reiche Inder, die in prächtigen Gewändern erschienen waren, die Väter oft in mit Gold behangenen Uniformen, die Mütter in bunten Saris. Sonam war das einzige Tibeterkind an der Schule von Auckland House und auch das einzige Mädchen aus armen Verhältnissen.

Als Sonam vor die Wahl gestellt wurde, ob sie als zweite Sprache Französisch oder Urdu lernen sollte, eine der zweiundzwanzig Nationalsprachen Indiens, die weltweit immerhin von rund zweihundert Millionen Menschen gesprochen wird, entschied sie sich für Urdu, weil ihr das viel näher und sinnvoller vorkam als Französisch. Wann, dachte Sonam, sollte sie je ausgerechnet Französisch sprechen müssen? Mola ließ ihr bei solchen Entscheidungen völlig freie Hand.

Der Traum von Sterling Castle fand nach knapp fünf Jahren ein jähes Ende, als das Hilfsprojekt geschlossen werden sollte. Mola und Sonam wussten, dass sie damit bald wieder auf der Straße stehen würden. Das war eine Situation, die sie schon zu oft erfahren hatten, um sie noch einmal durchleben zu wollen. Hektisch begann Mola, Erkundigungen einzuziehen, sprach viele Leute an, ob sie einen Platz für sie und ihre Tochter hätten, fragte Nachbarn, Lehrer und Mitarbeiter von Sterling Castle, doch niemand wusste Rat, außer Geshe Damchö-la, ein tibetischer Mönch und einer der Vorsteher des nun von der Auflösung bedrohten Projektes. Dieser bei allen beliebte Mönch empfahl Mola, nach Mussoorie zu gehen, eine Ortschaft gut zweihundert Kilometer südöstlich von Shimla, ebenfalls in den Ausläufern des Himalajas gelegen. Mussoorie war ebenso wie Shimla ein ehemaliger Sommerfrische- und Ausflugsort der Engländer auf fast zweitausend Metern Seehöhe. Der Mönch gab Mola ein Empfehlungsschreiben an Rinchen Dölma Taring mit, eine aus Tibet geflohene Adlige, die mit ihrem Geld und mit Spenden aus aller Welt in Mussoorie eine Schule und ein Kinderheim gegründet hatte.

Ein paar Tage später saßen Mola und Sonam wieder in einem Zug, diesmal immerhin mit einem richtigen Ticket, wieder mit all ihrer Habe, die nicht um vieles angewachsen war seit ihren letzten Zugfahrten: Mola schleppte einen Koffer mit Kleidung und ein Bündel mit Decken und Bettwäsche, Sonam trug eine Tasche mit ihren paar Kleidern und den schönen Schuhen vom letzten Neujahrsfest, die ihr schon zu klein waren. So saßen die beiden mit einem unsicheren Gefühl im Zug, wussten sie doch nicht, was ihnen die Zukunft bringen würde. Was, wenn Frau Taring sie nicht aufnehmen würde? Stand ihnen wieder ein elendes Leben auf den Straßen einer indischen Kleinstadt bevor?

DER PRINZ

Um mit der Geschichte meiner Vorfahren fortzufahren, muss ich mit meiner Erzählung an dieser Stelle auf einen anderen Kontinent wechseln und die Zeit um ein paar Jahrhunderte zurückdrehen. Wir sind im Frankreich der beginnenden Renaissance, es herrscht Franz I., der Ritterkönig. Damals, in der ersten Hälfte des 16. Jahrhunderts, kam der junge, heißblütige französische Theologiestudent Jean Cauvin mit den Lehren des Kirchenreformers Martin Luther in Berührung. Bald darauf war Cauvin, Sohn einer angesehenen Familie, von den ketzerischen Schriften des ehemaligen Augustinermönches aus Deutschland so angetan, dass er zur damals neu gegründeten Religion des Protestantismus übertrat. Das wurde im absolutistischen und katholischen Frankreich jener Zeit nicht gerne gesehen. Der Student entkam nur knapp seiner Verhaftung und floh ins Ausland, in die Schweiz, so wie es in den folgenden Jahren und Jahrzehnten über zweihunderttausend andere französische Protestanten auch taten. Jean Cauvin nannte sich im Schweizer Exil Johannes Calvin, seine Anhänger hießen später Hugenotten. Das waren strenggläubige, bibelfeste, den Tugenden des Fleißes und der Bescheidenheit zugewandte Menschen, die fest davon überzeugt waren, von ihrem Gott für die Erlösung ihrer Seelen auserwählt und zur Auferstehung vorherbestimmt zu sein.

In der Schweiz fielen die Lehren der frommen Einwanderer auf fruchtbaren Boden. Calvins Nachfahren konnten sich gut in die Gesellschaft der strebsamen Schweizer eingliedern, die durch die Lehren des Pfarrers Ulrich Zwingli bereits in die Ideen der Reformation eingeweiht waren. Viele Nachfahren französischer Hugenotten wurden erfolgreiche Uhrmacher, Kaufleute und Politiker, wie etwa Élie Ducommun, ein liberaler Journalist, Kaufmann und Staatskanzler in der Stadt Genf, Gründungsmitglied der Schweizerischen Volksbank und wichtiger Pionier der Friedensbewegung. Als Leiter des Berner »Internationalen Ständigen Friedensbüros« wurde er 1902 mit dem erst ein Jahr zuvor geschaffenen Friedensnobelpreis ausgezeichnet. Doch Élie Ducommun war nicht nur angesehen, erfolgreich und den Menschen gutgesinnt, er war auch der Ururgroßvater von Martin Brauen, meinem Schweizer Vater, der heute noch den goldenen Ring des frühen Friedensaktivisten trägt, auf dem groß die Buchstaben PAX prangen. Auch die Friedensnobelpreismedaille wurde ihm von seiner Großmutter testamentarisch vermacht, doch der Enkel, der die Medaille aufbewahrte, wollte sie meinem Vater nicht aushändigen. Dieser mochte wegen eines Friedenssymbols nicht vor Gericht gehen, weshalb ihn heute nur mehr der Ring, einige Fotos, Möbelstücke und ein paar Schriften an seinen friedliebenden Vorfahren erinnern.

Die Familie meines Vaters stammt von der Seite seiner Mutter her noch von einer zweiten illustren Linie ab: Ein anderer Vorfahre kam aus einer Familie namens Schreck. Dessen Mutter, Susanne Louise Deschamps, meine Ururgroßmutter, stammte in gerader Linie durch sieben Generationen von Maurice Sabine Deschamps ab, der dritten Tochter von Maria Belgia, die von 1599 bis 1647 lebte, einer Tochter von Emanuel I., dem Prinzen von Portugal, und Emilie von Nassau-Oranien, Enkelin von Wilhelm I. von Nassau-Oranien. Dieser wurde auch »Wilhelm der Schweiger« genannt und war der große Freiheitsheld im Kampf der Niederländer gegen die spanische Fremdherrschaft. Wilhelm I. hatte selbst eine weitläufige Ahnenschar: Dazu gehörten die Könige von Portugal ebenso wie die mit ihnen verbundenen Könige von England aus dem Hause Plantagenet. In dieser Reihe steht der englische König Heinrich II. ebenso wie König Lothar und dessen Vater Kaiser Lothar, der Sohn Kaiser Ludwigs des Frommen, dessen Vater wiederum Karl der Große war. Noch ein paar Namen aus der Ahnentafel meines Vaters? Hier sind sie: Friedrich II., auch »Friedrich der Große« oder »Alter Fritz« genannt, König von Preußen, aber auch die Könige Rudolf von Habsburg und Adolf von Nassau sowie die heilige Elisabeth von Thüringen. Die Ahnentafel meiner Vorfahrin Maria Belgia nennt siebzehn Kaiser, hundertfünfzehn Könige und neun Heilige, und damit immer noch nicht genug: Ein anderer Familienast der Schreck-Linie führt bis zu dem Reformator und Religionsgründer Martin Luther zurück, genauso wie zu den Künstlern Lukas Cranach dem Älteren und dem Jüngeren, den bedeutendsten deutschen Malern und Grafikern der Renaissance.

Ich erzähle all das um klarzumachen, aus welchem Holz mein Vater geschnitzt ist. Unter seinen Vorfahren gab es aber nicht nur all diese Herrscher, Heiligen und Gelehrten, sondern auch den Humanisten Élie Ducommun, dem der Weltfrieden und das Schicksal anderer Völker am Herzen lagen und der für meinen Vater in seiner Jugend so etwas wie eine Vorbildrolle besaß.

Auch seine Großmutter Jeanne Schreck-Ducommun, liebevoll »Mumi« genannt, die sich für asiatische Philosophie, den Buddhismus und das Leid in der Welt interessierte, war Vorbild für meinen Vater. Sie lebte in der wohlhabenden, schönen und von den zahlreichen Stürmen des 20. Jahrhunderts verschont gebliebenen Stadt Bern, in der sich meine Schweizer Vorfahren niedergelassen hatten.

Über seine Großmutter lernte mein Vater fernöstliche Gedanken kennen, genauso wie durch die große Liebe seiner Mutter Ula zu einem Inder, einem späteren Obersten in der indischen Armee, den sie zugunsten seines Schweizer Vaters aus den Augen verlor. Durch ihn sollte er mit der Welt Indiens in Kontakt kommen. Doch auch mein Schweizer Großvater interessierte sich für indisches Gedankengut, vor allem für Yoga, das er intensiv praktizierte. So war Asien, und dort vor allem der indische Subkontinent, meinem Vater seit seiner Jugend nicht fremd, sondern vertraut und lieb zugleich.

Auch aus diesem Grund lag es nicht fern, dass mein Vater sich für tibetische Flüchtlinge interessierte, als er vom Leiden dieses im fernen Himalaja von chinesischen Besatzern unterdrückten Volkes hörte. Die tibetische Katastrophe wurde in der Schweiz während der ersten Hälfte der sechziger Jahre bekannt, anlässlich der ersten großen Fluchtwelle von Tibetern nach Indien und Nepal, die das Scheitern des Aufstandes von 1959 gegen die chinesische Besatzung hervorgerufen hatte. Die Schweiz gewährte in einer großzügigen humanitären Geste tausend Tibetern Asyl, teilweise aus dem Impuls eines freiheitsliebenden Bergvolkes heraus, einem anderen freiheitsliebenden Bergvolk zu helfen. Viele Schweizer Familien wollten damals eines der süßen »Tibeterkindlis« aufnehmen. Die Betreuung dieser Waisenkinder lief unprofessionell ab, jedoch durch private Initiativen mit viel Enthusiasmus und gutem Willen gestützt. Damals organisierte eine Cousine meiner Urgroßmutter ein Ferienlager für tibetische Kinder, in dem meine Tante, die Schwester meines Vaters, für kurze Zeit arbeitete.

Auch mein Vater fand dieses Projekt spannend und beschloss unverzüglich, dorthin zu fahren. Mein Pala war damals sechzehn Jahre alt und sofort Feuer und Flamme für die fremdartigen, freundlichen und trotz allem Leid, das sie erfahren hatten, fröhlichen Menschen. Er begann, in seinem Gymnasium Geld für die tibetischen Flüchtlinge zu sammeln und über das Rote Kreuz nach Indien zu senden. Das tibetische Fieber packte meinen Vater endgültig, als er sich in ein Mädchen aus Tibet verliebte, das einige Jahre jünger war als er selbst. Der Hausvater des Heims im Kinderdorf Pestalozzi, in dem die Tibeterin zusammen mit anderen tibetischen Kindern wohnte, hatte allerdings schwere Bedenken gegen eine Beziehung, was meinen Vater damals unsäglich nervte. Heute sieht Martin das etwas anders und findet, man könne es dem Mann nicht verdenken, sich vor das Mädchen gestellt zu haben, weil es nicht in deren Sinne liegen konnte, sich schon als junger, gänzlich unerfahrener Neuankömmling in Europa gleich Hals über Kopf in eine Affäre zu stürzen.

Mein Vater war indes immer mehr davon beseelt, sich für andere Menschen einzusetzen, und beschloss nach dem Abitur, Medizin zu studieren. Aber auch Asien ließ ihn nicht los. Er war von der fixen Idee besessen, in Zürich, wo er studierte, eine umfassende Ausstellung über tibetische Kunst zu organisieren, damals die erste ihrer Art in der Schweiz und in diesem Ausmaß sogar in ganz Europa. In meinem Vater brannte das Feuer des Idealisten: Als neunzehnjähriger Student ging er in Jeans und mit Ho-Chi-Minh-Bärtchen zum Sekretär des Zürcher Bürgermeisters, um einen Ort für seine Ausstellung zu beantragen. Es sollte nichts Geringeres als das ehrwürdige Helmhaus sein, ein wunderbarer Bau vom Ende des 18. Jahrhunderts, direkt an der Limmat gelegen. Der Sekretär ließ den jungen Mann abblitzen, weil er auf den Rat einer Museumsdirektorin hörte, die der Meinung war, tibetische Kunst sei keine richtige Kunst, sondern lediglich Kunsthandwerk. Dennoch stellte der Kulturverantwortliche der Stadt Zürich meinem Vater das Helmhaus in Aussicht, falls es ihm gelänge, in einer anderen Stadt die von ihm geplante Ausstellung erfolgreich aufzubauen. Mein Vater organisierte eine viel bewunderte und gelobte Schau in der benachbarten Stadt Winterthur, die später als persönlicher Triumph meines Vaters in erweiterter Form von verschiedenen Schweizer Museen übernommen wurde, darunter auch vom Helmhaus in Zürich.

Durch den großen Erfolg seiner Tibetausstellung beflügelt, beschloss mein Vater, sein Medizinstudium aufzugeben und sich seinem Interesse für Asien, die asiatische Kultur und den Buddhismus zu widmen. Mit Latein und Griechisch, Französisch und Italienisch, aber wenig Englisch und noch weniger Geld im Gepäck reiste er, mittlerweile zweiundzwanzig Jahre alt, in die indische Hauptstadt Delhi, um an der dortigen Universität Buddhismus zu studieren. In dem brütend heißen Moloch lebte er in einer armseligen Hütte, die auf das Dach eines mehrstöckigen Wohnhauses gebaut war, als Europäer mitten in Indien damals noch in der Rolle des argwöhnisch beobachteten Außenseiters. So galt mein Vater bei einigen Nachbarn als Spion, weil er eine Uhr mit drei statt mit zwei Knöpfen trug, was für die Skeptiker ein klares Anzeichen dafür war, dass er damit geheime Informationen ins Ausland übermitteln konnte. Während dieser Zeit traf mein Vater zum ersten Mal persönlich mit dem Dalai Lama zusammen, den er für ein Schweizer Tibetblättchen interviewte, eine bloß unter Freunden und Tibetinteressierten gelesene Zeitschrift, die praktisch unter Ausschluss der Öffentlichkeit erschien. Damals, 1970, hatte der Westen noch nicht das geringste Interesse an dem im indischen Exil lebenden Führer aller Tibeter.

Unter seinem in der tropischen Hitze glühenden Wellblechdach vertiefte sich mein Vater in seine Bücher, von Durchfallerkrankungen, Moskitos und schlechtem Essen geplagt. Glücklicherweise hatte er damals, als er die Ausstellungen über tibetische Kunst aufbaute, das Vertrauen des Sekretärs der »Schweizer Tibethilfe« gewonnen und dadurch von ihm den Auftrag erhalten, in Indien bestimmte Aufgaben für das Hilfswerk zu erledigen.

Diese von zwei Brüdern gegründete Wohltätigkeitsorganisation finanzierte in der nordindischen Stadt Dehradun zwei Wohnheime, eines für tibetische Mädchen, das andere für Jungen. So saß mein Vater, der die schwüle Hitzehölle Delhis im April nicht mehr ausgehalten hatte, um Geld zu sparen mit drei weiteren Mitfahrern zusammengepfercht auf der Rückbank eines indischen Taxis und ließ sich auf der Holperstrecke in Richtung des ehemaligen britischen Sommerrefugiums Mussoorie durchrütteln, wo Rinchen Dölma Taring saß, die tibetische Leiterin eines Kinderheimes. Dort wollte er sich ein Bild über den Zustand dieser Einrichtung und die Arbeit ihrer tibetischen Verwalter und Hauseltern machen.

Im Girls Hostel

Mit bangen Herzen und düsteren Gedanken kletterten Mola und Sonam in Dehradun aus dem Zug, um den Bus nach Mussoorie zu nehmen. Wieder einmal hatten sie alles Bekannte hinter sich lassen müssen. Ihr einziger Hoffnungsschimmer in all der Unsicherheit war der Brief, den ihnen der Mönch Geshe Damchö-la für Rinchen Dölma Taring, die Gründerin des tibetischen Kinderheimes in Mussoorie, mitgegeben hatte, und Molas Wissen, dass sich der Dalai Lama nach seiner Flucht aus Tibet, die schon wieder elf Jahre zurücklag, zuallererst in Mussoorie aufgehalten hatte.

Frau Taring empfing Mola und ihre Tochter. Sie las den Brief Geshes aufmerksam durch und studierte auch das ausgezeichnete Zeugnis, das Mola für ihre Arbeit in Sterling Castle bekommen hatte. Meine Großmutter erzählte von ihrer Flucht und davon, wie es ihr und Sonam in Shimla ergangen war, obwohl es ihr nicht leichtfiel, zu einer so hoch angesehenen Frau zu sprechen. Mola verharrte während des gesamten Gespräches in gebeugter Haltung, aus Respekt und auch aus Anstand gegenüber der Adligen, die die Menschen meist nur respektvoll *ama lhacham kushok* nannten, was so viel wie »göttliche Edelfrau« bedeutet.

Frau Taring erschien Mola trotz ihres hohen Ranges warmherzig und großzügig, mit ihren glänzenden schwarzen Haaren, in ihrer tibetischen *chupa*, über der sie die traditionelle, leuchtend bunte Schürze einer verheirateten Frau trug. Sie erzählte von den insgesamt sechsundzwanzig Kinderwohngruppen, die sie gegründet hatte. Das waren kleine Heime, in denen jeweils zwanzig bis fünfundzwanzig tibetische Waisen zusammen mit einem Ehepaar lebten, das die Kinder wie Mutter und Vater betreute. Sie erzählte auch von den beiden Hostels, eines für Jungen, das andere für Mädchen, die kurz zuvor in Dehradun mit Geldern der Schweizer Tibethilfe eröffnet werden konnten und in denen tibetische Kinder, die indische Schulen besuchten, in größeren Gruppen lebten. Sie bot Mola an, als Heimmutter in eine der kleinen Wohngruppen einzuziehen, in das Haus Nummer 13. Dessen Heimvater war kürzlich verstorben, und seine Witwe kam mit der vielen Arbeit nicht zurecht. Mola sollte zusammen mit ihr die Kindergruppe betreuen. Sonam hingegen könne in das Girls Hostel einziehen und eine indische Schule besuchen. In dieser Schule fand der Unterricht zwar komplett in englischer Sprache statt, doch da Sonam schon eine englische Schule besucht hatte und etwas Englisch sprach, sah Frau Taring keine Schwierigkeiten. Dieses Angebot war mehr, als Mola und Sonam erwartet hatten, und machte die beiden überaus dankbar und glücklich.

Der einzige Haken an der Sache bestand darin, dass das Girls Hostel, in das Sonam einziehen sollte, nicht in Mussoorie lag, sondern weiter unten im Tal, in Dehradun, der sechzig Kilometer entfernten Stadt, in der sie kurz zuvor aus dem Zug gestiegen waren. Mutter und Tochter waren noch nie in ihrem Leben für länger als zwei Wochen voneinander getrennt gewesen. Immer hatten sie zusammengelebt, hatten alle Schwierigkeiten gemeinsam gemeistert, waren miteinander verschmolzen, wie es nur Geschwister oder Eltern und ihre Kinder sein können. Und nun sollte meine Mutter in einer anderen Stadt wohnen, denn die Strecke war unter den damaligen Verkehrsverhältnissen viel zu weit, um sie täglich zu fahren, abgesehen davon, dass Mola nicht genug verdienen würde, um ihrer Tochter täglich Bustickets zu kaufen. Doch Mola erkannte die Chance, die sich Sonam bot, und sie wusste insgeheim auch, dass das, was Rinchen Dölma Taring sagte, mehr war als ein Vorschlag. Das war eine Anordnung, der sie sich kaum widersetzen konnte, denn die Adlige war es von ihrer Stellung in Tibet her gewohnt, dass niemand ihre Vorschläge in Zweifel zog oder ihnen widersprach.

Mola wollte sich auch nicht widersetzen, denn sie war froh darüber, dass ihre Tochter eine Ausbildung erhalten sollte, da die Welt des alten Tibet zerbrochen war, in der ein Mädchen nichts weiter als eine gute Hausfrau, eine fleißige Bäuerin oder eine aufmerksame Hirtin und natürlich eine gute Mutter zu sein hatte. Mola hatte von später geflohenen Tibetern erfahren, dass das Land ihrer Vorfahren von anderen bestellt wurde. Sie wusste, dass ihre beiden Brüder ebenfalls fliehen wollten und auf der Flucht von den Chinesen gefangen genommen und in ein Gefängnis gesteckt worden waren. Diese Nachricht schmerzte Mola und Sonam sehr. Von diesem Moment an waren sie davon überzeugt, dass sie ihre in Tibet zurückgebliebenen Verwandten nie mehr sehen würden.

Mola wurde dadurch noch einmal deutlich vor Augen geführt, dass es keine Rückkehr in die alte Heimat geben würde und dass sie und ihre Tochter auf sich allein gestellt waren, weshalb Sonam für ihren späteren Lebensweg nichts dringender bräuchte als eine gute Ausbildung.

»Sonam, wir machen das«, sagte Mola, nachdem sie Rinchen Dölma Taring wieder verlassen hatten, und nahm ihre Tochter in den Arm. In diesem Moment wusste Sonam, dass ein neuer Abschnitt ihres Lebens begann.

Während Mola sich in ihrer neuen Rolle als Mutter von fünfundzwanzig tibetischen Waisenkindern einlebte, zog meine Mutter mit bangen Gefühlen in das Girls Hostel nach Dehradun und litt an ihrem neuen Wohnort furchtbar unter der Trennung von ihrer Mutter. In den Nächten weinte sie still in ihre Kissen, damit niemand von ihrem Schmerz erfahren würde, und machte sich große Sorgen um Mola. Sie hatte Angst, dass ihre Amala krank werden, unter der Arbeit zusammenbrechen oder wie sie unter der Trennung leiden könnte. Kontakt zu Mola hatte Sonam keinen, denn telefonieren wäre viel zu teuer gewesen, und über ein eigenes Telefon verfügten natürlich weder Mola noch Sonam. Es blieb ihr nichts anderes übrig, als sich in ihr Schicksal zu fügen und auf die nächsten Ferien zu hoffen. Einen Lichtblick gab es: Sonam stellte mit großer Freude gleich zu Beginn ihres Aufenthalts im Hostel fest, dass auf den Gängen und in den Zimmern ausschließlich Tibetisch zu hören war. In dem Heim lebten nur tibetische Mädchen, hundertfünf Flüchtlingskinder, die auf zwei Gruppen aufgeteilt waren, in denen sie jeweils von einem Ehepaar betreut, versorgt und kontrolliert wurden.

Zur Schule ging Sonam in die Cambrian Hall. Die gepflegten, modernen Häuser dieser Schule wirkten fast so wie die Schulen, die Sonam in dem Film über das schöne englische Kinderleben gesehen hatte, den »Uncle Sweeny« ihr und seinen anderen Schützlingen in Sterling Castle gezeigt hatte. An ihrem ersten Schultag wurde ihr auch die Schuluniform ausgehändigt: ein blauer Blazer, ein grauer Rock, ein weißes Hemd, eine blaugelb gestreifte Krawatte, gelbe Socken und ein Paar braune Schuhe. Für die heißen Tage bekam sie ein hellgraues, dünnes Sommerkleid.

Wieder war Sonam die schlechteste Schülerin ihrer Klasse, weil sie viel weniger Englisch verstand als die anderen, weil sie viel weniger Schuljahre hinter sich hatte und weil die Ziffern vor ihrem inneren Auge wieder zu tanzen begannen, sobald sie sich über mathematische Aufgaben, Zahlenkolonnen und ihren Rechenstab beugen musste. Meine Mutter verfiel dabei in solche Panik, dass ihr nicht einmal ihre wohlmeinende Nachbarin helfen konnte, und auch Molas Gebete für bessere Mathenoten brachten kein greifbares Ergebnis.

Hatte Sonam in ihrer ersten Zeit in Indien, in Sterling Castle und in Summer Hill, noch über den Luxus gestaunt, in dem sie leben durfte, und die Segnungen von Wasserleitungen, Klosetts, frisch gewaschener Wäsche und regelmäßigen Mahlzeiten genossen, so betrachtete sie die Dinge in Dehradun schon kritischer. Sie sah, wie knapp sie von den tibetischen Heimeltern gehalten wurden. Das Essen war kärglich und die Zimmer blieben tagsüber versperrt, damit nichts verschmutzt wurde. Also musste Sonam wie alle anderen Mädchen auch ihre Freizeit im Hof verbringen, keine angenehme Sache bei den meistens brütend heißen Temperaturen in Dehradun, das wesentlich tiefer lag als Mussoorie und bereits voll dem tropischen Klima ausgesetzt war.

Lediglich die Kinder aus reicheren tibetischen Familien und die wenigen verheirateten Mädchen, die es in dem Hostel seltsamerweise auch gab, konnten sich ihre Freizeit angenehmer gestalten: Sie gingen nachmittags in die Stadt und bevölkerten die Cafés. Das wöchentliche Taschengeld, das Sonam vom Hostel bekam, eine Rupie, hätte dagegen nur für eine einzige Cola gereicht. Nicht einmal Binden konnten sie und die anderen armen Mädchen sich kaufen, die allesamt schon regelmäßig ihre Periode bekamen. In Tibet war so etwas wie Monatshygiene unbekannt gewesen, dort versickerte das Blut einfach in den umfangreichen Untergewändern der *chupas* oder wurde von den Frauen mit alten Fetzen und schmutzigen Lumpen aufgefangen, doch das war in den schmucken Schuluniformen und bei den brütend heißen indischen Temperaturen nicht möglich. Also blieb den Mädchen nichts übrig, als ihre T-Shirts in Streifen zu reißen, sie als Binden zu verwenden und immer wieder notdürftig zu reinigen. Sonam und auch die anderen Mädchen hätten es niemals gewagt, bei den Heimeltern nach Binden zu fragen, denn das waren Leute, vor denen man als ordentliches tibetisches Mädchen Themen wie Monatsblutung oder andere körperliche Belange niemals ansprechen durfte. Die Heimeltern waren verschlossen und unnahbar, sie ließen die Mädchen mit den Sorgen, Fragen und Bedenken von Heranwachsenden meistens alleine.

Als meine Mutter die Hitze nicht mehr aushielt, ging sie mit Herzklopfen zur Hausmutter und bat sie, ihr den Schlüssel für ihr Zimmer auszuhändigen. Anfangs weigerte sich die Frau, doch als Sonam sie inständig bat, bekam sie ihn, mit einer Mimik, die Sonam nie vergessen wird. Bedingung war, dass meine Mutter niemandem davon erzählte, ansonsten würde sie den Schlüssel nie mehr erhalten. Sonam war danach zwar glücklich, der unglaublichen Hitze etwas entkommen zu können, hatte aber ein schlechtes Gewissen, wenn sie sich in ihr Zimmer schlich, da die anderen Mädchen dieses Privileg nicht besaßen. So holte sie ihren Schlüssel jedes Mal unter Herzklopfen und ließ ab und zu dennoch ein paar andere Mädchen in ihr Zimmer, die sich dann alle wie Diebinnen fühlten. Meine Mutter empfand diese Schlüsselgeschichte als ungerecht und hätte sie gerne dem Delegierten der Schweizer Tibethilfe mitgeteilt, wenn dieser zu einem seiner regelmäßigen Besuche nach Indien kam, um in den Heimen nach dem Rechten zu sehen. Aber alle hatten Angst vor ihm und Respekt, denn er schien ein besonderer Mensch zu sein. Die Heimleiter bereiteten die Kinder schon ein paar Tage vor seinem Kommen auf ihn vor. Sie mussten dann besonders gründlich fegen, aufwaschen und wienern, und als der hohe Besuch endlich da war, zogen alle Mädchen frisch gewaschene Kleider an und standen in zwei langen Reihen Spalier. Unter dem Jubel und Winken der Kinder stieg der Schweizer aus seinem Auto und rief mit einer tiefen Stimme den Mädchen zu, die in den Reihen vor und hinter ihm standen: »Hallo, how arrre you?« Alle mussten dann »Fine, Sir!« antworten. Alle Probleme wie einseitiges Essen, das Fehlen von Monatsbinden oder die verschlossenen Zimmer wagten die Mädchen ihm gegenüber dann doch nicht zu äußern. Einige seiner Lieblingsmädchen ließ der Schweizer einzeln in sein Zimmer rufen. Diese durften dort lange auf seinem Schoß sitzen. Das kam meiner Mutter damals nicht seltsam vor, sondern machte sie im Gegenteil etwas neidisch, genauso wie die anderen Mädchen, die wie Sonam auch nicht zu den Lieblingsschülerinnen des Schweizers gehörten.

Trotz dieser Widrigkeiten war meine Mutter dankbar, dass sie die Chance hatte, zur Schule zu gehen und im Mädchenheim zu wohnen. Doch vermutlich formten all diese Ungerechtigkeiten, die sie erleben und mit ansehen musste, ihre tiefe Sehnsucht nach Gerechtigkeit, die meine Amala für ihr Leben entscheidend prägen sollte. Ihr größter Wunsch besteht darin, durch ihre Schilderungen die heute in ähnlichen Einrichtungen arbeitenden Personen auf Missstände aufmerksam zu machen, damit diese sich nicht wiederholen können.

Mäusekönig

Vor den von Sonam heiß ersehnten Sommerferien fanden die Prüfungen für das Jahreszeugnis statt, die meiner Mutter etliche schlaflose Nächte bereiteten. Sie schnitt nicht allzu gut ab, und zu allem Überfluss las der Schuldirektor am letzten Tag vor den Ferien die Noten jeder Einzelnen vor den versammelten Schülerinnen und Lehrern laut vor, was bei Sonam den Eindruck erweckte, sie würde an den Pranger gestellt.

Diese Tortur musste Sonam überstehen, um endlich der Hitze, dem Hostel, dem Massenbetrieb und dem Drill der Schule entfliehen zu können, hinauf nach Mussoorie, zu ihrer geliebten Mutter, die sie seit Monaten nicht mehr gesehen hatte. Wie glücklich war Sonam, als sie im Bus saß und in der Ferne sich die ersten schneeglitzernden Gipfel des Himalaja abzeichneten, und um wie viel größer noch war ihre Freude, endlich wieder ihre Amala in die Arme schließen zu können.

Sonam wohnte während der in Indien mehrere Monate dauernden Sommerferien zusammen mit ihrer Mutter und der verwitweten Hausmutter im Haus Nummer 13 des Kinderdorfes. Sie sah, wie ihre Amala von früh bis spät schuften musste, während die andere Frau, die dieselben Aufgaben wie Mola hatte, stets faul am Fenster hockte und sich besah, was auf dem Weg vor dem Haus passierte. Wenn sie Rinchen Dölma Taring oder eine andere wichtige Person erspähte, zog sie blitzschnell ihre Arbeitsschürze an, benetzte sich ihre Hände an der Wasserleitung und eilte der Person entgegen, sich die Hände an der Schürze abtrocknend, als ob sie eben eine schwere Beschäftigung unterbrochen hätte. Dabei ließ sie alle Arbeiten Mola erledigen. Einmal beschuldigte sie meine Großmutter sogar, Nahrungsmittel gestohlen zu haben, worunter diese stark litt. Auch Sonam schmerzte das, weil sie wusste, dass sie als junges Mädchen nichts gegen diese Ungerechtigkeit unternehmen konnte.

Seit Sonam wieder zurück in Mussoorie war, erhielt sie Besuch von einem jungen Tibeter, den alle nur »Mäusekönig« nannten, weil er zart und dünn war, große Ohren hatte und eine riesige Brille trug, die sein Aussehen nicht eben vorteilhaft veränderte. Tibeter sind immer gut im Verteilen von Spitznamen. Sie machen sich einen Spaß daraus, Menschen hinter deren Rücken aufgrund von auffälligen körperlichen Eigenschaften umzubenennen. Stundenlang hockte Mäusekönig nun in der Küche von Haus Nummer 13 und erkundigte sich geduldig nach den Kindern, als läge ihm diese Gruppe besonders am Herzen. Er plauderte mit Mola, trank den Tee, den sie ihm anbot, und beobachtete dabei verstohlen Sonam. Meine Mutter wunderte sich darüber, was Mäusekönig eigentlich wollte, warum er stundenlang dasaß, ständig redete und doch nichts sagte, aber sie machte sich keine Gedanken, bis sie den ersten Brief von ihm erhielt. Darin klärte er sie auf, warum er es so gemütlich fand im Haus Nummer 13: Er war an ihr interessiert. Bisher hatte er zwar noch kein Wort über seine Gefühle verloren, aber in dem Brief formulierte er vorsichtig, welch große Freude es ihm bereite, Sonam sehen zu können.

Meine Mutter wusste im ersten Moment nicht, wie sie sich verhalten sollte, und erzählte Mola davon. Diese hatte zwar nichts gegen Mäusekönig, aber sie fand, ihre Tochter sei zu jung für so etwas. Sonam war erleichtert, denn sie fühlte genauso und warf den Brief leichten Herzens weg.

Damals heirateten Mädchen und Frauen nicht mehr so jung, wie es früher in Tibet üblich gewesen war. Wenn sich ein Mann für eine Frau interessierte, besuchte er zuerst die Eltern dieser Frau, um mit ihnen in zarten Andeutungen über sein Anliegen zu sprechen, oder er schrieb der Frau einen Brief. Sonam fühlte sich aber noch nicht reif für Liebesgeschichten, weshalb sie auch den zweiten Brief wegwarf, den sie von Mäusekönig erhielt, ohne ihn beantwortet zu haben.

Zu tun hatte sie ohnehin etwas anderes, denn sie sollte demnächst zu arbeiten beginnen. Einige Tage zuvor hatte sie von Frau Taring die Mitteilung erhalten, sie sei zusammen mit einem anderen Mädchen dazu auserkoren worden, von nun an den ganzen Sommer über in einem tibetischen Restaurant zu servieren. Beide sollten umsonst arbeiten, denn die Einnahmen würden zur Gänze dem Kinderheim zugutekommen.

Als Sonam den Ort, an dem sie servieren sollte, zu Gesicht bekam, staunte sie sehr: Es handelte sich um das Savoy, ein von den Engländern zu Beginn des 20. Jahrhunderts errichtetes Luxushotel, das es damals durchaus mit seinen Vorbildern in London, Paris oder Rom hätte aufnehmen können. Zu Sonams Zeit war sein Glanz schon leicht verblasst, doch immerhin war das Savoy auch noch zu Beginn der siebziger Jahre das beste und größte Hotel in Mussoorie. Seine holzgeschnitzten Veranden, rot gedeckten Türmchen, weit geschwungenen Treppen und tempelhohen, mit dicken Teppichen gepolsterten Hallen machten großen Eindruck auf Sonam. Erstaunt bemerkte sie, dass in den Restaurants des Hauses reiche Inder in prächtigen Gewändern saßen, die mit Messer und Gabel von blütenweißem Porzellan speisten. In der Innenstadt von Mussoorie war Sonam mit Mola schon mehrfach an einem Restaurant vorbeigegangen, in dem es auch diese Tischtücher und Gläser und vielen Gabeln und Messer gab, vor denen Weiße und auch reiche Inder saßen. Danach hatte sie sich mit Mola darüber unterhalten, wie schön und doch unerreichbar es wäre, so zu essen. Und nun sollte sie in einem solchen Restaurant servieren!

Zu Sonams Überraschung funktionierte das sogar. Das tibetische Restaurant nahm nur einen kleinen Winkel eines viel größeren indischen Restaurants ein, in den sich ohnehin nicht viele Gäste verirrten. Auf der Karte gab es Speisen, die Sonam glücklicherweise kannte, und die allesamt fein gekocht und appetitlich auf den Tellern angerichtet waren. Unangenehmer für sie wie auch für ihre Kollegin waren die Inder, die ihr Essen aufs Zimmer bestellten. Sonam fühlte sich jedes Mal unsicher, wenn sie mit ihrem Tablett über die plüschigen, schier endlosen Gänge laufen und dann an eine der zahlreichen Zimmertüren klopfen musste, von denen sie keine Ahnung hatte, was sie dahinter erwarten würde. Richtig Angst hatte sie vor den Besuchen in den Zimmern allein reisender Männer, die, wie es Sonam vorkam, nicht nur ihre Speisen, sondern auch die junge Serviererin mit interessierten Blicken abtasteten. Es geschah Sonam jedoch nie etwas, außer dass sie ihren Rückweg manchmal mit einem kleinen Trinkgeld antreten konnte, das sie sich für das nächste Schuljahr in Dehradun zu sparen vornahm.

Verabredung zu dritt

Der Schweizer Student Martin Brauen atmete tief durch, als er mit nichts als einem Koffer an der Station »Library Bus Stand« in Mussoorie aus dem Bus stieg, unweit des Nobelhotels Savoy. Voller Freude besah er sich den dichten Wald, die steilen Bergflanken und das frische Grün zwischen den schmucken Häusern, die seit der Siedlungstätigkeit englischer Kolonialherren auf der Kuppe des Hügels von Mussoorie standen. Der Anblick erinnerte ihn an seine Schweizer Heimat, auch wenn hier alles üppiger, bunter, feuchter und auch um vieles wärmer war als im Hochsommer in seiner Heimatstadt Bern. Besonders angetan war er von der feuchten Luft und den Nebelschwaden, welche die Hügel wie schneeweiße Watte umhüllten. Das Ziel meines Vaters war das Happy Valley, das glückliche Tal, dessen Name ihm bereits gefiel, als er ihn zum ersten Mal hörte, ohne zu ahnen, wie schnell sich dessen Bedeutung für ihn persönlich im wahrsten Sinne des Wortes erfüllen würde.

Dort angekommen, ging Martin zum Büro des tibetischen Kinderdorfs, um Rinchen Dölma Taring, die von seiner Ankunft bereits wusste, persönlich zu treffen. Nachdem er ein Gästezimmer im Kinderdorf bezogen hatte und schon einige Tage vergangen waren, machte mein Vater Bekanntschaft mit dem Mäusekönig, der im Kinderdorf arbeitete. Eines Abends schlug dieser ihm vor, im besten Hotel der Stadt essen zu gehen, im Savoy.

»Dort gibt es ein wunderbares tibetisches Restaurant«, verriet ihm Mäusekönig, »in dem servieren zwei schöne tibetische Mädchen«, fügte er mit einem Augenzwinkern hinzu.

So führte Mäusekönig meinen Vater mit großer Geste durch die Halle des Fünf-Sterne-Hotels und durch das gut gefüllte Restaurant bis in dessen hintersten Winkel, der mit ein paar Wandbildern als tibetisches Restaurant kenntlich gemacht war, sich aber sonst durch nichts von dem indischen Esstempel rundherum unterschied, abgesehen von den zwei Mädchen in den traditionellen tibetischen *chupas*, die meinen für indische Verhältnisse extrem großen Vater und den kleinen Mäusekönig freundlich, aber scheu begrüßten.

Meine Mutter Sonam brachte die Speisekarte, erkundigte sich in ihrem holprigen Englisch schüchtern nach den Wünschen der beiden Gäste und quittierte jede Bestellung mit einem gehauchten »Yessir«. Es störte sie zwar, dass Mäusekönig ihr sogar hier nachstellte, doch sie machte gute Mine zum bösen Spiel. Aber was war das für ein junger Mann, den er mitgebracht hatte? Er sah anders aus als die weißen Touristen, die sie im Savoy gesehen oder bedient hatte. Dieser Mann war viel jünger als die anderen. Er hatte keinen guten Anzug an wie sie und trug auch keine bunten Touristensachen, sondern ein einfaches braunes Hemd und eine einfache Hose. Er sah ziemlich arm aus, mit seinen langen Haaren, seinem kleinen Bärtchen und zertretenen Schuhen. So dünn wirkte er, seine Wangen waren fast eingefallen, doch seine Augen glänzten, und er konnte sich kaum abwenden von Sonam.

Martin fiel es schwer, den Ausführungen seines Bekannten zu folgen, denn immer wieder schweiften seine Blicke durch das Restaurant, auf der Suche nach dem Mädchen, das ihn eben bedient hatte. Mäusekönig fiel Martins Unruhe auf, doch er führte das auf die für ihn ungewohnte Umgebung zurück. Als er erkennen musste, dass mein Vater ihm kaum mehr zuhörte, sondern sich ständig im Restaurant umsah, wollte er ihn zurück ins Happy Valley begleiten. Mein Vater lehnte sein Angebot zu seiner Überraschung jedoch ab, bedankte sich artig für das Zusammensein und erklärte, dass er noch ein wenig sitzen bleiben und etwas lesen wolle. Mäusekönig blieb nichts anderes übrig, als sich zu verabschieden und grummelnd zurückzuziehen.

Mein Vater zog ein Buch heraus, schlug es auf und tat so, als ob er las, denn konzentrieren konnte er sich ohnehin nicht. Wie magisch wurden seine Blicke von Sonam angezogen, die ihm serviert hatte und sich nun darüber wunderte, dass dieser Gast nach dem Essen nicht aufstand wie alle anderen auch, sondern einfach sitzen blieb und las und las und saß, bis sie ihm sagen musste, dass das Restaurant schließen würde. Erst dann ging auch mein Vater nach Hause, zurück in sein kleines Zimmer, als letzter Gast.

Doch er kam wieder. Von nun an saß er beinahe jeden Abend im Savoy. Ohne Mäusekönig, aber mit einem Buch und einem Notizheft bewaffnet. Er konnte sich nicht viel mehr leisten als einen Teller Nudeln und zwei Tassen Tee, bei denen er stundenlang hocken blieb, las und die Aufzeichnungen für seinen Auftrag zusammenstellte. Doch wenn Sonam in seine Nähe kam, war seine Arbeit augenblicklich vergessen. Dann schenkte er ihr ein Lächeln oder versuchte sie in ein Gespräch zu verwickeln, was ihm nicht immer leichtfiel, denn meine Mutter war sehr zurückhaltend. Für sie waren Weiße Wesen aus einer anderen Welt, deren Sätze man mit »yessir« oder »no, Sir« quittierte und im Übrigen alles tat, um sie geräuschlos zufriedenzustellen. Doch diesem Weißen war das nicht genug, er wollte mehr. Was er wollte, konnte sich Sonam nicht vorstellen, denn die Welt des

Werbens und Flirtens war ihr noch fern. Sie hatte nie darüber nachgedacht, ob sie später einmal mit einem Mann zusammen sein könnte, der kein Tibeter war, das lag außerhalb ihrer Vorstellungskraft. Traditionelle Tibeterinnen akzeptieren nur tibetische Buddhisten als Gatten. Mola war eine sehr traditionelle Tibeterin, und für Sonam war klar, dass sie nur einen Mann heiraten könnte, mit dem Mola einverstanden sein würde.

Doch nicht nur Sonam besaß ihre festen Vorstellungen, Martin hatte die auch. Er war von seiner frühesten Kindheit an gewohnt, Dinge, die er sich in den Kopf gesetzt hatte, zu bekommen. Er war so dickköpfig, wie es den Bernern allgemein nachgesagt wird, und vielleicht noch ein bisschen dickköpfiger. Martin blieb auch, nachdem Sonam sich auf keine Unterhaltung mit ihm einlassen wollte, jedes Mal so lange im Savoy sitzen, bis das Restaurant schloss, um Sonam nach Hause zu begleiten, denn er hatte bald herausgefunden, dass auch sie im Happy Valley wohnte, wo er in der Zwischenzeit in einem von einem alten indischen Ehepaar gemieteten Apartment lebte.

Martins Beharrlichkeit gelang es schließlich, Sonams Verschlossenheit nach und nach zu öffnen. Weil ihr der ausgehungert wirkende Student leidtat, servierte sie ihm jedes Mal eine gratis Extraportion. Sie ließ sich auf das eine oder andere Gespräch ein, und als Martin sie ins Kino einlud, sagte sie erst nein, dann vielleicht, und zuletzt ja, allerdings nur in Begleitung ihrer Freundin, der zweiten Serviererin. Die drei sahen eines jener Bollywood-Liebesdramen, auf Hindi, von dem Martin so gut wie nichts verstand, was aber in diesem Fall gleichgültig war. Artig saß er neben Sonam auf den abgewetzten Plüschfauteuils, und diese wusste nicht wohin mit ihren Händen und warum er sie eigentlich eingeladen hatte. Es tat ihr leid, dass er nun drei Tickets hatte zahlen müssen, wo sie doch wusste, dass er wenig

Geld hatte. Nach dem Film standen sie in der lauen Sommernacht von Mussoorie und waren nicht weniger verlegen als vor dem Schmachtfetzen und all den Männern und Frauen, die sich darin weinend vor Glück in die Arme fielen. Brav wanderten sie zusammen ins Happy Valley zurück, sagten einander gute Nacht und gingen schlafen.

Ein anderer hätte aufgegeben, aber Martin tat das nicht. Ihm war klar, dass der Weg zu Sonam nicht über deren Freundin führte, sondern über ihre Mutter. Also lud er Sonam zusammen mit Mola zum Teetrinken in seine Unterkunft ein. Fast wunderte sich mein Vater, als die beiden zur vereinbarten Stunde erschienen, und diesmal brach das Eis. Nun waren die Rollen vertauscht, es servierte nicht Sonam, sondern Martin. Ungeschickt hantierte er mit den Metallbechern, in die er nach indischer Sitte Tee goss. Die Becher waren aber so glühend heiß, dass sie niemand anfassen konnte, was bei allen große Heiterkeit hervorrief. Am erstaunlichsten fanden meine Mutter und Mola allerdings die Hündin mit ihren sechs Welpen, die Martin in sein Apartment aufgenommen hatte und die dort mit ihren Jungen das einzige Fauteuil besetzt hielt. Obwohl es ziemlich streng roch, war Sonam fasziniert von diesem Zusammenspiel des jungen Mannes mit seiner Hündin. So etwas hatte sie noch nie zuvor gesehen. Für sie und auch für Mola war ein Hund ein Tier, das man als Wächter oder Hirtenhund haben könnte, mit dem man sich aber nicht beschäftigte, das man nicht pflegte und schon gar nicht in seine Wohnräume hineinließ. Hunde waren in Tibet meist sich selbst überlassen und lebten von Abfällen, aber dieser Hund wurde gehätschelt und umsorgt wie ein Baby. Auch Mola fand das seltsam, aber ehrenwert, weil ein guter Buddhist Mitleid mit allen Lebewesen haben sollte, was bei diesem jungen Weißen offensichtlich der Fall war.

Mein Vater verstand nicht viel von dem, was Mola sagte, da sie kaum Englisch sprach, aber er bekam mit, dass ihr seine Sorge um die Kreatur gefiel, weil sie ihren buddhistischen Glauben über alles stellte. Das kam ihm entgegen, schließlich war der Buddhismus nicht nur sein Studienfach, sondern interessierte ihn auch persönlich. Schon in der Schweiz hatte er, nicht zuletzt unter dem Einfluss seiner Großmutter und seiner Mutter, meditiert und sich mit buddhistischem Gedankengut befasst, doch nun ging Martin die Sache konkreter an. Er besuchte täglich einen nahe gelegenen Tempel und verharrte in stundenlanger Versenkung. Auf dem Weg dorthin ging er absichtlich am Haus Nummer 13 vorbei, damit Mola ihn sehen konnte. Diesen Umweg hätte er sich sparen können, denn Mola, die oft selbst diesen Tempel aufsuchte, wurde von dessen Mesner täglich über die Besuche Martins auf dem Laufenden gehalten. Auch ihm war der tiefgläubige Europäer positiv aufgefallen. Einmal blieb Martin abends so lange im Tempel, dass ihm der Mesner aus Mitleid ein Bett brachte, damit er in der *gompa* übernachten konnte.

Jetzt begann auch Mola sich mit Martin zu beschäftigen. »Der Arme«, dachte sie, »stundenlang betet er dafür, dass er meine Tochter bekommt.« Ihr war nicht klar, in welche Richtung sich diese Geschichte entwickeln würde. Sonam war zu jung zum Heiraten, das stand fest. Außerdem lebte der junge Herr in der Schweiz, Sonam aber in Dehradun. Wie sollte das nur enden?

Auf Freiersfüßen

Es dauerte nicht lange, bis Martin im Haus Nummer 13 ein und aus gehen konnte. Das war ein Privileg, das bisher nur Mäusekönig gehabt hatte und das er sehr genoss, denn meinem Vater war klar, dass er Mussoorie bald wieder verlassen musste. Also zählte für ihn jede Minute, die er mit Sonam zusammen sein und ihr seine Gefühle offenlegen konnte. Das war nicht einfach, da er mit Sonam nie alleine war. Was immer er vorschlug, ob es ein Ausflug zum Ganges war oder ein Kinobesuch, immer hatte eine Freundin Zeit und Lust, mitzukommen. Bei der Rückfahrt von einem dieser Ausflüge versagte eine der Türen des altersschwachen Taxis, das Martin für die Fahrt bestellt hatte, so dass er, ganz Gentleman, die Tür während der gesamten Strecke zuhalten und bei dieser Gelegenheit seinen Arm um Sonams Schulter legen musste, was er sehr genoss. Nur Sonam saß stocksteif zwischen Martin und der defekten Tür, wagte kaum zu atmen und überlegte die ganze Fahrt über krampfhaft, wie sie sich verhalten sollte.

Martin hatte indes Recht behalten mit seiner Strategie, Mola mit einzubeziehen. Sie gewann immer mehr Vertrauen zu dem sonderbaren Fremden, gegenüber dem sie bald mütterliche Gefühle entwickelte. Immer wenn er zu Besuch kam, bereitete sie ihm eine Nudelsuppe zu und holte schnell vom indischen Milchmann eine halbe Tasse der kostbaren und für sie unvorstellbar teuren Flüssigkeit, die sie Martin zusammen mit der Suppe anbot, damit der unter der indischen Kost leidende Mann wieder zu Kräften komme. Diese Annäherung zwischen Martin und Mola spielte sich nur über Gesten, Mimik und Lautmalerei ab, denn Martin sprach kaum ein Wort Tibetisch, und Mola keine Silbe Deutsch und nur einige Dutzend Wörter Englisch.

Sogar in das edle Restaurant, das Mola und meine Mutter immer bewundert hatten, führte mein Vater die beiden Damen aus. Aufgeregt saß Sonam dann an dem lange ersehnten, festlich gedeckten Tisch mit all den Messern und Gabeln und Löffeln vor sich, von denen sie keine Ahnung hatte, wann und wie sie zu verwenden wären, und empfand diese Situation nur als peinlich. Mola erging es wie Sonam, doch sie ließ sich nichts anmerken, beobachtete Martin aus den Augenwinkeln und machte ihm alles nach. Allerdings schmeckten ihr die Speisen auf den Tellern genauso wenig wie Sonam, so dass die beiden fast alles zurückgehen ließen, und mein armer Pala musste eine für seine studentischen Verhältnisse hohe Zeche bezahlen.

Mein Vater ließ aber nicht locker. Da er erfahren hatte, dass sich Sonam zur Krankenschwester ausbilden lassen wollte, reifte in ihm der Plan, Sonam mit in die Schweiz zu nehmen, wenn er nach seinem auf ein Jahr befristeten Aufenthalt in Indien wieder heimreisen müsste. Außerdem wäre eine Krankenschwesternausbildung in der Schweiz viel besser als in Indien.

»Sie ist schrecklich jung«, schrieb Martin auf seiner Reiseschreibmaschine an seine Mutter Ula in der Schweiz, »was denkst du? Sechzehnjährig, sieht aber viel älter aus. Ihr Wesen ist, wie ich bemerken konnte, ihrem richtigen Alter entsprechend noch etwas kindisch. Für den Moment sicher nicht eine ideale Freundin.«

Das erwähnte Martin nur, um seine Mutter zu beruhigen, denn danach beschrieb er umstandslos seine Pläne, Sonam in die Schweiz zu bringen, natürlich zusammen mit deren Mutter, denn er kannte sie gut genug, um zu wissen, dass alle anderen Varianten zum Scheitern verurteilt waren. »Wenn's so weit ist, werde ich Dich einspannen«, schrieb Martin weiter an seine Mutter, die er bat, später eine Bekannte im Schweizerischen Roten Kreuz zu kontaktieren, »Du musst dann ein bisschen Theater spielen, von unserer ›Liebe‹ erzählen, … damit sie die beiden einladen.«

»Ich möchte dich und deine Mutter in die Schweiz mitnehmen«, sagte er eines Abends zu Sonam, als er sie nach einem Treffen wieder einmal ins Haus Nummer 13 brachte. »Du kannst dort zur Krankenschwester ausgebildet werden. Die Situation hier in Indien ist ungewiss, es gibt so viele innenpolitische Probleme, außerdem droht ein Krieg mit China oder Pakistan.« Mit diesem Hinweis auf die politische Lage versuchte er, Sonam von seinem Plan zu überzeugen. Sie erkannte jetzt, dass Martins Werben um sie ernst gemeint war, und es gefiel ihr besser als das der anderen Interessenten, die sich bei ihr gemeldet hatten. Viel besser etwa als das Angebot eines wohlhabenden Tibeters, der seinen Heiratsantrag persönlich bei Mola hinterlegt hatte, in traditioneller Form zusammen mit einer großen Schale voll prächtiger Früchte und einer *katak*, der weißen Glücksschleife, die Tibeter bei Begrüßungen und offiziellen Anlässen einander überreichen oder vor Altären opfern. Der Mann hatte sich Sonam als Gattin für seine beiden Söhne ausgesucht, eine im alten Tibet gängige Praxis, um zu verhindern, dass bei einem frühen Tod eines Sohnes, der unter den harten Lebensverhältnissen des Hochlandes nicht unwahrscheinlich ist, das gesamte Familiengefüge zerbricht. Außerdem ist in solch einer Konstruktion immer ein Mann im Haus und die Frau nicht ohne Schutz, wenn der andere Mann monatelang mit der Herde im Hochland unterwegs ist. Eine Doppelhochzeit hat darüber hinaus den Vorteil, dass der Besitz nicht auf zwei Söhne aufgeteilt werden muss, weil beide in derselben Familie und im selben Haus weiterleben. Doch Mola empfand im indischen Exil keine Notwendigkeit für solch überkommene Gebräuche und erklärte dem Brautwerber in aller Deutlichkeit, dass ihre Tochter für seine Bewerbung nicht infrage käme. Auch auf das ihr ebenfalls nach traditioneller Art vorgetragene Angebot eines anderen reichen Tibeters, eines Restaurantbesitzers und Pferdezüchters, Sonam zur Frau zu nehmen, wollte Mola nicht eingehen, denn sie empfand den Brautwerber als viel zu alt für ihre junge Tochter. Martin durfte sich also als aussichtsreicher Bewerber für Sonam betrachten.

So konnte mein Vater im Sommer 1970 in einem Brief an seine Mutter Ula voller Hoffnung schreiben:

»Es kam, wie es kommen musste: Ihre Mutter hat zugestimmt, sie und ihre Tochter Sonam Dölma möchten in die Schweiz reisen. Ist dies nicht wunderbar? Doch nun die größte aller Schwierigkeiten: Das Schweizerische Rote Kreuz dazu bringen, die beiden in die Schweiz kommen zu lassen. Für mich ist die Einreise von Sonam Dölma und ihrer Mutter von immenser Wichtigkeit. Du weißt, sie ist eine gute Freundin von mir. Nicht dass ich so blöde wäre und bereits an Heirat denke. Nein, aber es handelt sich bei Sonam Dölma doch um einen Menschen, der sich, gelinde ausgedrückt, eventuell einmal in drei, vier Jahren für eine Heirat eignen würde. Ich weiß es nicht, und gerade deshalb möchte ich sie in der Schweiz haben: Um sie kennenzulernen. Zudem bringt ihr der Aufenthalt in der Schweiz persönliche Vorteile: Sie will Krankenschwester werden, und die Ausbildung in der Schweiz ist viel besser als in Indien.«

Doch es sollte anders kommen, denn Mola wollte nicht auf die althergebrachte Sitte verzichten, sich in großen Lebensfragen bei ihrem Guru rückzuversichern. Dafür war in Molas Leben Dudjom Rinpoche zuständig, den sie nicht nur schon in Tibet, sondern auch im indischen Exil in Shimla und in Kalimpong getroffen hatte. Also schrieb Mola einen Brief an den verehrten spirituellen Meister, um ihn nach seinem Rat zu fragen, und Martin musste zähneknirschend akzeptieren, dass dessen Ratschlag abzuwarten war.

Einige Wochen später traf die Antwort des Rinpoche ein, und sie war für Martin alles andere als zufriedenstellend. Mein Vater beschrieb die Situation in einem Brief an seine Mutter:

»Doch nun kam am Freitagabend der Schlag: Die Mutter, die Nonne ist und sehr religiös lebt, und die Tochter kamen zu mir. Ich fühlte, dass die Mutter etwas bedrückte. Und da war es auch bereits: … Der hohe Lama hatte der Mutter geschrieben, die Gesundheit der Tochter, so sehe er es voraus, und diejenige der Mutter seien in den nächsten ein bis zwei Jahren bedroht. Die beiden sollten wenn möglich am selben Ort leben. Eine Reise in die Schweiz bedeutet eine Ortsveränderung, weshalb die beiden, speziell die Mutter, nun sehr beunruhigt sind, ob sie vor dem Ablauf eines oder eventuell zweier Jahre in die Schweiz reisen sollten. Und dabei möchten sie so gerne so bald als möglich in die Schweiz reisen. Du kannst Dir nicht vorstellen, wie die Tränen flossen, und auch meine Tränen mussten, im Angesicht so vieler anderer Tränen, damit kämpfen, nicht herauszukollern. Schreckliches Herzeleid, eine beinahe schlaflose Nacht und ein guter Brief an diesen hohen Lama waren die Folge, ein Brief, in dem ich auf einige wesentliche Punkte hinwies, die zeigen, dass eine Reise der beiden in die Schweiz für ihre Gesundheit nützlich sein kann. Ferner bot ich dem hohen Lama ganz der tibetischen Sitte folgend an, ein spezielles Gebet zu finanzieren, das diese bösen Einflüsse, die den beiden drohten, entfernen, sozusagen zerstören soll. Das sei möglich, sagte mir ein ebenfalls sehr hoher Lama in Mussoorie.«

Die Antwort auf diesen Brief ließ jedoch auf sich warten. Da der Auftrag meines Vaters in Mussoorie beendet war und sein Indienvisum ablief, reiste er schweren Herzens ab. Im nächsten

Semester wollte er an der Universität in Zürich mit dem Studium der Ethnologie und Religionswissenschaften beginnen. Sobald die beiden Frauen außer Sicht waren, übermannte Martin die Traurigkeit vollends, und er musste während der gesamten Taxifahrt nach Dehradun weinen.

Dort hatte Martin noch in dem Hostel zu tun, in dem Sonam während des Schuljahres lebte und das von demselben Schweizer Hilfswerk finanziert wurde wie das Kinderdorf in Mussoorie. Bei seinem Besuch in dem Heim fand mein Vater heraus, dass der Leiter des Boys Hostels doppelte Buchführung betrieb: Er ließ sich für jede Lieferung an Lebensmitteln zwei Rechnungen geben, eine höhere und eine niedrigere. Die niedrigere bezahlte er, die höhere reichte er zur Vergütung durch die Tibethilfe ein, die Differenz steckte er in die eigene Tasche. Als Martin Rinchen Dölma Taring und auch den Verantwortlichen der Schweizer Tibethilfe seine Erkenntnisse eröffnete, wollten die es kaum glauben, doch Martin präsentierte ihnen Beweise, denen sie sich nicht verschließen konnten und die bald die gesamte Verwaltung der Tibethilfe Kopf stehen ließen.

Im Gutmenschen-Business der Tibethelfer lief offensichtlich einiges nicht rund, denn Martin fand auch heraus, dass in der Betreuung der Schweizer Paten, die den Schulbesuch der tibetischen Flüchtlingskinder sponserten, Ungereimtheiten aufgetreten waren. So mussten alle Kinder wie Sonam, deren Schulgeld mit solchen Spendengeldern bezahlt wurde, jeden Monat Briefe an die Menschen schreiben, denen sie zwar viel zu verdanken hatten, die sie aber nicht kannten. Keine leichte Aufgabe für Kinder, weshalb der Einfachheit halber die Lehrer einen Text an die Tafel schrieben, den jedes Kind so schön abschreiben sollte, wie es nur konnte: »Lieber Wohltäter, dank der Gnade des Dalai Lama geht es mir sehr gut. Ich bin froh, dass Sie mir den Schulbesuch ermöglichen. Ich lerne sehr fleißig und mache immer meine Hausaufgaben. Ich habe eben eine Prüfung mit gutem Erfolg bestanden und hoffe, ich kann einmal nach Tibet zurückkehren«, stand dann in den Briefen zu lesen. Nur die Adressen unterschieden sich, doch die schrieb der Lehrer auf die Briefe. Diese Adressen hätten den Kindern ohnehin nichts gesagt, das waren für sie nichts als unbekannte Namen in unbekannten Städten und unbekannten Ländern, von denen sie nicht die geringste Vorstellung hatten.

Allerdings schrieben manche Kinder, wie Martin herausfand, nicht nur an einen, sondern sogar an mehrere Paten, wobei nicht geklärt war, was mit dem überschüssigen Schulgeld passierte, das die Organisation für diese Kinder kassierte. Später fand mein Vater heraus, dass mehrere Paten zufälligerweise festgestellt hatten, dass sie teilweise nicht nur dieselben Texte zugesandt bekamen, sondern auch ein und dasselbe Kind unterstützten. Nachträglich wunderte er sich fast darüber, dass sich diese Sache nicht zu einem handfesten Skandal auswuchs.

Gleich nach seinen Recherchen flog Martin in die Schweiz zurück, von einer Sehnsucht ergriffen, die nicht und nicht vergehen wollte, sondern im Gegenteil immer stärker wurde. Es war paradox: Je länger die Verabschiedung meines Vaters von meiner Mutter zurücklag, desto dringender wurde sein Verlangen, wieder bei ihr zu sein, diesmal aber nicht zusammen mit einer Anstandsdame im Kino, sondern richtig, wie Mann und Frau.

Die Entscheidung

Als der Herbst über Mussoorie aufstieg, gab es sonnige, aber nicht mehr heiße Tage, die die grünen Bergketten messerscharf in den tiefblauen Himmel stießen. Dann hieß es auch für Sonam, Abschied zu nehmen von Mola, denn die Schule fing wieder an. Schweren Herzens stieg sie in den Bus nach Dehradun, doch dieser Abschied war anders als früher. Sonam schmerzte nicht nur die monatelange Trennung von ihrer Mutter, ihr Herz gab ihr auch jedes Mal einen Stich, wenn sie an Martin dachte, an den sonderbaren Studenten aus dem fernen »Swiserland«, wie sie hier alle sagten, der wegen der negativen Antwort des Rinpoche unverrichteter Dinge abgereist war. Ihr Verstand sagte ihr, dass diese Geschichte vorüber sei, doch ein Gefühl in ihr wehrte sich dagegen, sie abzuschließen.

So versank sie langsam wieder immer tiefer im Alltag ihres Schülerinnenlebens, der nur durch die Briefe unterbrochen wurde, die Sonam von einem Thailänder erhielt, den sie bei einem Picknick getroffen hatte und der seitdem seine Liebesschwüre in wöchentlichem Rhythmus zu Papier brachte und ihr schickte. In einem seiner Briefe schrieb er, wie er oben in Mussoorie stand und hinunter auf die Ebene blickte, in Richtung Dehradun, und überlegte, welches der Millionen Lichter dort unten wohl zu Sonam gehören würde, doch diese Briefe ließen sie kalt. Es fiel ihr nicht leicht, ihm bei ihrem nächsten Besuch in Mussoorie zu sagen: »Ich liebe dich nicht!«, aber danach hatte sie ihre Ruhe.

Ähnlich erging es ihr auch mit einem weiteren Verehrer, einem langhaarigen Tibeter. Der sah zwar elegant aus und rassig zugleich, eine gute Partie aus einer guten Familie, aber wieder sah sich Sonam zu diesem Satz gezwungen: »Ich liebe dich nicht!«

Auch der dritte Verehrer Sonams, ein etwa zwanzig Jahre älterer Soldat, hatte nicht mehr Glück. Er hatte meine Mutter bereits in Shimla umworben, als sie noch im Sterling Castle lebte. Damals schenkte er ihr Schokolade, wovon Sonam ihrer Mutter nie erzählte, und lud sie ins Kino ein, was Sonam aber ablehnte. Sonam hatte diesen Verehrer längst vergessen, als eines Tages in Dehradun ein paar Mädchen nach ihr riefen: »Sonam, du hast Besuch!« Sie war völlig ahnungslos, wer das sein könnte, und ging deshalb zuerst vorsichtig zu einem Fenster, um hinauszuspähen. Als sie sah, wer dort stand, begann ihr Herz wie wild zu klopfen: Das war der Soldat aus Shimla! In Panik rannte Sonam in die Toilette und wartete dort wie es ihr schien ewig, mindestens aber eine halbe Stunde, bis der Mann endlich wieder gegangen war. Sonam hatte vor allem fürchterliche Angst davor, dass die Hostel-Eltern von dem Männerbesuch erfahren könnten, was sicher zur Folge gehabt hätte, dass sie aus dem Hostel und der Schule verwiesen worden wäre. Zu allem Überfluss waren die Toiletten, einfache Plumpsklos, wie meistens verstopft und stanken fürchterlich. Sonam konnte während ihrer Wartezeit nur mit Mühe ihren Brechreiz unterdrücken, indem sie krampfhaft versuchte, sich etwas Angenehmes vorzustellen.

In jener Zeit kam der erste Luftpostbrief aus der Schweiz bei ihr an. Hastig riss Sonam ihn auf und fand auf hauchzartem Papier viele mit der Schreibmaschine eng beschriebene Seiten, die von dem Leben in der schönen Schweiz handelten, von den ethnologischen Studien Martins an der Universität Zürich, und von seiner Sehnsucht nach ihr, nach Sonam. Martin malte auch in den buntesten Farben aus, wie es wäre, wenn sie alle zusammen im Haus seiner Familie leben könnten, und Sonam fand großen Gefallen an seiner Schilderung.

Meine Mutter war sich noch nicht völlig schlüssig darüber, wie sie auf diesen Brief reagieren sollte, als schon der nächste Umschlag mit dem Air-Mail-Stempel bei ihr eintrudelte. Wieder fand sie eine seitenlange Schilderung voller Pläne, Hoffnungen, Gefühle. Sonam wollte die beiden Briefe gerade beantworten, als der dritte Luftpostbrief eintraf, den ihr die Leiterin des Girls Hostels mit spitzen Fingern und reichlich abschätzigem Blick überreichte. Immerhin war es damals ungewöhnlich, ja fast anrüchig, als Frau einen Brief von einem Weißen zu erhalten, und entsprechend peinlich war es Sonam, diese Briefe von der Heimleiterin überreicht zu bekommen. Deshalb schrieb sie Martin entgegen ihren eigentlichen Gefühlen, er solle keine Briefe mehr schicken.

»Bitte schreibe mir nur, wenn es wirklich wichtig ist«, las Martin in seiner Zürcher Studentenbude, »schreibe mir keine unwichtigen Dinge.« Dies hielt meinen Vater jedoch nicht davon ab, weiterhin lange Briefe zu verfassen und an meine Mutter zu schicken.

Manchmal ging Sonam mit Martins Brief in die Toilette, um ihn dort zu lesen, denn das war der einzige Platz, an dem sie ungestört war. Sie hatte Angst vor dem Geschwätz der anderen Mädchen, wenn die etwas von den vielen Briefen erfahren würden. Deshalb beantwortete Sonam fast keinen der folgenden Briefe Martins mehr, was diesen erst recht nicht zur Ruhe kommen ließ. Er schrieb allen möglichen Leuten aus dem Umfeld Sonams, die er von seiner Indienreise kannte. Sogar Mäusekönig bekam ein Schreiben aus Zürich, mit dem Auftrag, zu Sonam zu gehen und sich zu erkundigen, warum er keine Post von ihr bekomme.

Das alles war für Sonam nur peinlich, denn so erfuhr die ganze Schule, dass sie offensichtlich eine Affäre mit einem

Schweizer hatte, wobei sich ihre neugierigen Mitschülerinnen darunter natürlich viel mehr vorstellten als brave Kinobesuche zu dritt und eng beschriebene Luftpostbriefe. Richtig unangenehm wurde es für Sonam, als auch Rinchen Dölma Taring von der Sache Kenntnis erhielt. Nach jeder halbjährlichen Prüfung musste meine Mutter ins Büro von Frau Taring gehen und ihr Zeugnis vorlegen, wovor sie sich wegen der vielen schlechten Noten ohnehin immer fürchtete. Doch dieses Mal bekam sie auch die Wut der Direktorin zu spüren, denn Frau Taring erregte sich vor versammelter Bürobelegschaft mit lauter Stimme:

»Warum willst du in den Westen gehen?« Sonam fühlte sich erniedrigt und gedemütigt. Während ihr schon die Tränen in dicken Strömen über die Wangen kullerten, fuhr Rinchen Dölma Taring fort: »Was willst du von einem weißen Mann? Wir haben genug adlige tibetische Söhne hier, von denen kannst du einen heiraten. Sind dir unsere Männer nicht gut genug?«

Sonam war entsetzt und sprachlos, sie fühlte sich ohnmächtig und wütend zur gleichen Zeit. Nie hätte sie eine derartige Reaktion von der Gründerin des Kinderdorfes im Happy Valley erwartet, und niemals hatte sie sich überlegt, ob tibetische Männer schlechter oder besser seien als weiße Männer. Sie hatte sich überhaupt nicht für Männer interessiert, Martin war ohne ihr Zutun in ihr Leben getreten, wie ein unverhoffter Prinz in einem schönen Märchen, ohne dass sie etwas dafür getan, ohne dass sie ihn herbeigesehnt hätte. Sonam stammelte eine Entschuldigung und merkte gleichzeitig, dass sich etwas in ihr verhärtete. Sie spürte, dass sich in ihr ein Kern bildete, der zu Martin stand, ganz egal, was ihre Wohltäterin und auch alle anderen von ihr denken sollten.

Der Briefverkehr zwischen meiner Mutter und meinem Vater blieb trotzdem einseitig: Martin schrieb lange Ergüsse, Sonam antwortete knapp.

»Ich war traurig, aber auf der anderen Seite bin ich überhaupt nicht traurig, denn ich bin ein glückliches Mädchen, wenn ich bald in die Schweiz kommen kann. Wenn ich ein unglückliches Mädchen wäre, würde ich in Indien zurückgelassen werden … Ich werde nie Deine Freundlichkeit vergessen. Aber warum denkst Du immer an mich? Ich verstehe nicht, was Du damit meinst. Du sollst nicht immer an mich denken, Du sollst an Deine Mutter denken. Du bist doch so weit weg von mir. Nach meiner Ansicht ist die Mutter wichtiger als Freunde. Freunde findet man immer wieder, Mutter gibt es nur eine in der Welt. Und wenn Du mir schreibst, schreib meine Adresse bitte in einer anderen Handschrift, damit der Hauswart nicht merkt, dass Du mir schreibst.«

Wie ein Blitz aus heiterem Himmel traf Martin im Spätherbst die kurze Mitteilung Sonams:

»Bitte sei mir nicht böse, ich musste meine Meinung ändern und kann nicht in die Schweiz kommen. Ich gehe zu meiner Mutter, am 10. Dezember, dann werde ich wieder mit ihr sprechen, und vielleicht wird sie dann ihre Meinung ändern. Aber jetzt kann ich dir nichts weiter sagen, weil ich das zusammen mit meiner Mutter entscheiden muss.«

Danach herrschte Funkstille. Erst nach einem Brief an Mola, den sie von einem Bekannten ins Tibetische übersetzen ließ und in einer englischen Übersetzung beantwortete, erfuhr Martin, dass Mola offenbar radikal ihre Meinung geändert hatte, wobei ihre Gründe für ihn vollständig im Dunkeln blieben. Darüber hinaus bat sie ihn, er möge alle unterschriebenen Formulare, die sie ihm für die geplante Schweizreise mitgegeben hatte, unverzüglich zurückschicken. War der Druck ihrer Umgebung zu groß für Mola und Sonam geworden?

Mein Vater war bestürzt und auch ratlos. Er war wütend, er war traurig, doch all das half ihm nichts. Sonam gab sich in den wenigen Briefen, die er von ihr bekam, wieder so zugeknöpft wie zu Beginn ihrer Bekanntschaft. Ihm blieb nichts anderes übrig, als sich zähneknirschend zu fügen. Dabei konnte mein Vater nicht verhindern, dass ihn üble Gedanken beschlichen: Hatte nicht auch seine Mutter Ula einst Raja geliebt, einen Inder, der Europa bei Ausbruch des Zweiten Weltkriegs verlassen und auf Anordnung seines Vaters nach Indien zurückkehren musste? Den sie deshalb erst dreißig Jahre später wiedersehen sollte? Hatte sie nicht ihr Leben lang dieser verpassten Chance nachgeweint, war nicht die ganze Beziehung zu meinem Großvater wenig mehr als eine Panikehe, um ihre wirkliche Liebe zu vergessen? Sollte nun meinem Vater mit der entschwundenen Sonam das gleiche Schicksal einer lebenslang unerfüllten Liebe drohen?

Doch bald schien es für Martin einen Hoffnungsschimmer zu geben: Martin schrieb und schrieb, und schon ein paar Monate später klang ein Brief Molas, von einem Inder in gestelztes Englisch übersetzt, durchaus hoffnungsvoll.

»Alles hängt von Gott ab«, hatte sie ihm schreiben lassen, »und von meinem Schicksal. Wir wären beide sehr froh, Dich bald zu sehen, denn es ist einiges passiert in der Zwischenzeit.«

Meinem Vater kam dies mehr als entgegen. Er hatte ohnehin geplant, mit einem deutschen Filmemacher nach Indien und Sikkim, eine damals noch unabhängige Monarchie, zu reisen und dort mehrere Filme zu drehen. Nun konnte er das Filmen und den Besuch bei meiner Mutter und Großmutter günstig miteinander verbinden. Dass ihm der Filmemacher später da-

raus den Vorwurf machte, die Reise nur aus dem Grund angetreten zu haben, Sonam zu treffen, ließ Martin kalt, denn er er-
ledigte seine Arbeit für den Film korrekt und relativ erfolgreich.
Relativ deshalb, weil sie das tibetische Orakel in Sikkim nicht
filmen konnten, da es stets betrunken war, und weil einige Filme
über das tibetische Neujahr, die sie in der Nähe von Dehradun
gedreht hatten, von indischen Sicherheitspolizisten beschlag-
nahmt wurden. Doch zuvor kam es noch zu einem berührenden
Wiedersehen mit Sonam in Dehradun, das sich allerdings auf
ein paar Umarmungen, Tränen und die gegenseitige Beteue-
rung, immer zueinanderzustehen, beschränkte.

Auch bei Mola hatte mein Vater Glück. Er bot ihr und Sonam
an, ihn zu den Dreharbeiten in den Nordosten Indiens zu begleiten, doch zu seiner Überraschung sagte Sonam ab, da sie die
Schule nicht schwänzen wollte, nicht jedoch Mola, was sich für
Martin als Glücksfall herausstellen sollte: Während dieser gemeinsamen Reise taute das Eis zwischen den beiden endgültig.
Jeder redete mit dem anderen in seiner Sprache, mit Händen
und mit Füßen, und beide waren hinterher der Meinung, den
jeweils anderen wunderbar verstanden zu haben.

Die Reise führte sie zuerst nach Darjeeling, von wo aus Mola
alleine nach Kalimpong fuhr, um Dudjom Rinpoche zu treffen
und ihm das Heiratsgesuch Martins noch einmal vorzulegen,
diesmal persönlich. Bei einer Audienz erzählte Mola dem Rinpoche nochmals die Geschichte meines Vaters und fragte, ob er
dieses Mal einer Reise der beiden Frauen in die Heimat des
Schweizers zustimmen würde. Dudjom Rinpoche hörte sich die
Sache geduldig an, nickte mehrmals und entließ Mola mit dem
Auftrag, sie solle in einer Woche wiederkommen.

Als Mola nach dieser Woche wieder in die Villa des Rinpoche
kam und ihm unter tiefen Verbeugungen eine Glücksschleife

überreichte, hatte er eine gute Botschaft für sie, denn er war mit Hilfe seiner Gebetskette zu einer Weissagung gekommen:

»Vertrau ihm, geht beide in die Schweiz, und es wird gut sein!«

Mola konnte ihr Glück kaum fassen, denn mittlerweile war sie fest davon überzeugt, dass Martin und Sonam ein gutes Paar abgaben. Sie bedankte sich überschwänglich beim Rinpoche und überließ ihm eine Spende für die Gebete, die er zugunsten des jungen Paares sprechen sollte.

Danach reiste Mola wieder nach Darjeeling, um Martin zu treffen, der in der Zwischenzeit durch ein Missverständnis nach Kalimpong gefahren war, weil er dachte, Mola warte dort auf ihn. Als der junge Heißsporn, der mein Vater nun mal war, erfuhr, dass sie schon abgereist war, ging er alleine zum Haus des Dudjom Rinpoche, denn er wollte selbst mit ihm sprechen, um den vermeintlichen Gegner seiner Beziehung zu Sonam umzustimmen. Die Mönche, die beim Rinpoche lebten, verwehrten ihm den Eintritt, doch der Rinpoche wusste, wer draußen vor der Tür Einlass begehrte, und ließ dem jungen Schweizer eines seiner Belehrungsbücher und eine Glücksschleife überreichen. Als mein Vater wieder auf Mola stieß und sie die wertvollen und seltenen Gaben sah, die er von ihrem Rinpoche bekommen hatte, wusste sie, dass er der richtige Mann für ihre Tochter wäre.

Tags darauf bestiegen die beiden den Zug nach Delhi. Mola seelenruhig, Martin etwas unsicher, weil ihm immer noch nicht klar war, ob er Sonam nun heiraten könne oder nicht. Als die beiden zurück in Delhi in einem unscheinbaren Speiselokal beim Abendessen saßen, nahm er eine Serviette und zeichnete darauf einen großen Menschen, daneben einen etwas kleineren, und neben den einen noch kleineren Menschen. Dann zeichnete er ein Flugzeug. Dieses Bild ließ Mola ratlos, weil sie Flugzeuge nur als winzige Pünktchen am Himmel kannte, aber keine Ahnung hatte, wie sie aus der Nähe aussahen. Also nahm Martin seine Arme zu Hilfe und ruderte mit ihnen in der Luft herum, wie er sich das Flattern eines Vogels vorstellte. Dabei sagte er in seinem mehr als gebrochenen Tibetisch immer wieder »Eisenvogel« und *nam druk*, »Himmelsdrachen«, das tibetische Wort für »Flugzeug«, bis sie endlich begriff. Freudig zeigte Martin nun immer wieder nach oben, in den Himmel, und stieß fragend »Switzerland? Switzerland?« hervor. Da nickte Mola immer heftiger, schüttelte sich vor Lachen und prustete nur »yes, Swiserland, yes«. Damals fragte Martin sich, ob sie die dem Guru Rinpoche zugesprochene Prophezeiung kannte, die dieser im 8. Jahrhundert ausgesprochen haben soll. Eine Weissagung, nach der die Tibeter ihre Heimat verlassen müssten und der Buddhismus im Westen ankommen würde, wenn der Eisenvogel fliegt und die Pferde auf Rädern rollen. Eine Vision, die tausenddreihundert Jahre später auf das Grausamste in Erfüllung ging, als die chinesischen Eisenvögel Tibet bombardierten und die Chinesen noch ein halbes Jahrhundert später ihre Reitpferde auf Rädern über die neu erbaute Bahnstrecke quer durch das Hochland bis Lhasa rollen ließen, was sich damals weder Martin noch Mola vorstellen konnten. Damals saßen sie einfach in einem indischen Speiselokal und lachten über eine Zeichnung auf einer Papierserviette. Und Mola spürte wieder einmal, dass dieser weiße Mann eine gute Wahl war für ihre Tochter, und Martin wusste zum ersten Mal tief in seinem Herzen, dass er am Ziel einer langen Reise angekommen war.

Auf der Rückfahrt im Zug nach Dehradun plagte meinen Vater bloß noch die Sorge, wie er auch Mola in die Schweiz bringen könnte. Ihm war bewusst, dass Sonam nur dann mit ihm auswandern würde, wenn auch ihre Mutter mitkommen könnte. Sonam, das wusste er, würde als seine Ehefrau ohne Probleme in die Schweiz einreisen können, doch er hatte berechtigte Zweifel, ob das Schweizerische Rote Kreuz die Mutter Sonams in dem ihm gewährten Kontingent für tibetische Flüchtlinge einreisen ließe. Das Rote Kreuz war meinem Vater noch immer böse, weil er zwei Jahre zuvor die Einreise einer Gruppe von verhältnismäßig reichen Tibetern verhindert hatte, die zu Unrecht als arme Flüchtlinge anerkannt worden waren. Obschon er im Recht war, das Rote Kreuz seinen Fehler eingesehen und danach arme und bedürftige Tibeter aus indischen Straßenbaulagern in die Schweiz aufgenommen hatte, wurde ihm seine Einmischung nicht verziehen: Dass ein junger Student so viel erwirken konnte, hatte einige Leute beim Roten Kreuz so verdrossen, dass sie an ihm Rache nehmen wollten. Der damals für die Aufnahme der tibetischen Flüchtlinge zuständigen Frau war dies viele Jahre später peinlich, und sie entschuldigte sich mehr als einmal bei meinem Vater.

Nachdem das Rote Kreuz tatsächlich abgesagt hatte, musste mein Vater einen anderen Weg finden, um seine zukünftige Schwiegermutter mit in die Schweiz zu nehmen. Im Zug nach Dehradun hatte Martin die glorreiche Idee, Mola vorzuschlagen, er werde statt ihrer Tochter sie selbst heiraten. Dann könnten beide leicht in die Schweiz einreisen: Mola als seine Frau und Sonam als Tochter der beiden. Auf diesen Plan ging Mola sogleich ein, denn sobald sie jemandem vertraute, war sie bereit, sich in dieses Vertrauen fallenzulassen.

Glücklicherweise berichtete Martin vor der Ausführung dieses Plans seinem Paten in Bern in einem Brief davon. Kaum eine Woche später erhielt Martin ein Telegramm:

»Mache dies ja nicht: Erstens wird durch die von Dir geplante Ehe mit Mola ihre Tochter Deine Stieftochter, und die darfst Du niemals heiraten. Zweitens wird diese Heirat in der Schweiz als Scheinheirat erkannt, und beide Frauen müssen zurück nach Indien.«

Als Mola und Martin in Dehradun ankamen, erwartete sie Sonam voller Freude. All ihre Reserviertheit war verflogen. Sonam brauchte nur in die Augen ihrer Mutter zu sehen, um zu wissen, dass alles gut werden konnte, denn sie hatte Mola in einem Gefühl vollster Vertrautheit mit Martin aus dem Zug steigen sehen. Sie musste sich ab jetzt vor niemandem mehr dafür schämen, mit einem Weißen zusammen zu sein, denn sie hatte nicht nur den Segen des Rinpoche, sondern auch den ihrer Mutter bekommen.

Nun konnte Sonam Martin zum ersten Mal in dessen Hotelzimmer in Dehradun besuchen. Sie tat das zwar so, dass es keine ihrer Mitschülerinnen mitbekam, denn sie wollte es nicht übertreiben mit ihrer neuen Selbstgewissheit, immerhin waren sie noch nicht verheiratet, aber es war doch ein Besuch bei Martin, wie es ihn noch nie zuvor gegeben hatte. Von nun an fühlten beide, dass sie ein Paar und füreinander bestimmt waren.

Hochzeitsglocken

Weil mein Vater Martin ein gewissenhafter Mensch ist und wusste, dass aus Sonams und Molas Umgebung Vorbehalte gegen seine Beziehung zu einer Tibeterin aufgekommen waren, wollte er sichergehen und schrieb dem Dalai Lama, mit dem er in losem Kontakt stand, seit er ihn damals interviewt hatte. In seinem Brief fragte er das Oberhaupt aller Tibeter, ob aus buddhistischer Sicht etwas gegen eine Verbindung zwischen ihm und Sonam spreche, doch auch von dieser Seite bekamen meine zukünftigen Eltern grünes Licht:

»Wir gratulieren zu Ihrer Hochzeit«, ließ der Dalai Lama seinen Sekretär schreiben, »dazu hat Ihre Heiligkeit ihr Einverständnis gegeben.«

Nun konnte es sich mein Vater nicht mehr verkneifen, Rinchen Dölma Taring, Sonams Heimleiterin, einen Brief zu schreiben, in dem er darauf hinwies, dass selbst der Dalai Lama seinen Segen zu ihrer Verbindung gegeben habe, die sie selbst so stark infrage gestellt hatte. Dieser Brief war eine tiefe Genugtuung für die beiden, auch wenn er ohne Antwort blieb.

Martin musste bald darauf in die Schweiz reisen, wo er alle Hebel in Bewegung setzte, um ein Einreisevisum für Mola zu bekommen. Was hätte Mola auch ohne Sonam in Indien machen sollen, ohne Mann, ohne Kinder, ohne Familie und ohne den neuen Freund, den sie in Martin gefunden hatte?

Bei den Schweizer Behörden stieß mein Vater mit seinem Anliegen jedoch auf Granit: Das Rote Kreuz weigerte sich weiterhin beharrlich, ihm behilflich zu sein, wie er es bereits geahnt hatte. Die Fremdenpolizei stellte sich gegenüber seinem Ansinnen, nicht nur seine zukünftige Frau, sondern auch seine Schwiegermutter in die Schweiz zu bringen, anfänglich taub, und selbst ein befreundeter Anwalt und andere Leute, die er bemühte, wussten keinen Rat.

Mit einem Kopf voller Ideen, Sorgen und Schreckensszenarien plante Martin seine nächste Reise nach Indien, um Sonam zu heiraten. Das würde sicherlich klappen, denn sie hatte schon alle entsprechenden Vorbereitungen getroffen. Doch wie er Mola nach Europa bringen sollte, davon hatte Martin nicht die geringste Ahnung. Ihm kam es vor, als wäre er in dieser Angelegenheit auf das Wohlwollen der Götter angewiesen, da die Behörden bis jetzt kläglich versagt hatten.

Dann geschah plötzlich ein Wunder, das zwar mit den Behörden in Zusammenhang stand, aber den Beigeschmack einer göttlichen Fügung hatte: Mein Vater lernte durch seine Arbeit für die Schweizer Tibethilfe die Schwester des obersten eidgenössischen Fremdenpolizisten kennen, die entsetzt über das Vorgehen des Roten Kreuzes ihren Bruder kontaktierte und von ihm eine Sondergenehmigung für Mola erwirken konnte. Meine Mutter bestellte indes das Heiratsaufgebot in einem indischen Standesamt, was darin bestand, dass sie die Ankündigung ihrer Heirat auf einen Zettel geschrieben an einen Baum auf dem Platz vor dem Büro der Stadtverwaltung heften musste. Martin flog nach Indien, und zusammen mit Sonam und zwei Zeugen fuhr das Hochzeitspaar mit einem Scootertaxi zur Privatwohnung des Standesbeamten, denn es war Sonntag, und der Mann hatte wenig Lust, nur wegen einer Trauung sein Amt aufzusuchen.

Er empfing sie informell, in weißem Pyjama mit dunkelblauem, offenem Morgenmantel, bat sie in sein Wohnzimmer, wollte weder einen Ausweis sehen noch einen der Trauzeugen befragen, sondern unterschrieb einfach ein Blatt Papier, und nach weniger als fünf Minuten waren mein Vater und meine Mutter Mann und Frau. Jetzt waren meine Eltern im siebten Himmel angekommen.

Der Rest war bürokratisches Geplänkel: Ein Beamter, der die indischen Ausreisepapiere bereitstellen sollte, weigerte sich, diese auszustellen, solange Mola nicht ein Papier vorlegen konnte, das bewies, dass sie früher in Shimla gelebt hatte. Die Zeit drängte, Martin war erbost, er war verzweifelt, er argumentierte, aber nichts half. Er wollte sich schon auf den Weg nach Shimla machen, obwohl es ziemlich aussichtslos erschien, der indischen Bürokratie in so kurzer Zeit solch ein Dokument abzuringen, doch ein tibetischer Freund hielt den mit seinem Schicksal hadernden Martin zurück:

»Gib mir hundert Rupien und übermorgen hast du den Wisch.«

Martin glaubte dem Freund nicht. Dass man Beamte bestechen konnte, hatte er zwar gehört, doch er mochte es sich nicht vorstellen, dass dies so einfach sei. Mola und Sonam drängten ihn jedoch so lange, nachzugeben, bis er dem Freund das gewünschte Geld aushändigte, das zwei Monatslöhnen Molas entsprach. Tatsächlich lag das erforderliche Papier zwei Tage später in ihrem Hotelzimmer, und Martin hatte noch eine letzte Lektion gelernt, wie Indien manchmal auch funktioniert.

Nun konnten meine Großmutter, meine Mutter und mein Vater alles für ihre endgültige Abreise nach Europa vorbereiten. Mit den gesamten Ersparnissen aus Molas jahrelanger harter Arbeit, dreitausend Rupien, kaufte Sonam eine tibetische Schürze und zwei tibetische Teppiche. Damit war das Geld so gut wie aufgebraucht, den Rest gab Mola Martin, als Zuzahlung für die Tickets in die Schweiz und das Hotel in Delhi.

»Jetzt bist du für uns verantwortlich«, sagte Sonam, und Martin wusste, dass sein freies Studentenleben ein Ende gefunden hatte.

Mola und Sonam packten ihre Sachen ein, die Teppiche, die Schürzen, ein paar Kleider, den Silberreif aus Tibet, einen alten Teppich, den sie auf ihrer Flucht mitgenommen hatten, und ein Spiegelchen, das in eine Dose eingebaut war. Auf dem Spiegel in der Dose lag ein roter Stein. Wurde er mit Wasser benetzt, so färbte er ab und hatte die Kraft, Wunden sofort zu heilen. Dieser Stein war Molas Reiseapotheke. Dazu hatten sie beide noch ihre hölzernen Essschüsselchen aus Tibet, einen *tsa-tsa*-Model aus Bronze, um damit aus Ton Figürchen herstellen zu können, je zwei Paar Schuhe, und damit war ihr gesamtes Hab und Gut beisammen.

Zuletzt mussten sie noch in der Schweizer Botschaft in Neu-Delhi eine unerwartete bürokratische Hürde überwinden. Der Konsularbeamte weigerte sich anfänglich standhaft, Sonam einen Schweizerischen Reisepass auszustellen, obschon alle vorgelegten Papiere bewiesen, dass Martin und Sonam Mann und Frau waren. Er hatte die Rechnung aber ohne meinen Vater gemacht: Dieser führte alle, aber wirklich alle einschlägigen Dokumente mit sich, die belegten, dass der Konsularbeamte im Unrecht war. Schließlich, nach stundenlangem Debattieren und der Weigerung meines Vaters, das Büro zu verlassen, ehe Sonam einen Schweizer Pass in Händen hielt, klatschte der Beamte seine massigen Klauen zusammen und sagte:

»Ich wasche meine Hände in Unschuld.«

Damit willigte er ein, Sonam einen zeitlich beschränkten Reisepass auszustellen. Die Fähigkeit meines Vaters, genau zu recherchieren, und seine Unnachgiebigkeit, vor allem wenn es um Recht und Unrecht ging, hatten sich bezahlt gemacht.

Als sie endlich zum Flughafen aufbrachen, mussten die drei Reisenden in aller Frühe ihr Hotel verlassen. In dem Moment, in dem sie auf die Straße traten, kam ihnen ein Mann entgegen, der einen riesigen Packen Holz auf seinem Rücken trug. Mola war begeistert, denn für sie bedeutete das ein gutes Zeichen für die Zukunft.

»Wenn ich eine Glücksschleife hätte, würde ich sie ihm über das Holz legen«, sagte sie.

Bevor Martin sich nach dem Hintergrund dieses guten Omens erkundigen konnte, sah Mola schon das nächste heilbringende

Zeichen: eine Gruppe von Milchmännern, die ihnen entgegen-kam. Das beruhigte Mola noch mehr.

»Das Schlimmste wäre ein Mann mit leeren Kanistern ge-wesen, der hätte Armut bedeutet«, sagte Mola, der Martins fragender Blick nicht entgangen war.

Unter diesen hervorragenden Vorzeichen sollte die Geschich-te meiner Eltern ihre Fortsetzung in der Schweiz finden.

Musli und Schweizer Kase

Die Reise von Mussoorie nach Zürich führte die drei Mitglieder der neu zusammengeschweißten Familie nicht nur von einem Kontinent auf einen anderen, sie katapultierte die zwei tibetischen Frauen auch in ein neues Zeitalter. Meine Großmutter und meine Mutter hatten in ihren zwölf Jahren Indien zwar viele Segnungen der modernen Technik kennengelernt, doch schon bald, nachdem ihr Flieger aufgestiegen war, wurde ihnen klar, dass ihr bisheriges Leben wenig mit der modernen europäischen Zivilisation zu tun gehabt hatte. In Indien waren sie zum ersten Mal in ihrem Leben mit der Eisenbahn, mit Bussen und Autos gefahren, sie hatten Kinos besucht und mit Messer und Gabel gegessen. Sie hatten Radio gehört und Zeitung gelesen, sie hatten Großstädte besichtigt und in alten herrschaftlichen Villen gelebt. Sie waren zu den heiligsten Stätten des Buddhismus gepilgert und hatten den indischen Hinduismus kennengelernt, doch nun flog sie ein gut gepolsterter Jet in nur wenigen Stunden in die Welt einer Moderne, deren Existenz sie vorher nicht für möglich gehalten hatten.

Schon beim Start konnte Sonam nicht fassen, dass ein Objekt mit so viel Menschen und Dingen in seinem Bauch in die Luft steigen kann. Ängstlich krallte sie sich an den Armlehnen fest, als sich der Lärm der startenden Triebwerke zu einem Inferno steigerte und plötzlich kein Rumpeln und Rollen der

Räder mehr zu spüren war, wie sie es von den indischen Eisenbahnwaggons her kannte. Für Mola schien all das völlig normal zu sein. Mit unbewegter Mine saß sie in ihrem Sessel, die Holzkugeln ihrer Gebetskette glitten durch ihre Finger, ihr Blick verharrte bewegungslos im Nirgendwo. Als sie die Schwimmwestenvorführung der Stewardessen sah, meinte sie spaßeshalber:

»Wenn wir abstürzen, kann ich das ohnehin nicht schnell genug anziehen. Ich kann nicht schwimmen. Wenn wir ins Meer fallen, sterbe ich.«

Sie wirkte nicht im Geringsten aufgeregt. Martin hatte ihr mit Hilfe von Sonams Übersetzungskünsten von einer alten, dem Padmasambhava zugeschriebenen Prophezeiung erzählt, in der es hieß, dass die Tibeter ihre Heimat verlassen müssten, wenn der Eisenvogel fliege. Diese Zeit, das fühlte Mola in ihrem Flugzeugsessel, war nun gekommen. So hatte es neben all dem Unglaublichen und Fremden auch etwas Natürliches für meine Großmutter, im Bauch dieses Riesenvogels zu sitzen, denn was Guru Rinpoche, wie Padmasambhava auch hieß, vorhergesagt hatte, war für sie über jeden Zweifel erhaben und musste seine Richtigkeit haben.

Sonam sah die Sache weniger buddhistisch, sondern eher praktisch. Für sie kam die Verheißung einer neuen Welt in Form zweier freundlicher Stewardessen an ihre Sitzreihe, die ein Wägelchen mit allen möglichen Getränken vor sich her schoben. Trinken, während man fliegt? So etwas war außerhalb aller Vorstellungen Sonams gelegen, und nun hielt sie ein durchsichtiges Glas mit herrlich leuchtendem Orangensaft in der Hand. Doch was war das? Ihre Lippen schreckten nach dem Kontakt mit dem Saft zurück, fast wäre ihr das Glas aus der Hand gerutscht. Das war kein Orangensaft! Diese Flüssigkeit sah so aus, aber sie schmeckte süßlich, klebrig, fremd und sehr anders als der fruchtige Saft von Orangen, wie sie ihn kannte.

»Martin, was ist das?«

Martin klärte sie auf, dass dies nicht der Orangensaft war, den man in Indiens Städten an beinahe jeder Ecke kaufen konnte, sondern ein Konzentrat, dem man später Wasser beigefügt hatte, wodurch es länger haltbar wurde.

Martin sah fragend zu Mola hinüber, die ihr Glas längst geleert hatte, ohne mit der Wimper zu zucken. Das war typisch Mola. Sie nahm alles als gegeben an und hinterfragte nichts. So hatte die neue Familie Asien noch nicht einmal eine Stunde hinter sich gelassen, und die kulturellen Gegensätze, die zwischen den dreien bestanden, waren bereits deutlich erkennbar. Es waren die Unterschiede zwischen der Weltsicht meines Vaters, des aufgeklärten Westlers, und Molas, der in ihrer Tradition verhafteten Tibeterin, der auch die absonderlichsten Errungenschaften der sogenannten modernen Zivilisation nichts anhaben können, weil sie innerlich in der unantastbaren Welt der tibetischen Götter lebt. Zwischen diesen beiden Polen steht meine Mutter, die seit ihrer frühesten Kindheit mit der tibetischen Welt vertraut ist, aber schon als Sechsjährige aus ihr herausgerissen wurde. Die in ihrer Jugendzeit die Welt Indiens erlebte und nun, mit neunzehn Jahren, in die Welt des Westens katapultiert werden sollte. Seitdem sie diese Kulturwechsel durchgemacht hat, muss sie vieles hinterfragen und allem nachgrübeln. Sie kann nichts einfach hinnehmen, sie ist die Skeptischste meiner Familie. Manchmal glaube ich, dass es meine Amala von uns allen am schwersten hat.

Für mich ging alles von Anfang an leichter: Ich bin ein Kind des Westens, für mich ist das Tibetische nur ein kleiner Teil meines Lebens. Ich bin Schweizerin, ich bin Tibeterin, ich bin Berlinerin und ich bin Amerikanerin. Die tibetische Kultur ist zwar die Grundlage meiner Erziehung und meiner Geisteshaltung, aber mein Leben findet im Westen statt. Für mich ist der Westen die selbstverständliche Welt, die ich nicht missen möchte. Mola, Amala und ich sind wie die drei Schichten eines exotischen Sandwichs: obenauf Mola, die tibetische Scheibe aus *tsampa*-Teig, unten ich, das amerikanische Sandwichbrot, und in der Mitte Sonam, der saftige Belag, der von beiden Scheiben nimmt und bekommt, ohne zu einer der beiden Seiten zu gehören. Diese Konstellation war schon im ersten europäischen Orangensaftglas Sonams hoch über dem Indischen Ozean zu erkennen, im Bauch dieses Eisenvogels, der meine Vorfahren auf Padmasambhavas Fährte von einer sehr alten in eine sehr neue Welt katapultieren sollte.

Aller Anfang ist schwer

Ihre Ankunft in Zürich wird Sonam und Mola immer unvergesslich bleiben. Mola musste mehrmals Anlauf nehmen, um auf die erste Rolltreppe ihres Lebens zu steigen, und Martin musste sie einmal zurückreißen, sonst wäre sie in eine Glastür geprallt, die sich nicht schnell genug öffnete. Im Restaurant, in dem sie auf den Bus nach Bern warteten, konnte Sonam nicht fassen, was sie auf den Tellern der anderen Gäste sah. Vorsichtig stieß sie Martin an, deutete verstohlen zum Nebentisch und wisperte:

»Was ist denn das?«

Sie meinte eine Frau, die sich an einer üppigen Salatschüssel gütlich tat. Für eine Tibeterin ein unfassbarer Anblick, da in Tibet niemand auf die Idee käme, Gemüse roh zu essen, schon gar nicht Blattwerk, von solchen Mengen ganz abgesehen. Doch auch Martins Erklärung konnte Sonam nicht beruhigen.

»Wird sie das aufessen?«, hakte sie ungläubig nach, doch sie konnte sich schon wenige Minuten später davon überzeugen, dass der Teller leer war.

Sonams nächste Überraschung ereilte sie im Bus nach Bern, in dem nur Schweizer saßen. Erst wusste sie nicht, was sie hörte, weil ein Zischen, Knarren und Krächzen in der Luft lag. Bald stellte Sonam allerdings fest, was diese Geräusche bedeuteten: Es waren Schweizer, die sich in ihrer Sprache unterhielten. Schweizerdeutsch hatte Sonam noch nie zuvor gehört, denn mit Martin redete sie ausschließlich Englisch, und andere Schweizer kannte sie nicht. War das die Sprache, die sie lernen müsste?

»Ich kann mir nicht vorstellen, dass ich solche Laute produzieren kann!«, sagte sie zu Martin.

Dass die drei, in Bern angekommen, in der Wohnung von Martins Mutter Ula Aufnahme fanden, war für die beiden Tibeterinnen selbstverständlich. In Tibet helfen Familienmitglieder einander. Sie wunderten sich eher darüber, dass sie nicht im Haus von Martins Vater Harald wohnen sollten, das viel größer war als das der Mutter. Martins Eltern lebten schon seit vielen Jahren getrennt, und mein Vater unterhielt zu beiden gleich gute Beziehungen, doch Ula hatte spontan erklärt, sie sollten zu dritt bei ihr wohnen. Martin fand diese Lösung gut, obwohl er wusste, dass dort nur eine enge Mansarde im Dachstuhl zur Verfügung stand, aber er hatte nicht genug Geld, um eine Wohnung für drei Personen zu mieten. Mein Großvater Harald akzeptierte zwar, dass sein Sohn, der noch studierte, Sonam geheiratet hatte und mit ihr und ihrer Mutter in die Schweiz zurückgekehrt war, doch er bot nicht an, die drei bei sich aufzunehmen.

Im Haus der Mutter wohnte auch noch Bice, Martins Schwester, die sich von ihrem Mann getrennt hatte, mit ihren beiden Kindern, weshalb für Martins neue Kleinfamilie nur in der Mansarde Platz war. Während der Woche war Martin in Zürich an der Universität und kam meistens erst am Freitagabend wieder nach Bern, was die Situation noch verschlimmerte, da Martin der Einzige war, dem Sonam und Mola voll vertrauten. Alles im Haus war eng, die Stimmung war gespannt, Missverständnisse standen auf der Tagesordnung. In Tibet wischte man jeden Morgen das Haus, nun dachte Mola, in der Schweiz müsste man dies jeden Morgen mit dem Staubsauger erledigen. Das tat sie auch täglich, bis Bice ihr sagte, das müsse nicht sein. Mola fand vieles in der Schweiz fremd und unverständlich: Beim Kochen kosteten die Frauen direkt aus den Pfannen, obwohl die Speisen hernach für alle bestimmt waren, für tibetische Verhältnisse mehr als unappetitlich. Mola glaubte an den Herdgott, weswegen alles um den Herd herum für sie nach speziellen Regeln geordnet sein und klinisch sauber gehalten werden musste. Mola und auch Sonam waren oft unsicher, weil sie viele europäische Gewohnheiten nicht kannten und auch die Sprache der Schweizer nicht verstanden. Sie erfuhren, dass man in der Schweiz nicht mit vollem Mund sprechen, beim Essen nicht schmatzen und den Tee nicht schlürfen durfte. Dass die Kinder der Schwester, Rita und Paul, die erst sechs und acht Jahre alt waren, bei Tisch unablässig sprachen, war für die beiden Tibeterinnen ungewöhnlich, da in Tibet bei Tisch normalerweise nur die Erwachsenen reden.

Sonam musste alle Küchenarbeit erst lernen, sie wusste nicht einmal, wie man Tee zubereitet oder ein Ei kocht. Das war kein Wunder, denn als Kleinkind hätte Mola sie nie an den Herd gelassen, und in Indien hatte sie fast die ganze Zeit in Heimen gelebt, in denen das Essen fertig auf den Tisch kam.

Sonam fand anfangs ohnehin viele Dinge unverständlich. So war es für sie nicht nachvollziehbar, dass Martin ewig telefonierte, noch dazu meistens mit Frauen, wie sie hören konnte. Waren das Freundinnen? Was sprach er mit ihnen? Von wem stammten die Briefe, die er täglich erhielt? Martin erklärte ihr geduldig, dass alles mit seiner Arbeit zu tun hatte, aber Sonam blieb misstrauisch. Oft übermannte sie Trauer und Eifersucht, so dass sie weinen musste, was bei den anderen Hausbewohnern auf wenig Verständnis stieß. Erst später wurde Sonam klar, dass Bice ebenfalls mit Problemen zu kämpfen hatte und dass die sechs zusätzlichen Hausbewohner für Martins Mutter eine starke Belastung darstellten.

Auch Mola geriet immer wieder mit Schweizer Werten und Umgangsformen in Konflikt: Nach dem täglichen Gebet kippte sie das Opfer für die Götter, Tee, Reis und Kekse, aus dem Fenster, wie sie es von Tibet und Indien gewohnt war, doch nach einigen Tagen stand die Hausbesitzerin vor der Tür und meinte, im Frühjahr müsse man keine Vögel mehr füttern. Mola verirrte sich oft bei ihren Streifzügen durch die Stadt und fand im Gewirr der Straßen mit den gleich aussehenden Steinhäusern und den Aufschriften, die sie nicht lesen konnte, nicht nach Hause. Im Supermarkt stand sie ratlos vor Bergen von Nahrungsmitteln, von denen sie sich nicht erklären konnte, woher sie kamen und wer sie alle essen sollte. Beinahe unfassbar für sie war, dass man sich von allem einfach nehmen konnte, so viel man wollte, und erst hinterher bezahlen musste.

Mola war auch darüber verwirrt, wie oft die Menschen sich duschten und wuschen. In Tibet wäre das ein Hinweis auf zu großen Stolz gewesen, ein untrügliches Zeichen für eingebildete Menschen. Dort hatte sie sich und ihre Kinder nur nachts gewaschen, damit es die Nachbarn nicht sehen konnten. In Indien war sie zwar bereits ans Duschen gewöhnt, doch sie hatte sich immer noch nicht vorstellen können, das jeden Tag zu machen, von mehrmals täglich ganz zu schweigen.

Zu allem Überfluss wies Martin Sonam nichtsahnend bei einer nichtigen Gelegenheit darauf hin, dass sie eine verkappte Linkshänderin sei. Das führte zum ersten großen Streit zwischen den beiden, und Sonam sprach drei Tage nicht mit Martin. Wie konnte er es nur wagen! Die linke Hand gilt Tibetern als unrein, eine Linkshänderin ist für sie das Letzte. Jedes Kind versucht deshalb, alles mit der rechten Hand zu machen, egal, wie gut ihm das gelingen mag oder nicht.

Abends versammelten sich alle in Ulas Haus an einem ovalen Tisch zum Abendessen. Es gab Birchermüsli, roh und kalt, dazu harten Käse, je stinkiger, desto besser, und merkwürdige kalte, essigsaure Lappen von Salatblättern, die sich im Mund quer legten und nicht zergehen wollten und schmeckten wie nasses Stroh. Nach den Mahlzeiten zogen sich Sonam, Martin und Mola in ihr gemeinsames Mansardenzimmer zurück, wo sich Mutter und Tochter auf den Apfel stürzten, den Martin vom Essenstisch mitgebracht hatte. Sie standen meist nicht völlig satt vom Tisch auf, weil sie nicht gewohnt waren, selbst aus der Schüssel zu schöpfen. In ihrer alten Heimat teilt immer nur die Mutter das Essen aus, und als sich die beiden Frauen nun selbst bedienen sollten, taten sie dies nur zögerlich, weil sie nicht unhöflich erscheinen wollten. In Tibet lässt man sich zwei bis drei Mal bitten, bis man ein weiteres Mal den Teller füllt. So lehnten sie der tibetischen Tradition gemäß ab, wenn sie aufgefordert wurden, noch etwas zu nehmen, auch wenn sie noch nicht genug gehabt hatten, bis am Schluss nichts mehr für sie übrig war. Selbst einen Apfel mitzunehmen hätten sie nicht gewagt, obwohl sie einen Beitrag ans Haushaltsbudget bezahlten.

Trotz aller anfänglichen Schwierigkeiten fühlte sich Sonam bald von den meisten Schweizern akzeptiert. Wenn sie Menschen begegnete, die ihr gegenüber Abneigung oder Misstrauen zeigten, fiel ihr öfters auf, dass sich die Minen schlagartig erhellten, sobald ihr Gegenüber erfuhr, woher sie kam. »Dalai Lama«, sagten die Schweizer dann, und »Tibet ist doch dieses wunderbare Bergland«. Sonam erkannte erst mit der Zeit, dass manche Schweizer ein selektives Verständnis für Ausländer hatten: Einige waren ihnen willkommen, andere weniger, etwa Frauen aus Thailand oder von den Philippinen, die manche Schweizer automatisch für asiatische Prostituierte hielten, was einige Eidgenossen anfangs auch von ihr dachten. Weil Sonam die Sprache kaum beherrschte, fiel es ihr schwer zu beurteilen, ob ihre Gesprächspartner Fremdenhasser oder aufgeschlossene Menschen waren. Auch äußere Kriterien halfen ihr wenig, denn für sie sahen alle Schweizer gleich aus. Überhaupt waren ihr Gespräche über politische oder soziale Themen, die viele Menschen meist in Englisch mit ihr führen wollten, gänzlich fremd: In der Schweiz wollten alle diskutieren, es gab jede Menge Parteien, Meinungen und Streitpunkte. In der tibetischen Gesellschaft hatten nur wenige Menschen bestimmt, was von den anderen ohne Diskussionen befolgt wurde, bis die Chinesen an die Macht kamen. Dann hatte kein Tibeter mehr etwas zu sagen, worüber nie gesprochen wurde, aus Angst vor den neuen Herrschern. Und nun sollte Sonam ständig ihre Meinung kundtun, noch dazu in schriftlicher Form, denn in der Schweiz gab es ständig etwas abzustimmen: über den Bau von Schulhäusern oder Atomkraftwerken, den Ausschluss von Ausländern, über die Neukonzeption der Arbeitslosenversicherung oder auch gleich über die Neugründung eines Kantons. Alles Dinge, von denen Sonam nicht die geringste Ahnung hatte und an die sie sich erst vorsichtig herantasten musste. Das gelang Sonam jedoch immer besser. Mola dagegen lebte damals wie heute zu sehr in ihrer Götterwelt, als dass sie sich den Kopf über irdische Dinge zerbrechen würde.

Auch andere Bereiche des Schweizer Lebens fand Sonam verwirrend, etwa die Frisuren der Schweizerinnen: Damals, zu Anfang der siebziger Jahre, trugen fast alle Frauen einen praktischen Kurzhaarschnitt. Sonam kannte kurze Haare nur von Nonnen, sonst war sie bei Frauen an lange Haare gewöhnt. Meine Mutter fand daher diesen uniformen Haarschnitt, der oft den Frisuren der Männer glich, seltsam. Ihre Schwägerin Bice empfahl ihr, auch zum Friseur zu gehen und sich die Haare schneiden zu lassen. Folgsam tat sie das, weil ihr von älteren Tibetern eingetrichtert worden war, man solle sich anpassen, damit man keine Probleme bekomme. Doch als sie sich mit den kurzen Haaren im Spiegel sah, kam sie sich so fremd vor, dass sie in den vierzig darauffolgenden Jahren höchstens drei Mal einen Frisiersalon betrat. Bis heute schneidet sie ihr Haar lieber selbst.

Verwirrt war meine Mutter auch über die Vielzahl von Kosmetika, die sie zu Weihnachten und zum Geburtstag bekam: Cremes für die Nacht und für den Tag und für die Augen und für die Hände und vieles mehr. Anfänglich hatte sie Freude an den schönen Döschen und Flakons, doch dann kam der Stress, weil ihr die unterschiedlichen Anwendungsmethoden zu kompliziert vorkamen, da sie die Texte auf den Packungen nicht richtig lesen konnte und die Schönheitsmittelchen ständig durcheinanderbrachte. In Tibet hatte sie das Gesicht regelmäßig mit Wasser und Seife gewaschen und anschließend mit Butter eingerieben, die sie in Indien durch Vaseline ersetzte. Es dauerte nicht lange, bis Sonam die neuen Mittelchen stehen ließ und zu Gewohnheiten zurückfand, die den alten tibetischen ähnlich waren, zu natürlichen Kosmetika, die nicht in Tierversuchen getestet werden. Sehr viel später erkannte sie, dass der Markt den Kunden Dinge aufdrängt, die sie nicht benötigen.

Da Sonam nicht mehr zum Haareschneiden ging, strebten ihre schwarzen Locken zum Missfallen Molas immer mehr auseinander. Sie lösten sich aus der strengen Form, zu der sie in Tibet und auch in Indien zusammengebunden oder gesteckt waren, und verlangten vehement nach Freiheit. Für Mola war das eine unerwünschte Explosion, stellvertretend für alles Bekannte, das nun nicht mehr gelten sollte: Nicht einmal beten wollte Sonam! Während der Anfangszeit in der Schweiz hatte sie noch jeden Abend ihre *mala* durch die Finger gleiten lassen, weil sie es so gewohnt war und mehr aus Schuldgefühlen ihrer Mutter gegenüber denn aus Überzeugung. Mola hatte ihr aufgetragen, täglich gegen Lepra zu beten, Dudjom Rinpoche hatte das empfohlen, doch Sonam fand dies bald überflüssig, da sie keine Lepra hatte und in der Schweiz wohl auch kaum welche bekommen konnte. So blieb meiner Großmutter nichts anderes übrig, als die Gebete ihrer Tochter gegen Lepra auch noch zu übernehmen, was ihre eigenen Gebetszeiten deutlich ausdehnte.

Sonam konzentrierte sich lieber auf ihr neues Leben: Sie begann einen Deutschkurs, um dieses Zischen, Knacken und Krächzen zu erlernen. Mola ging nicht in den Kurs. Sowohl sie selbst als auch Sonam dachten, sie sei zu alt, um eine neue Sprache zu erlernen, weil es sich für sie nicht mehr auszahlen würde. Das ist nur aus tibetischer Sicht zu verstehen: Meine Großmutter war damals Anfang fünfzig und galt in ihrem Heimatland als eine Frau in bereits sehr fortgeschrittenem Alter.

Für Mola waren ohnehin andere Werte wichtig, und sie fühlte sich überglücklich, als sie erfuhr, dass es diese Werte auch in der Schweiz gab. Kurze Zeit nach ihrer Ankunft hörte Martin, dass Dudjom Rinpoche auf der Durchreise in der Schweiz eingetroffen war. Damals begannen tibetische Lamas mit ihren Reisen in den Westen. Einerseits wollten sie die zahlreichen im Exil lebenden Tibeter betreuen, andererseits hielten sie gerne Vorträge und Belehrungen für am Buddhismus interessierte Westler. Mola und Sonam konnten das Glück kaum fassen, dass ihr wichtigster Guru so nah sein sollte. In Indien hatten sie eine weite Reise auf sich nehmen und sich tagelang um eine Audienz bemühen müssen, um ihn zu treffen. Mola war begeistert davon, wie leicht der Kontakt zu ihrem geistlichen Beistand in der Schweiz zustande kam: Sie fuhr zusammen mit Sonam und Martin eine gute Stunde im Zug nach Zürich und schon standen sie vor ihrem Rinpoche.

Erste Schritte

Der Beginn des neuen Lebens von Sonam und Mola gestaltete sich dennoch schwerer, als die beiden sich das vorgestellt hatten. Martin hatte diese Anpassungsschwierigkeiten vorausgesehen und versuchte alles, um seinen Tibeterinnen die Integration zu erleichtern. Für seine Schweizer Freunde, Verwandten und Bekannten organisierten Martin und sein Vater Harald eine kleine Hochzeitsnachfeier. Das Fest wurde ein voller Erfolg, alle waren angetan von den beiden so freundlichen, zuvorkommenden Tibeterinnen, auch wenn sich niemand richtig mit ihnen unterhalten konnte. Natürlich fanden alle Sonam und Mola exotisch, niemand hatte Tibeter in seinem Freundeskreis, niemand kannte eine schweizerisch-tibetische Beziehung. Meine Eltern gehen davon aus, dass sie das erste Paar dieser Art in der Schweiz waren. Die Gäste fanden allesamt, dass Martin besser aussehe, seit er verheiratet war. Viel jünger, gesünder, nicht mehr so blass und ausgezehrt.

Für meinen Vater eröffnete sich eine neue große Chance, als der Kanton Zürich für die Zürcher Universität die Tibetsammlung eines der berühmtesten westlichen Tibetreisenden aufkaufte, des österreichischen Autors, Bergsteigers und Geografen Heinrich Harrer. Mein Vater bekam damals eine Stelle als Assistent am Völkerkundemuseum dieser Uni und damit ein festes Einkommen, das es ihm gestattete, mit Sonam und Mola eine eigene Wohnung in Zürich zu beziehen. Nach drei Monaten engen Zusammenlebens mit Martins Mutter und seiner Schwester in Bern waren Mola, Sonam und Martin froh, endlich einen eigenen Haushalt aufbauen zu können. Die Wohnung war ihnen von Aline Valangin vermittelt worden, einer im Tessin lebenden Großtante Martins, die die Lebensumstände der jungen Familie Brauen als unhaltbar empfand. Aline besaß zwar keinen so wichtigen Stellenwert im Leben Martins wie ihre Schwester Jeanne, Martins Großmutter, sie war aber als Jungianerin mitverantwortlich dafür, dass Martin ein Jahr zuvor Student am Jung-Institut in Zürich geworden war, das zufälligerweise gerade neben dem Häuschen lag, in dem die ungewöhnliche Familie nun leben durfte. Aline war die Exfrau von Wladimir Rosenbaum, einem ehemaligen bekannten Anwalt und späteren Antiquitätenhändler, und die Frau von Wladimir Vogel, einem aus Russland in die Schweiz immigrierten Komponisten. Sie hatte in den dreißiger Jahren einen Salon der künstlerischen Avantgarde unterhalten, der auch Zufluchtsort für Verfolgte des Naziregimes war, sie war Vertraute von James Joyce und unter anderem Geliebte von Kurt Tucholsky. Auch hier zeigt sich wieder einmal die Weltoffenheit meiner Familie.

Mit dem Umzug nach Zürich hörte für Mola die unangenehme Zeit des Herumsitzens zu Hause auf, denn nun konnte sie in der Pflegestation eines Altenheimes als Putzfrau arbeiten. Sonam war anfangs dagegen, sie empfand ihre Mutter als zu alt zum Arbeiten, doch das war ihre persönliche Perspektive, denn Mola fühlte sich robust genug dazu. Sie hatte gehört, dass es dort elf Franken pro Stunde gäbe. Das kam ihr immens viel vor, und sie war fest entschlossen, zum Lebensunterhalt der Familie beizutragen, wie sie es ihr Leben lang getan hatte.

Also ging Mola täglich ins Altenheim putzen, eine Arbeit, die ihr gut gefiel. Sie fand alles so sauber und gut organisiert. Die alten Menschen lagen in weichen Betten und bekamen sogar ihr Essen dorthin serviert. Sonam trat eine Stelle als Hilfspflegerin in der geriatrischen Abteilung einer psychiatrischen Klinik an. Nach einiger Zeit fand sie auch für Mola in der gleichen Abteilung Arbeit. Die beiden Frauen waren davon begeistert, dass es in einem Krankenhaus so etwas wie eine Altersabteilung gab, dass Stationen für Behinderte unterhalten wurden und sogar für Blinde. Weder in Tibet noch in Indien hatten sie vergleichbare Institutionen kennengelernt. Sie fanden erst in der Schweiz heraus, dass Taube oder Stumme nicht dumm sind, wie man es unter Tibetern annahm, und auch erst in ihrer neuen Heimat erkannten sie, dass Blinde unglaubliche Fähigkeiten haben, sich in der Welt zurechtzufinden, wenn man sie richtig anleitet und ausbildet.

Damals lebten so wenige Tibeter in der Schweiz, dass sich sogar eine Radiostation für Mola interessierte und sie interviewte.

»Eine schöne Arbeit habe ich hier«, sagte sie dem Dolmetscher ins Mikrofon, »hier ist es sehr schön für die Menschen. Sogar ihre Betten werden immer gewechselt.«

Damals musste Mola schon ein wenig flunkern, um so positiv über ihren Arbeitsplatz zu sprechen, denn sie wollte niemanden vor den Kopf stoßen. Mola empfand es als große Gnade, dass sie arbeiten konnte, Geld verdiente und ein Dach über dem Kopf hatte. Nie hätte sie ihre Wohltäter oder auch nur ein Detail von deren Arbeit kritisiert.

In Wirklichkeit konnte sich Mola nicht damit abfinden, wie gewisse Patienten auf ihrer Station behandelt wurden. Viele konnten nicht selbst essen. Sie wurden während des Essens an ihren Stuhl gebunden, und einige Schwestern löffelten ihnen die Speisen in den Mund, so schnell sie konnten, um möglichst bald zu ihrer Zigarettenpause zu kommen. Mola bemühte sich auch um diese Patienten. Sie verstand zwar nicht, was die Menschen zu ihr sagten, und die Patienten verstanden nicht, was sie sagte, doch sie fühlten alle, was sie meinte. Sie spürten Molas großes Herz, und einige vertrauten sich nur ihr an. Eine Seniorin wartete schon am Morgen an der Tür, bis Mola kam, um sie dann mit Kügelchen aus den Hydrokulturen auf dem Flur zu beschenken, als Ersatz für Kaffeebohnen. Mola spielte mit und bedankte sich überschwänglich. Eine hundertfünf Jahre alte Frau ließ ihr Bett von niemandem berühren als von meiner Großmutter, andere wollten nur von ihr gewaschen werden. Wenn die anderen Schwestern sich eine Pause gönnten, setzte Mola sich zu den Patienten, um sie langsam und geduldig mit dem zu füttern, das sie in der Hektik nicht hatten essen können. Sie lockerte die Fesseln und Fixierschnüre und verteilte ohne Wissen des Personals heilige Pillen und Kräuter, die sie von Dudjom Rinpoche erhalten hatte, damit ihre Patienten eine bessere Wiedergeburt erwarten konnten. Sie nahm die Menschen in den Arm. Sie war aus tiefem Mitgefühl bei ihnen, wie sich das für eine gute Buddhistin gehört.

Am schlimmsten fand Mola, dass das Personal die Patienten nicht in Ruhe ließ, wenn es ans Sterben ging. Dann wurden Schläuche in die hilflosen alten Menschen hineingepresst, Nadeln in ihre Arme gestochen und elektrische Maschinen an sie angeschlossen, die piepsten, ratterten und blinkten. Das war ein Schock für Mola und auch für meine Amala, denn für uns ist es in der Stunde des Todes das Schrecklichste, nicht in Frieden und Würde sterben zu können. Sterben ist für uns etwas Wichtiges, bei dem kein Lärm gemacht, das nicht aufgehalten und auch nicht beschleunigt werden darf, sondern in aller Ruhe am besten in Anwesenheit der engsten Familienmitglieder und eines Mönchs stattfindet. Dieser muss gleich nach dem Tod die *powa*-Zeremonie abhalten, die erste buddhistische Sterbezeremonie. Nur so kann das Bewusstsein ruhig und richtig aus dem alten Körper entweichen und nach Irrwegen den nächsten Körper suchen. Als Mola mitbekam, wie stark die alten Menschen beim Sterben gestört wurden und wie alleine sie dabei trotzdem waren, befürchtete sie, dass sie es schwer haben würden, zu einem guten neuen Leben weiterzureisen. Wenn jemand auf der Abteilung starb, betete Mola deshalb von den anderen unbemerkt für dessen gute Wiedergeburt. Dazu fühlte sie sich der verstorbenen Person gegenüber schuldig.

Mola litt so stark unter diesen Zuständen, dass sie auf Dauer nicht froh werden konnte bei dieser Arbeit. Sie hielt es trotzdem drei Jahre im Krankenhaus aus, bevor sie sich auf das Kinderhüten verlegte. Mola betreute bald regelmäßig die Kinder eines mit Martin und Sonam befreundeten Paares und kam auch mit den Kleinen gut aus. Sie verwöhnte sie, ohne groß mit ihnen zu reden, denn sie konnte bloß ein paar Brocken Schweizerdeutsch. Die Kinder fingen dafür bald an, Tibetisch zu brabbeln, und waren froh, wenn Mola da war, denn das hieß für sie, ewig aufbleiben zu dürfen, stundenlang mit ihr zusammen mit Puppen und Stofftieren zu spielen und fremdartige Lieder zu lernen, die sie nie zuvor gehört hatten.

Wunschkinder

Über zwei Jahre lebten Mola, Sonam und Martin nun schon in Zürich, als Sonam eines Abends mit einem Gesprächsthema anfing, das ihr sehr am Herzen lag:

»Ich dachte immer, die Schweiz ist ein reiches Land«, begann sie beim Abendessen, »und jeder dort lebt in seinem Haus.«

Martin wusste schon, was jetzt folgte, denn Sonam sprach nicht das erste Mal über dieses Thema.

»Ich fühle mich nicht wohl in einer Mietwohnung«, sagte sie, »wir können jeden Moment rausgeworfen werden. Wir brauchen ein eigenes Haus, wie sollen wir sonst in Sicherheit und Ruhe leben?«

Da half es nicht, dass Martin mit Begriffen wie Mieterschutz, Mietrecht, Wohnungsmarkt und Kündigungsfristen argumentierte, denn diese waren für Sonam bedeutungslos. Sie musste in ihrem Leben schon zu oft Wohnorte verlassen, als dass sie Vertrauen zu Vermietern, Hausherren, Eigentümern oder Nachbarn gehabt hätte. Sie vertraute nur der Macht des Eigentums, denn dass das in der Schweiz heilig ist, hatte sie in ihren Jahren in diesem Land gelernt.

Also begann Martin, Immobilienanzeigen zu studieren. Fündig wurde er in Münchwilen, einem Dorf in der Ostschweiz, fünfzig Minuten Zugfahrt von Zürich, einmal umsteigen inbegriffen. Alles Nähere wäre zu teuer gewesen und außerdem hatte die Lage Vorteile: In der Gegend wohnten etliche Tibeter, sogar Nyingmapas, wie Mola zufrieden feststellte, also Anhänger derselben Schule wie sie selbst. Sie kauften das Haus zu einem günstigen Preis, den mein Vater aushandelte. Sonam kündigte ihre Stelle in der Psychiatrie, denn Martin war zum Kurator am Völkerkundemuseum der Universität Zürich aufgestiegen, übernahm dort die Leitung der Tibet/Himalaja-Abteilung und verdiente genug, so dass es bequem für alle drei reichte. Sonam und Molas neues Betätigungsfeld bestand nun in der Renovierung des Hauses und der Gestaltung des Gartens. Sie beschäftigten sich mit Spanplatten, Tapetenrollen, Zargen, Dübeln und den Sonderangeboten der Baumärkte. Schon morgens beim Aufstehen genoss Sonam das Gefühl, dass jeder Stein auf der Baustelle des neuen Hauses ihr gehörte, dass das die vier Wände wären, in denen sie sich sicher fühlen konnte wie nirgends sonst.

Als eines Tages der Guru Molas, Dudjom Rinpoche, wieder einmal zusammen mit seiner Familie in die Schweiz reiste, kam es zu einem Wiedersehen Sonams mit den inzwischen ebenfalls längst erwachsenen Töchtern des Rinpoche, deren Spielkameradin sie einst in Indien war und die sie dabei zur Belustigung der anderen Kinder herumdirigiert hatten. Nun lebte sie in einem Land, in dem alle Bürger dieselben Rechte besaßen. Nach tibetischer Sitte hätte sich Sonam bei der Begrüßung der Kinder des Rinpoche tief verbeugen müssen, und diese hätten ihr zum Segen die Hände auf den Kopf gelegt, doch das wollte Sonam nicht, sie fühlte diese Hierarchie nicht mehr, sie konnte sich nicht automatisch der durch ihre Geburt begründeten spirituell höheren Stellung der anderen unterwerfen. Sonam stockte kurz und wusste nicht, ob sie ihre ehemaligen Spielgefährtinnen nach europäischer Sitte mit einem Händedruck begrüßen sollte, was sie dann doch nicht tat. Es blieb bei einem leichten Nicken des Kopfes und dem Zusammenpressen der Hände vor der Brust. Doch vermutlich waren auch die Töchter des Rinpoche froh, die Peinlichkeit einer formellen tibetischen Begrüßung vermieden zu haben.

Einen noch folgenschwereren Besuch aus der alten Zeit erhielt Mola unglückseligerweise, als Martin und Sonam gerade abwesend waren. Eine adlige Tibeterin, die sie noch aus Indien kannte, plauderte angeregt mit Mola, bis die edle Frau den wunderschönen tibetischen Teppich sah, den Mola und mein Großvater eigenhändig den ganzen Weg über den Himalaja geschleppt und den sie in Indien auch in der größten Not nicht verkauft hatten.

»Das ist ein wunderschöner Teppich, der wäre etwas für meine Tochter«, sagte die noble Dame, »sie ist eine hohe weibliche Reinkarnation und wird bald inthronisiert. Verkaufst du mir den Teppich, damit ich ihn ihr schenken kann?«

Mola saß wie gelähmt, da die einzigen zwei Gegenstände, an denen sie wirklich hing, dieser Teppich aus ihrer Heimat und ihre Gebetskette waren. Was sollte sie nur tun? Sie befand sich alleine zu Hause, und das war schlecht, denn Sonam und Martin hätten den Verkauf dieses Teppichs verhindert. Mola war jedoch zu sehr in ihrer Konvention gefangen und konnte die Bitte ihrer Besucherin nicht abschlagen, da der Teppich einer so wertvollen Reinkarnation zugutekommen sollte und damit auch ihrem Karma nützlich wäre. Also nahm sie ein paar Hundert Franken für den Teppich, der ein paar Tausend Franken wert war, abgesehen davon, dass sie ihn unter normalen Umständen niemals verkauft hätte.

Sonam war verzweifelt, als sie nach Hause kam und hörte, was geschehen war. Natürlich bestand keine Möglichkeit mehr, den Teppich zurückzubekommen, und Sonam fühlte sich einmal mehr als Opfer alten tibetischen Klassendenkens. In Indien oder in Tibet hätte diese Adlige Mola gar nicht besucht, da sie niemals einen Fuß in das Haus einer sozial tiefer stehenden Person gesetzt hätte. Mola sollte die Frau erst 2008 zufälligerweise in New York wieder treffen, ohne dass dabei der Teppich zur Sprache kam. Auch dieses Mal musste meine Großmutter erneut die Macht der Adligen erleben, als diese ihr bei der Verabschiedung sitzend befahl, sich zu ihr hinabzubeugen und mit ihrer Stirne die ihre zu berühren, was Mola widerspruchslos tat.

Sonams Träume waren komplett erfüllt, als sie merkte, dass sie schwanger war, eine Wunschschwangerschaft mit einem Wunschmann als Vater, in einem Wunschhaus, mit der geliebten Mutter als Helferin zur Seite, besser ging es nicht. Sonam trug ihr lange ersehntes erstes Baby im Bauch, und dieses Baby war ich.

Sonam wusste wenig über Schwangerschaft und Geburt, sie hatte keine Ahnung von den körperlichen und seelischen Vorgängen in dieser Zeit, denn das waren Dinge, über die man in Tibet kaum sprach. Aus ihrer alten Heimat hatte sie die Vorstellung mitgebracht, dass Kinderkriegen vor allem mit Schmerzen, Angst, Problemen und Gefahren verbunden war, doch nichts war ihr lieber, als ihre Einstellung zu ändern. Sie las Literatur über Geburt und Schwangerschaft, sie sprach mit anderen jungen oder werdenden Müttern und besuchte zusammen mit Martin einen Geburtsvorbereitungskurs, wo man lernte, mit all den Wunderdingen neuzeitlicher Babypflege wie Wegwerfwindeln, Puder und Plastikflaschenwärmern umzugehen.

Als der langersehnte Tag kam und meine Mutter mit Wehen in das Krankenhaus eingeliefert wurde, kam eine Hebamme zu ihr ins Untersuchungszimmer. Zuerst erkundigte sie sich nicht nach ihrem Zustand oder ihren Schmerzen, sondern nach ihrer Krankenversicherung, dem Namen ihres Mannes und dessen Geburtsdatum. Als Sonam vor Aufregung und auch, weil Geburtstage ihrem tibetischen Verständnis nach bedeutungslos waren, einige dieser Fragen nicht beantworten konnte, wurde die Hebamme, eine energische Frau, sofort ärgerlich.

»Wie kann man nur den Geburtstag des eigenen Mannes nicht kennen!«, schrie die Hebamme die völlig perplexe Sonam an und klopfte dabei energisch auf den Tisch. Dieser kamen die Tränen, und sie verkrampfte sich, während die Hebamme die Schwangere routinemäßig verkabelte, ohne ein weiteres Wort zu verlieren. Sonam hatte keine Ahnung, was mit ihr geschah, und fühlte sich erniedrigt, bis Martin ins Zimmer gelassen wurde.

Mein Vater wollte bei der Geburt dabei sein, was Sonam freute, obwohl es ihr fremd vorkam. In Tibet gelten Frauen während der Geburt und auch Wöchnerinnen als unrein, weshalb die Männer jeden Kontakt mit ihnen vermeiden. Die Geburt ging gut, und kaum war ich geboren, klatschte die Hebamme meiner Mutter das nasse, blaue, blutige, schleimige Etwas, das ich in meinem ersten Stündlein war, auf den Bauch. Sonam war überglücklich, sie weinte wie so viele Frauen in diesem Moment. Dieses schleimige Kuscheln mit mir kam ihr dennoch seltsam vor, denn in Tibet wäscht man neugeborene Kinder erst, trocknet sie ab, wickelt sie und packt sie warm ein, bevor man sie der Mutter gibt.

Dafür wurde ich danach umso gründlicher gebadet, geschrubbt, gewickelt, gewogen, gemessen und gecheckt. Alles lief streng geordnet, wie es damals modern war: Die Säuglingsschwester brachte mich meiner Amala zum Stillen, wog mich ab, dann desinfizierte sie Sonams Brüste und auch ihre Hände mit einer grausam brennenden Lösung, band ihr einen Mundschutz um und reichte meiner Mutter das Baby, als sei ich ein hochinfektiöses, gefährliches Etwas. Das Stillen lief nach Zeitplan, egal, ob ich zur festgesetzten Stillzeit gerade schlief, satt oder hungrig war. Wenn ich erst nach dieser Zeit aufwachte und dann vor Hunger brüllte, weil ich noch nicht fertig war oder noch gar nicht angefangen hatte mit dem Trinken, war das mein Pech, denn die Krankenhausordnung hatte immer Vorrang.

Meine Mutter war verzweifelt, weil ich nicht neben ihr schlafen durfte, weil das Stillen nicht lief, weil ihre Brüste schmerzten, weil sie Angst hatte, dass ihr Baby in seinem Gitterbettchen ersticken würde, weil sie eine ausgewachsene Wochenbettdepression auszustehen hatte und viel zu jung und unerfahren war, um sich gegen das Krankenhausregime wehren zu können. Nachts biss sie weinend in ihr Kissen, damit die anderen sechs Wöchnerinnen, die neben ihr im Zimmer lagen, sie nicht hören konnten.

So ging das volle zehn Tage, obwohl meine Mutter keinerlei körperliche Beschwerden hatte, doch damals sah man Geburt und Wochenbett noch als Krankheiten, die einer stationären Pflege bedurften. Sonam wunderte sich darüber, denn in Tibet kamen die Frauen schon kurze Zeit nach der Geburt wieder auf die Beine, doch sie wagte nicht aufzubegehren und war unendlich froh, als sie zusammen mit mir nach Hause entlassen wurde.

Sofort klappte es mit dem Stillen, und die bis eben noch verzweifelte junge Mutter wurde ruhig und ausgeglichen. Die Idylle musste sie nur einmal wöchentlich unterbrechen, wenn mich Sonam zur Gemeindeschwester zu bringen hatte, die mich wog, maß und meiner Mutter Vorwürfe machte. Dann hieß es immer, ich sei zu dick, hätte so und so viele Gramm zu viel, weil Amala mich zu viel gestillt hätte. Diese ging mit schlechtem Gewissen nach Hause, hatte einen schlechten Tag und machte am nächsten Morgen wieder das, was sie als richtig empfand. Die Gemeindeschwestern hatten damals genaue Vorstellungen von Kinderpflege, und die sollten flächendeckend umgesetzt werden. Nur was die Dauer der Stillzeit betraf, war Sonam mit den Schweizer Vorgaben einverstanden, denn sechs Monate waren ihr genug. Ihre Mutter erzählte ihr zwar, dass sie selbst viel länger gestillt worden war und noch nach fast drei Jahren an den Brustwarzen gesaugt hätte, ohne noch einen Tropfen Milch herauszubekommen. Mola hatte oft versucht, Sonam abzustillen, indem sie Asche mit Wasser mischte und sich auf die Brust strich, in der Hoffnung, dass sich ihre Tochter davor ekeln würde. Die Abschreckung unterstrich sie mit der Bemerkung, das sei Chinesenkacke, doch Sonam ließ sich davon wenig beeindrucken, sondern wischte das schwarze Zeug einfach gründlich von den Brüsten ihrer Mutter ab und saugte genüsslich weiter.

Meine Mutter zog mich zwischen westlichen und östlichen Vorstellungen von frühkindlicher Erziehung auf. Hatte sie in einem klugen Ratgeberbuch gelesen, dass kleine Kinder auch mal schreien müssen, so ließ sie mich ein paar Minuten lang brüllen, bis sie es nicht mehr aushielt und mich hochnahm, um das dann beim nächsten Mal sofort zu tun, denn in Tibet lässt keine Mutter ein schreiendes Kind einfach liegen, dort werden die meisten Säuglinge den ganzen Tag herumgeschleppt. Sie las, dass Babys eigene Betten brauchen, doch als meine Mutter merkte, dass mir mein Gitterbettchen wenig gefiel, durfte ich ab und zu im Bett der Eltern schlafen, wie es in Tibet üblich war, weil es dort keine Gitterbettchen oder Wiegen gab. Sonam ging mit mir zum Mutter-Kind-Turnen und tat eifrig mit, weil ihr die Bewegung gefiel und der lockere Kontakt mit den anderen Müttern, aber sie musste sich gewaltig zusammenreißen, als alle

Mütter hintereinander mit gegrätschten Beinen dastehen sollten, damit ein Kind nach dem anderen unter ihnen durchkrabbeln konnte. Für eine Tibeterin ist das eine schreckliche Vorstellung, denn die Stelle, die sich unter einem Menschen befindet,
gilt als schmutzig, vor allem unter einer Frau, die doch die Regel
haben könnte, so dass eine Tibeterin niemals unter einer anderen durchkrabbeln würde. Doch Sonam schloss nur kurz die
Augen, biss die Zähne zusammen und sagte immer wieder wie
ein Mantra zu sich: »Du musst das tun, es ist gut für dein Kind,
du musst dich anpassen!«, während alle Kinder unter ihr und
den anderen Frauen durchschlüpften.

Meinen Namen suchte nach alter Sitte Dudjom Rinpoche
aus. Mola hatte dazu ihrem Guru, der inzwischen längst wieder
in Indien war, geschrieben und ihn gefragt, wie ihre Enkeltoch-
ter heißen sollte, und er hatte Tashi Yangzom empfohlen. Beide
Namen für mich zu verwenden war meinen Eltern zu kompliziert. Sie dachten an die schwerfälligen Schweizer Zungen und
beschlossen, mich nur Yangzom zu nennen, was im Deutschen
so viel wie »Vereinigtes Glück« heißt, und reservierten den zweiten Namen Tashi, zu Deutsch »Glück«, für ein Geschwisterkind,
da sie zwei Kinder planten. Das kantonale Standesamt stellte
sich seltsamerweise nicht quer, obschon man in der Schweiz aus
jedem Vornamen eindeutig das Geschlecht des Menschen able-
sen können sollte, was bei tibetischen Namen nicht möglich ist,
denn die gelten jeweils für beide Geschlechter. Es dauerte zwei
Jahre, bis meine Mutter nochmals schwanger wurde und meinen Bruder Tashi auf die Welt brachte. So war unsere schweizerisch-tibetische Familie Anfang der achtziger Jahre komplett.

oben: Pema und ich in Pang-ri, Tibet.
vorherige Seite: Sonam besucht zum ersten Mal nach der Flucht ihre Familie in Pang-ri, 1986.
unten: Martin, Tashi und ich in Thangbi, Bhutan.

oben: Sonam beim Kochen in Thangbi.
nächste Doppelseite: Mit meinen buthanischen Freundinnen im Klosterhof in Thangbi.
unten: Sonam, Tashi und ich in Nepal.

oben: Sonam vor den Ruinen ihres ehemaligen Elternhauses in Pang-ri.
unten: Ausflug zu einem buthanischen Kloster.

oben: Sonam in ihrem New Yorker Studio.
nächste Seite: Mola, Sonam und ich auf Paros, Griechenland.
unten: Sonams Kunst in ihrem New Yorker Studio.

Im Taka-Tuka-Land

Meine Erinnerungen an meine Kindheit reichen nicht so weit zurück wie bei meiner Amala oder bei meiner Mola. Sonam weiß noch jede Menge von ihrem Leben im Kloster Pang-ri, das von den chinesischen Soldaten so jäh unterbrochen wurde, als sie sechs Jahre alt war, und von ihrer Flucht über den Himalaja kann sie zusammenhängend erzählen. Mola erinnert sich genau daran, wie sie sich das erste Mal ihre Haare schneiden ließ und beschloss, Nonne zu werden. Sie weiß noch, wie sie ihre Mutter zu Grabe tragen musste, als ob es gestern gewesen wäre, auch wenn sie damals nur fünf Jahre alt war und dieses traumatische Erlebnis über achtzig Jahre zurückliegt. Meine ersten Lebensjahre wurden nicht von solch einschneidenden, tragischen Ereignissen zerschnitten, sondern liefen wie ein zwar munterer, bewegter und farbenfroher, aber doch gleichförmig dahingleitender Fluss ab, eingebettet in die Familie Kunterbunt im Taka-Tuka-Land meiner Pippi-Langstrumpf-Kindheit. Vielleicht liegt es auch daran, dass meine Eltern so viele Fotos und Videos von unserer Kindheit anfertigten, dass meine Erinnerungen hinter die Kraft der vielen bunten Bilder zurücktreten mussten, die ich bei Familienfesten oder Verwandtschaftsbesuchen in den Jahren danach so oft zu Gesicht bekam, bis ich sie für selbst erinnerte Eindrücke hielt.

Ich weiß aber, dass ich eine unbeschwerte Kindheit hatte, deren Geschmack ich noch heute als großen, heißen, bunten, spannenden und mit unzähligen Höhepunkten geschmückten Sommer auf der Zunge spüren kann. Wir ließen keinen Rummelplatz aus und keine Kutschenfahrt, keinen Badespaß und kaum eine Mittelmeerinsel, keine Geburtstagsparty, keinen Zirkus, und auch den Theatern in Bern und Zürich statteten wir regelmäßige Besuche ab. Unsere Eltern versuchten, uns das Großartigste zu bieten, was man Kindern bieten kann, neben dem intakten Familienleben, das bei uns zu Hause für selbstverständlich gehalten wurde.

Freizeit zu haben und zu genießen war dabei weder für Sonam noch für Mola und auch nicht für Martin alltäglich. Als wir das erste Mal an der spanischen Mittelmeerküste Badeferien verbrachten, fand Sonam es mehr als merkwürdig, plötzlich die Mutter einer bürgerlichen Familie im Frühstücksraum eines Urlauberhotels zu sein, mit keiner anderen Beschäftigung als dem Kinderspaß zwischen Sand, Wasser und Eisdiele. Meine Mutter musste erst lernen, diesen Freizeitluxus zu genießen. In solchen Momenten wie auch bei großen Festen, bei denen alle wunderbar angezogen waren, fühlte meine Mutter immer wieder tiefe Trauer in sich, statt sich zu freuen, was sie sich nie erklären konnte. Heute ist sie bei diesen Anlässen zwar nicht mehr so traurig, doch sie hat immer noch Probleme, Luxus unbeschwert zu genießen. Auch unsere Familiennonne fand es gewöhnungsbedürftig, im Badeanzug im Flachwasser des kilometerlangen Sandstrandes zu paddeln, bewehrt mit zwei knallroten Schwimmflügeln für den Fall des Falles, denn die Kunst des Schwimmens war Mola so fremd wie den anderen Badegästen die Mysterien des tibetischen Buddhismus.

Mola blieb immer ihrem tibetischen Wertesystem treu. Meine Linkshändigkeit war aus diesem Grund lange Zeit das Einzige, was Mola während meiner Kindheit schmerzte, denn so etwas passt nicht in ihr System. Immer wieder versuchte sie, mich zum Gebrauch der rechten Hand umzuerziehen, was ihr nur teilweise gelang. Auch Sonam fand meine Linkshändigkeit schade, weil tief verwurzelt in ihr ebenfalls die Idee saß, dass die linke Hand die schlechte und die rechte die gute Hand sei. Sie las zwar viele Erziehungsratgeber, in denen stand, dass diese alte Bewertung Unsinn sei, konnte diesen Ratschlägen aber nur halbherzig glauben. Immerhin verbot sie Mola ihren Links-Rechts-Dressurakt, was den Erfolg hatte, dass Großmutter heimlich damit fortfuhr und es immerhin so weit brachte, dass ich in der Schule zwar mit der rechten Hand schreiben lernte, sonst aber bei links blieb. In einer tibetischen Schule wäre es eine Selbstverständlichkeit gewesen, dass die Lehrer ein linkshändiges Kind so lange mit Ermahnungen, Strafen und Schlägen behandeln, bis es nur mit der rechten arbeitet. Eine in der Schweiz lebende tibetische Bekannte meiner Eltern stellte das geschickter an. Sie gab mir eine kleine Aufgabe, dann fragte sie mich: »Yangzom, welche Hand hast du genommen?« Natürlich schoss dann mein rechter Arm in die Höhe, »die da, die da!« rief ich freudestrahlend, und schon bekam ich wieder ein Zwei-Franken-Stück geschenkt. Heute ist Mola immer noch von ihrem Links-Rechts-System überzeugt, während Sonam nicht mehr versteht, weshalb Linkshändigkeit etwas Schlechtes sein soll.

Mola lernte nur wenig Deutsch, weil sie sich selbst zu alt fühlte für einen Neubeginn. Das war zumindest ihre offizielle Antwort auf entsprechende Fragen, doch ich glaube, dahinter stand etwas anderes: Die Sprache ihres Gastlandes war ihr nicht wichtig. In ihrer Umgebung konnte sie sich verständigen, und für uns Enkelkinder war es ein großer Anreiz, Tibetisch zu lernen, damit wir uns mit unserer Großmutter verständigen konnten. Genau das wollte Mola erreichen, denn für sie war es unverzichtbar, dass ihre Tradition in Tashi und mir weiterlebte. Vor allem fand sie es essenziell für unser Karma und unser Seelenheil, dass wir tibetische Gebete beherrschen lernten und auch ein wenig in den alten heiligen Schriften lesen konnten.

Weil Mola kaum Deutsch sprach, hatten Martin und sie manchmal Probleme, einander zu verstehen, was auch etwas Gutes hatte. Mola folgt ihren festen Ansichten über den Buddhismus, über das Leben und über die Welt, die Martin nicht immer teilt. Mola ist der Ansicht, dass alles, was ihre Religion sagt, Gültigkeit hat, dass die Kügelchen der Rinpoches wirken, ihre Prophezeiungen zu befolgen sind und ihr Andenken zu ehren ist. Für Martins Einstellung, dass die vielen Gurus zwar kluge, aber keine unfehlbaren, mit übersinnlichen Fähigkeiten ausgestatteten Menschen sind, hat sie kein Verständnis. Dennoch liebt Mola Martin wie ihren eigenen Sohn, und auch Pala schätzt Mola und ihre Güte, denn die beiden respektieren einander. Viele Jahre lang rannten sie hintereinander her und spielten zur Freude von uns Kindern »Fangis«, bis Sonam ein Machtwort sprechen musste, weil Mola beim Spielen umgefallen war. Doch wenn Mola sich in buddhistischen Fragen äußert, ist jede Diskussion sinnlos, denn Mola weiß in Bezug darauf immer genau, wo die Wahrheit liegt. Wir Kinder liebten es, sie mit Widersprüchen in religiösen Fragen aufzuziehen, doch glücklicherweise hielt Molas Ärger nie lange an, und bald schon kam sie, nach einem erfrischenden Gebet, in das sie uns alle eingeschlossen hatte, wieder aus ihrem Zimmer, um den nächsten Schabernack mit uns Kindern zu treiben.

Mola war nämlich nicht nur eine andächtige Nonne, die sich morgens und abends zu ihren Gebeten zurückzog, bei denen sie niemand, auch nicht wir Kinder, stören durfte, sie war auch die kindischste, witzigste und verspielteste Großmutter, die sich

Enkelkinder wünschen können. Sie liebte es, mit uns Verstecken zu spielen oder herumzutollen, was besonders mir entgegenkam, denn ich war noch viel wilder und ungestümer als mein kleiner Bruder. Ich liebte es auch, wenn uns Mola in den Ruhepausen eine ihrer vielen tibetischen Geschichten erzählte. So lernten wir Tibetisch, ohne es groß zu merken. Sonam sprach in den ersten sechs Jahren unserer Kindheit auch viel Tibetisch mit uns, doch später, als ich zur Schule ging und sich zeigte, dass ich mit der deutschen Sprache etwas Probleme hatte, redete sie immer öfter Schweizerdeutsch, umso mehr, da dadurch die ganze Familie dieselbe Sprache sprach, von Mola abgesehen. Deswegen lernten wir Kinder nie perfekt Tibetisch, doch es reicht für die Verständigung im Alltag.

Unser Ostschweizer Dorf war für uns das reinste Paradies: Wir spielten ununterbrochen im Garten, auf den Feldern und im Wald. Wir hatten Katzen, die wir nach Herzenslust herumschleppen durften, und Hühner, von denen wir unsere Frühstückseier aus den Nestern klaubten. Im Herbst sammelten wir Blätter und pressten sie zwischen Buchseiten glatt, im Winter bauten wir Schneemänner und Iglus, im Sommer lagen wir in unserem aufblasbaren Swimmingpool und sammelten Hausschnecken, die wir uns gegenseitig an unseren Nasen festsaugen ließen. In unserem Garten stand eine echte Rikscha, die von einer Nepal-Ausstellung meines Vaters stammte, dazu noch eine Styroporkuh in Lebensgröße. Verkleidet zogen wir Kinder einander mit der Rikscha durch den Garten, ritten die Kuh, und als ich den Wunsch äußerte, ein echtes Piratenschiff zu besitzen, dachten meine Eltern allen Ernstes darüber nach, wo sie das für mich herbekommen könnten.

In unserem Ort gab es damals etliche tibetische Familien, weshalb die Dörfler den Anblick von Tibetern gewohnt waren.

Ich hatte nie Probleme mit meinem für Schweizer Verhältnisse asiatischen Aussehen. Nie fühlte ich mich zerrissen zwischen meinen tibetischen und meinen Schweizer Wurzeln, weil ich wie selbstverständlich zu beiden Kulturen gehörte. Ich feierte mit meinen Eltern Weihnachten, Ostern und Nikolaus und freute mich über die Geschenke, ohne dass wir an die christlichen Heiligen glaubten. Meine Eltern arrangierten diese Feste, damit wir Kinder Freude hatten und so aufwachsen konnten wie alle anderen Kinder im Dorf auch. Ich lud meine Freundinnen zu Geburtstagsfeiern, Gartenpartys und Übernachtungsfesten ein, zu Anlässen, die es in Tibet nicht gibt. Wir feierten aber auch *losar*, das tibetische Neujahr, das wichtigste Fest der Tibeter.

Schon zwei Tage davor gab es *guthug*, die Suppe der *neun Zutaten*, die von Familie zu Familie andere sein können: Fleisch, Spinat, Erbsen, Rettich, *doma*, das sind die Wurzeln des Fingerkrauts, *bulgur*, das ist vorgekochter Weizen, eine Art Spätzleteig und Salz. Dazu formten Mola oder Sonam verschiedenartige Teigkugeln, in die sie je ein mit »Chili«, »Kohle«, »Salz«, »Wolle«, »Erbsen«, »Mond«, »Sonne«, »Glas« und »Zwiebeln« beschriebenes Zettelchen verpackten. Am Abend aßen wir diese Suppe, wozu wir manchmal Freunde einluden. Für uns Kinder war es spannend zu erraten, welche Teigkugeln wir in unserer Suppe schwimmen hatten, denn jeder der verschiedenen Begriffe hatte eine bestimmte Bedeutung. Eine Kugel mit »Chili« hieß, dass der Betreffende im neuen Jahr ein scharfes Mundwerk haben würde, ein Teigbällchen mit »Wolle« deutete auf ein weiches, warmes Herz hin.

An diesem *guthug*-Tag mussten wir Frauen uns waschen, am Tag vor *losar* dann Martin und Tashi, während Sonam und Mola alle Speisen für das Fest fertigstellten, denn am Neujahrstag soll niemand arbeiten müssen in einer tibetischen Familie. So stapelte unsere Amala am letzten Tag des alten Jahres das in heißem Öl gebackene Neujahrsgebäck auf einer wunderschönen alten Kommode auf, und genauso macht sie es bis heute, auch wenn dieses Möbelstück jetzt in einer Wohnung im New Yorker Stadtteil Chelsea steht. Dieses Gebäck nennt man in Tibet »Eselsohren«, und so sehen sie auch aus. Kreuzweise schichtete Sonam sie zu hohen Türmen, auf die sie immer noch Bonbons und Schokolade legte. Auch getrockneten Käse, der zu Würfeln geschnitten auf eine Schnur aufgezogen wurde, hängte sie über den Turm, dessen Spitze sie mit einem aus dem gleichen Teig gebackenen Halbmond und einer gebackenen Sonne verzierte. All diese Leckereien sind Opfergaben an verschiedene Gottheiten und Buddhas. Zusätzlich formte meine Mutter aus *tsampa*, in das sie etwas Butter, Zucker und tibetisches Bier mischte, einen Kegel, *tschema* genannt, in dessen Spitze sie drei Weizenähren steckte. Als weitere Gaben an die Götter standen ein aus Teig geformter Schafskopf, sieben mit Wasser gefüllte Schalen, die sich in einer Schale mit frisch sprießendem Weizen befanden, eine Schale *chang*, tibetisches Bier, Früchte und Blumen auf dem Altar. Vor diesen Opfergaben brannte eine Butterlampe.

Am eigentlichen Neujahrstag nahm sich mein Vater frei, und auch wir mussten nicht zur Schule gehen. Schon früh am Morgen zogen wir uns die schönsten tibetischen Kleider an. Eigentlich sollte man zu *losar* zeitig, wenn der erste Hahn kräht, zum Fluss hinuntergehen und Wasser holen, doch in der Schweiz musste niemand mehr zum Fluss oder zu einer Quelle wandern, sondern man konnte ein oder mehrere Gefäße mit Leitungswasser füllen. Früh aufstehen mussten wir trotzdem, dafür sorgte Mola, die spätestens um drei Uhr auf den Beinen war, um alle für diesen Tag notwendigen Gebete zu sprechen. Um diese Zeit lag ich bereits halbwach in meinem Zimmer und hörte ihr Beten wie ein fernes Rauschen, durch das leichte Trommelschläge klangen und ihre Gebetsglocke läutete.

Kaum waren wir aufgestanden, reichte Amala als Erstes jedem von uns das Gefäß mit dem mit Butter verzierten *tsampa*-Kegel, von dem jeder dreimal etwas wegnahm, in die Luft warf und dabei einen Spruch aufsagte: »*Tashi delek pün sum tsok, a ma bak dro ku kham zang, ten dang de wa thob par shok, dü san da tsö la, tra ru ru jel gyu yong wa shok*«, das heißt auf Deutsch: »Mögen alle Dinge glücklich, ausgezeichnet und florierend sein, und möge die Mutter des Hauses vergnügt und gesund bleiben. Es herrsche für jeden immerzu Glück, und es möge jeder den anderen nächstes Jahr zu dieser Zeit wiedersehen.« Nach diesem Opfer an die Götter und dem Segensspruch durften wir uns an den Süßigkeiten gütlich tun.

War Molas Gebet, das sie nur dieses eine Mal pro Jahr sprach, abgeschlossen, ging die ganze Familie zu ihr in den Altarraum, und jeder legte eine *katak*, eine weiße Glücksschleife, auf den Altar. Tashi und auch ich hatten manchmal Freunde zum Übernachten mitgebracht, die sich dann tibetisch anzogen und bei der Zeremonie mitmachen durften. Selbst Ula, meine Schweizer Großmutter, kam schon gegen neun Uhr morgens zu uns, um mitzufeiern. Wir saßen den ganzen Tag zusammen, aßen, tranken, lachten und tanzten zu tibetischer Musik. Danach spielten wir Canasta, das einzige Kartenspiel, das auch Mola beherrschte und das ihr Lieblingsspiel war, solange sie gewann.

Am zweiten Tag des Neujahrsfestes besuchten wir andere tibetische Familien und diese uns, und am dritten Tag nahmen wir die alten Gebetsfahnen herunter und hängten zwischen Ästen von Bäumen neue auf. In Tibet wanderten an diesem Tag alle Dörfler an einen heiligen Ort, der meist hoch oben in den

Bergen lag, bei einem Pass oder einem Kloster, um die neuen Gebetsfahnen aufzuhängen. Dazu schleppten die Menschen viel Proviant, *chang*, Butter, *tsampa* und Tee für das Rauchopfer mit in die Berge, wo sie den Tag mit Essen, Trinken und Beten verbrachten, bevor sie die neuen Gebetsfahnen befestigten.

Manchmal gingen Tashi und ich auch an normalen Tagen in tibetischen Kleidern in den Kindergarten und später zur Schule. Zu Hause aßen wir oft indisch oder tibetisch, etwa *tsampa*-Brei, Curry mit Reis, *dhal*, das indische Linsengericht, oder *momos*, die tibetischen Teigtaschen. Bei diesen Gelegenheiten durften wir immer mit den Fingern essen, genauso wie die anderen Kinder, wenn Freunde oder Freundinnen von uns zu Besuch waren. Die fanden das ziemlich cool, und wir waren stolz darauf, ihnen zeigen zu können, wie man richtig mit den Fingern isst.

Rückblickend denke ich, dass wir anders aufwuchsen als andere Kinder im Dorf. Wir hatten mehr Freiheit, bei uns gab es keine Grenzen im Spiel, wir durften unsere Fantasien ausleben, wir erlebten zwei unterschiedliche Kulturen. Mein Idol war Pippi Langstrumpf: Wie Pippi, die in den Büchern und Filmen immer voller witziger Ideen steckte und keine Angst kannte, wollte ich im Taka-Tuka-Land leben. Also spannte ich wie mein Vorbild eine Schnur quer durch mein Zimmer und hing daran alle meine Kleider auf. Meine Matratze hob ich aus dem Bett und legte sie auf den Boden, um darauf zu schlafen, nur das echte Pferd fehlte in meinem Kinderzimmer. Ich ging mit Zöpfen in die Schule, in die meine Mutter einen Draht einflechten musste. Während des Unterrichts bog ich den Draht ordentlich nach unten, aber kaum war die Schule vorbei, standen meine Zöpfe so zu Berge wie Pippis. Amala nähte mir Kleider, wie Pippi sie hatte, und das Pferd bastelte ich mir aus alten Laken, die ich zusammennähte, ausstopfte und mit schwarzen Punkten schmückte. Den Affen, Herrn Nielson, häkelte ich aus Wollresten und nähte ihn an meinem Pippi-Kleid fest.

Damals schien mir das alles selbstverständlich und durchschnittlich zu sein, aber das war es nicht für ein Ostschweizer Dorf in der ersten Hälfte der achtziger Jahre.

Aschenputtel

Kaum hatte ich schreiben gelernt, kritzelte ich mit großen Lettern »Sängerin« in mein Stammbuch, an die für den Traumberuf vorgesehene Stelle, an der meine Freundinnen »Krankenschwester«, »Tierpflegerin« oder »Reitlehrerin« geschrieben hatten. Schon wenige Zeit später strich ich die »Sängerin« wieder und ersetzte sie durch »Schauspielerin«, denn als solche fühlte ich mich bereits im Kindergarten. Dort sollte »Aschenputtel« aufgeführt werden, und ich wollte nichts lieber als die Hauptrolle, weil das Aschenputtel zuletzt den Prinzen küssen durfte, und den spielte sicherlich der Junge, den alle Mädchen, also auch ich, toll fanden, dachte ich zumindest. Wir waren alle in ihn verliebt, alle anderen Jungs waren für uns uninteressant.

Als die Rollen verteilt wurden, mussten wir uns in einer Linie aufstellen. Leider bemerkte ich nicht, dass ich zu weit hinten stand und deshalb zu spät drankam mit meinem Rollenwunsch. Der Junge meiner Träume wählte den König, und natürlich wünschte sich ein Mädchen vor mir die Rolle der Königin. Ich bekam zwar das Aschenputtel, war aber unglücklich darüber, denn was sollte ich mit dem Prinzen anfangen, wenn ich doch den König wollte! Beim Spielen fand ich die Rolle trotzdem toll. Kein anderes Mädchen hatte sie gewollt, weil keines so viel Text auswendig lernen und die Hauptrolle spielen wollte. Mir gefiel das, und ich weiß noch heute, wie ich mit der Rolle verschmolz. Wie ich fühlte, was es heißt, ein Aschenputtel zu sein, die Übriggebliebene. Die Aufführung war ein großer Erfolg, nicht nur meine Eltern waren begeistert. Meine Mutter war gerührt, denn auch sie identifizierte sich mit dieser Rolle. Während ihrer Jugend hatte sie sich als Aschenputtel gefühlt, als das arme, von den anderen nicht beachtete und doch bescheidene Mädchen, das erst durch den Kuss ihres Prinzen den Zugang zum großen Leben gefunden hatte. Ich glaube, das war der Moment, wo ich in meinem Innersten beschloss, Schauspielerin zu werden, auch wenn ich auf dem Weg dahin noch ein paar Umwege in Kauf nehmen musste.

Andere Kinder hatten Popstars als Idole, mit deren Postern sie sich die Wände ihrer Kinderzimmer pflasterten. Mich interessierte diese Welt nicht im Geringsten, meine Idole waren immer Figuren aus Filmen, deren Bilder ich an meine Wände klebte: Pippi Langstrumpf, Ronja Räubertochter, die kleine Hexe oder Piraten. Bevor ich nachts einschlief, träumte ich von der fernen See und heftigen Fechtkämpfen. Eines Tages stand ich mit einem Besen zwischen den Beinen auf dem Fensterbrett und wollte losfliegen. Zufällig kam mein Bruder Tashi ins Zimmer und schrie:

»Mami, Yangzom will fliegen!«

Unsere Amala kam angerannt und riss mich entsetzt zurück.

»Ich bin die kleine Hexe und kann fliegen«, soll das Letzte gewesen sein, das ich hervorbringen konnte, bevor ich mir die Standpauke meiner Mutter anhören musste.

Ich lebte in meiner eigenen Gedankenwelt und konnte stundenlang in meiner Kleidertruhe wühlen oder auf dem Dachboden und im Keller herumtollen und neue Dinge entdecken. Manchmal bestand der Boden meines Zimmers aus Wasser und meine Matratze war mein Floß. Ich fühlte das Wasser rund um mich und erfand meine eigene Geschichte zu dem, was auf dem Floß alles passierte. Meine Begleiter waren Herr Nielson und der »Onkel«, denn mein Affe und mein Pferd hießen genauso wie die Begleiter von Pippi Langstrumpf.

Nur Malen und Zeichnen interessierte mich ähnlich stark wie Theaterspielen. Stundenlang konnte ich dasitzen und aus der Fantasie zeichnen, von Comicfiguren inspiriert. Ich hatte zu wenig Taschengeld, um regelmäßig Comics zu kaufen, aber die Nachbarjungs besaßen jede Menge Heftchen, die ich geschenkt bekam, nachdem sie sie gelesen hatten. Ich interessierte mich kaum für den Text in den Sprechblasen, sondern sah mir nur die Bilder an und entwickelte aus ihnen meine eigenen Geschichten. So malte ich jahrelang Katzen in Absatzschuhen, mit langen Wimpern, farbigen Augenlidern und Schmuck. Außerdem waren alle meine Katzen am ganzen Körper mit bunten Mustern bedeckt. Danach kamen Elefanten, Tausendfüßler, Marienkäfer, Hunde und auch menschliche Figuren an die Reihe, wobei meine Tiere auf zwei Beinen gingen, dicke rote Lippen hatten, elegant gekleidet und über und über mit Mustern bedeckt waren. Erst später ging mir dieses naive und fantasievolle Zeichnen verloren. Nach der Pubertät versuchte ich ab und zu, wieder so zu malen, doch dann waren meine Striche schon zu gekonnt, und der Charme der Zeichnungen verschwand, so dass ich mich auf surreale Zeichnungen und Collagen konzentrierte.

Meine Eltern staunten immer, wie fantasievoll ich malen konnte. Meine Mutter selbst konnte nie richtig figürlich zeichnen, auch wenn sie später Malerin wurde und bis zum heutigen Tag wunderschöne abstrakte Bilder malt. Großmutter zeichnet dagegen wie ein Kind. Als mein Bruder und ich selbst noch Kinder waren, machten wir uns oft den Spaß, unsere Großmutter zeichnen zu lassen. »Male unsere Familie«, baten wir sie und lachten jedes Mal Tränen, wenn sie nur ein paar Mondgesichter schaffte, die aus einem wackligen Kreis, zwei Strichelchen und zwei Pünktchen bestanden, aus denen die Arme und die Beine direkt herauswuchsen, ähnlich den Kritzeleien kleiner europäischer Kinder. Mola zeichnete nicht so, um uns eine Freude zu machen, sondern sie konnte beim besten Willen nicht anders. Das hat nichts mit ihrem kindlichen Gemüt zu tun, sondern mit der Tatsache, dass ihr die Fähigkeit zur Abstraktion fehlt. Für sie passiert alles direkt, ohne Umwege über gedankliche Konstruktionen, Verallgemeinerungen oder künstliche Filter.

Berner Zeiten

Als wir Kinder größer und auch anspruchsvoller wurden, wollten unsere Eltern wieder zurück in die Stadt ziehen, nach Zürich. Sie mussten uns immer öfter dorthin ins Theater bringen, zum Sport, zu Festen und in Museen. Meine Amala hatte zwar über uns Kinder viele Kontakte zu anderen Frauen und Familien in Münchwilen, doch mein Vater arbeitete in Zürich und war auf dem Land nicht sehr verwurzelt.

Martin suchte schon intensiv Häuser in Zürich und Umgebung, doch als sich herausstellte, dass es schwierig war, in Zürich etwas zu kaufen, und er gleichzeitig immer unzufriedener wurde mit der Art, wie das Museum, das er so liebte, geleitet wurde, sehnte er sich nach einer anderen Arbeit. Meine Eltern überlegten damals sogar auszuwandern, doch das erzählten sie mir erst viel später.

Mein Vater hatte schon seit langem das Bedürfnis, im Rahmen der schweizerischen Entwicklungsarbeit tätig zu sein. Als er von einem kirchlichen Hilfswerk eine Stelle in seiner Heimatstadt Bern angeboten bekam, obwohl er schon lange aus der Kirche ausgetreten war, sagte er sofort zu. Es handelte sich dabei um einen Halbtagsjob, so dass mein Vater auch weiterhin die andere Hälfte seiner Arbeitszeit am Museum in Zürich tätig sein konnte.

Plötzlich entdeckten die Ärzte bei Martins Vater eine schlimme Krebserkrankung, an der er kurze Zeit später starb. Da Martins Schwester in Italien lebte, konnten wir in die nun leerstehende alte Villa der Familie Brauen einziehen, in ein schönes, stattliches Haus, mit vielen großen Fenstern, die wie Augen neugierig auf seine nicht weniger gut aussehenden Nachbarn blicken. Vor dem Haus steht ein Fahnenmast, von dem bald eine große tibetische Fahne wehte, und von den schmiedeeisernen Gittern des Balkons flatterten viele kleine Gebetsfahnen, die Mola aufgehängt hatte, damit sich die darauf gedruckten Gebete in alle Winde Berns verstreuen mochten. Vor Abstimmungen hingen manchmal aber auch auf Laken gesprühte Parolen an der Hausfassade unterhalb meines Fensters, so dass die Nachbarschaft immer wusste, wie die Familie Brauen stimmte oder wen sie zu einer anstehenden Wahl empfahl.

So begann für alle von uns ein neuer Lebensabschnitt, die Berner Zeit. Diese Stadt ist zwar die schweizerische Hauptstadt, doch die Uhren, die von vielen mittelalterlichen Kirchtürmen riesengroß grüßen, gehen dort langsamer als anderswo in der Eidgenossenschaft. Die Menschen sind noch ruhiger als die übrigen Schweizer, noch bedächtiger, und auch von besonderer Eigenart. Dies bemerkte selbst meine Mutter, die die Berner erst für verschlossen und abweisend hielt, bis sie herausfand, dass sie nur eine Weile länger als die Zürcher brauchten, um die Distanz zu neuen Mitbürgern zu überbrücken.

Besonders hilfreich bei der Integration meiner Mutter in den Berner Alltag war der »Strickclub Brückfeld Ost«, ein Grüppchen strickender Frauen unseres Viertels, in dem weniger gestrickt als vielmehr geplaudert wurde. Wir Kinder fanden durch diesen Club Zugang zu anderen Kindern und schlossen Freundschaften, die zum Teil bis zum heutigen Tag andauern. So wohnt Kaspar, ein guter Freund Tashis, jetzt im Berner Haus meiner mittlerweile in New York lebenden Eltern und hat zusammen mit drei seiner Kollegen eine neue Großmutter gefunden: meine Mola, die immer noch im obersten Stock der Berner Villa lebt!

Auch Mola hatte nichts gegen den Umzug nach Bern einzuwenden. Sie fand es nur schade, dass dort, verglichen mit der Ostschweiz, wenige Tibeter lebten. Zu den zweimal jährlich angesetzten Treffen ihrer religiösen Freundinnen reiste sie von nun an per Bahn an, denn diese fanden stets im ostschweizerischen Tösstal statt, genauer gesagt im dortigen buddhistischen Kloster in Rikon, in dessen Nähe sie bei Freunden übernachten konnte.

In Bern besuchten Tashi und ich die Schule, wurden aber als Buddhisten vom christlichen Religionsunterricht freigestellt. Darüber waren wir mehr als froh, weil wir zwei Stunden früher als die anderen nach Hause durften. Unsere Eltern ließen uns aber nur unter der Bedingung vom Religionsunterricht suspendieren, dass wir in den ausgefallenen beiden Stunden bei Großmutter Tibetisch lernten. Mola unterrichtete uns mit Freuden, und wir freuten uns auf das Ende ihres Unterrichts, da wir von ihr entweder ein Fünf-Franken-Stück bekamen oder uns Süßigkeiten aussuchen durften, die sie in ihrem Schrank verstaut hatte.

Meine Freundinnen lasen längst schon Teenagerheftchen wie *Bravo* und hatten Barbiepuppen, doch ich wollte mein bescheidenes Taschengeld nicht für so etwas ausgeben. Die Heft-chen interessierten mich ohnehin nicht, und die Barbiepuppen besorgte ich mir von den anderen Mädchen, die ihre ausran-gierten Modelle loswerden wollten. Denen schnitt ich die strub-beligen Haare, schminkte sie und nähte ihnen neue Kleider.

Begeistern konnte ich mich nur für alles, was mit Bühne zu tun hatte. Ich machte beim Stepptanzen mit, in den Sommern besuchte ich Akrobatikkurse in einem richtigen Zirkuszelt und lernte Seiltanzen, Jonglieren und Einradfahren. Am Ende jeder Saison überraschten die Kinder ihre Eltern mit kompletten Vor-stellungen, die ich sehr liebte, außer in dem Jahr, in dem ich nur zaubern durfte, weil ich vom Hochseil gefallen war und mir einen Arm gebrochen hatte.

Mit zehn Jahren wollte ich mein erstes eigenes Theaterstück inszenieren. In der Bibliothek hatte ich die biblische Geschichte von Noah und seiner Arche gefunden, im Keller einer Freundin sollte die Bühne stehen. Ich schrieb Dialoge und organisierte Freundinnen und Freunde als Mitspieler, aber keiner wollte die Texte auswendig lernen, es war zum Verzweifeln. Also trieb ich die Schar meiner Freundinnen zu der Holztruhe, in der meine Theatergarderobe verstaut war, meine Schätze aus Kleidern, Pe-rücken, Absatzschuhen, Röcken und Faschingskostümen, Hand-schuhen, Echthaar-Perücken, Schmuck und Stiefel, die uns alle viel zu groß waren. Die Sachen hatte ich von Ula, meiner Schwei-zer Großmutter, die damals einen Secondhandladen betrieb. Einiges bekam ich auch von meiner Mutter, die sich, als sie neu in den Westen gekommen war, allerhand modische Kleidungs-stücke gekauft hatte, weil sie der Meinung war, das müsse so sein in der Schweiz. Erst später fand sie ihren eigenen Kleidungsstil, jenseits von Hackenschuhen, Miniröcken und eleganten Klei-dern. Wir Mädchen liebten diese Fummel von ganzem Herzen.

Ich zog die anderen an, schminkte sie, und dann gingen wir auf die Straße. Alle sollten sich ganz natürlich bewegen, damit niemand bemerkte, dass wir keine Damen waren, sondern nur kleine Mädchen, die in hauchdünnen Ellenbogenhandschuhen, mit glitzernden Armreifen und wagenradgroßen Hüten über die Straßen stolzierten.

In Bern hatte Sonam mehr Zeit für sich und begann damit, Pullover zu stricken, die ihr in den Farbzusammenstellungen so bunt und wild gerieten, dass Martin begeistert war und sie darauf brachte, diese Farbspiele auch auf einer Leinwand zu probieren. Sonam wollte davon nichts wissen, schließlich hatte sie noch nie zuvor einen Pinsel in der Hand gehabt. Also musste wieder einmal Meister Zufall einschreiten: Er sandte eine Nachbarin, die ihr vorschlug, mit ihr zusammen einen Malkurs in der Volkshochschule zu besuchen. Meine Mutter sagte spontan zu, wurde in diesem Kurs aber nicht froh, weil der Leiter nicht mit ihrer Unfähigkeit zurechtkam, nach der Natur zu malen. Erst in einem Kurs an der Berner Kunsthochschule lernte Sonam den Lehrer Fausto Sergej Sommer kennen, der ihr einen persönlichen Zugang zur Malerei eröffnete, ihr viele künstlerische Techniken zeigte und ihr den Weg in Richtung einer selbstständigen Künstlerin ebnete.

Martin gab Sonam nicht nur den ersten Anstoß, sich als Künstlerin zu betätigen, er wies ihr auch den Weg zur zeitgenössischen westlichen Kunst und zur klassischen Musik. Anfangs hörte sich für Amala Geigenmusik schrecklich an, sie mochte die hohen Töne nicht und hatte kein Ohr für deren Harmonien. Erst nach und nach fand sie Gefallen daran. Heute liebt sie Mozart und Beethoven, deren Musik sie manchmal ebenso zu Tränen rührt wie die Bilder der expressionistischen Maler Franz Marc oder Mark Rothko.

Als sie im Westen ankam, war für Sonam nicht nur die große Welt der Kunst neu, sondern auch alles, was sie in Geschäften, auf Tellern und in Kühlschränken vorfand. Ihren Kulturschock erlitt sie jedoch noch nicht damals, sondern erst nach und nach während ihrer Berner Zeit, als sie feststellen musste, dass die von ihr früher für gebildet und zivilisiert gehaltenen Westler so viele Dinge trieben, die sie ablehnte. Als sie erfuhr, wie viele Kriege sie führten, wie sie die Welt durch Raubbau und Umweltverschmutzung zerstörten, dass sie Geld für Waffen ausgaben, anstatt den Hunger der Menschheit zu stillen. Entsetzt erkannte Sonam, dass viele der für sie neuen, im Westen erhältlichen Lebensmittel nicht nur wunderbar schmecken, praktisch zuzubereiten sind und bunt aussehen, sondern dass sie auch jede Menge gesundheitsschädliche Konservierungsmittel, Farbstoffe und andere chemische Zusätze enthalten. Als wir Kinder noch klein waren, kaufte meine Mutter für uns orange leuchtende Orangenlimonade, um nach der genauen Lektüre des Etiketts festzustellen, dass das Getränk nur aus Wasser, Zucker, Farbstoff und künstlichen Aromen bestand, und schon durften wir nie wieder derartige Limonaden trinken. Amala konnte sich darüber aufregen, dass solche Produkte nicht verboten werden, weil sie gesundheitsschädigend sind. Colagetränke, Bonbons, spanische Gewächshaustomaten und Eier aus Käfighaltung landeten nicht in ihrem Einkaufskorb, wobei ihr das buddhistische Gewissen viele Einkaufsentscheidungen abnahm, denn Sonam kochte zwar für uns alle mit Ausnahme von Mola Fleischgerichte und aß auch selbst davon, aber sie wollte kein Fleisch kaufen, das von Tieren stammte, die in Massentierhaltung gequält und durch chemische Futterzusätze gemästet wurden.

Doch auch Mola hatte damals eine für sie wunderbare Erfahrung gemacht: Sie musste kein Fleisch mehr essen! Ihr Leben lang hatte sie Fleisch gegessen, sich aber nie wohlgefühlt dabei, weil es kein gutes Karma bedeutet, Tiere zu töten oder getötete Tiere zu verwenden. Nur Eier nahm sie nie zu sich, weil sie einst ein Gelübde abgelegt hatte, keine Eier, Fische, Hühnchen und Hasen zu essen. Wegen ihres Fleischkonsums hatte sie immer viel gebetet, um das dadurch hervorgerufene schlechte Karma abzuwehren, aber sie war wie die meisten anderen Tibeter auch stets der Meinung, dass man Fleisch essen müsse, um nicht krank zu werden. In Tibet gab es außer *tsampa*, Fleisch, Butter, Tee, etwas Gemüse und wenig Früchten kaum andere Nahrungsmittel. Doch nun hatte Mola gehört, dass Fleischverzehr nicht so gesund sei, und dass es viel besser wäre, viel Gemüse zu essen, Tofu, Obst, Milch und Brot. Alles Speisen, die es überall zu kaufen gab, woraufhin sie beschloss, sich von nun an vegetarisch zu ernähren. Das war eine Entscheidung, die sie glücklicher machte als alle anderen westlichen Errungenschaften und die sie bis heute durchgehalten hat. Selbst wenn über ein Gemüsegericht nur ein wenig Fleischbrühe gegossen wurde, rührt sie es nicht mehr an. Als ihr Sonam und Martin später erzählten, dass viele Bauern im Westen beim Gemüseanbau und bei der Obsterzeugung chemische Schädlingsbekämpfungsmittel einsetzen, durch die viele Insekten und andere kleine Tiere zu Tode kommen, begann sie, vermehrt biologische Produkte einzukaufen. Mola konnte Sonam aber trotz aller Überredungskünste nicht davon überzeugen, ebenfalls Vegetarierin zu werden. Meine Amala will auf den Fleischverzehr nicht ganz verzichten, und vor allem auch nicht auf die von Mola wie von den meisten Tibetern stets verpönten Fischgerichte.

Sonam kaufte fast nur noch in Bioläden oder direkt beim Bauern und machte aus uns auf diese Weise eine Berner Bio-Familie der ersten Stunde, ohne dabei ausschließlich Bioprodukte zu erwerben: Wenn sie ein Lebensmittel für gut und unschädlich befand, dann kaufte sie es auch ohne Biosiegel.

In jener Zeit kam meine Mutter auf das alte tibetische Grundnahrungsmittel *tsampa* zurück. Das geröstete Gerstenmehl war in der Schweiz nirgendwo zu bekommen, so dass sie dazu überging, es selbst herzustellen: Zusammen mit Mola röstete sie Gerste aus biologischem Anbau, um sie danach zu mahlen. Tashi und ich liebten den Brei, den sie aus *tsampa*, Wasser und Butter, Milch oder Joghurt herstellte, und auch Freunde und Freundinnen, die bei uns Kindern zu Besuch waren, mochten nichts lieber, als sich aus dieser nussigen, klebrigen und herrlich süß schmeckenden Masse kleine Bällchen zu formen und sie in großen Mengen zu verzehren.

Als ein Berner Warenhaus eine Tibet-Verkaufswoche veranstaltete, überzeugte Martin Sonam davon, dort ihr *tsampa* zu präsentieren. Also begannen Mola und Sonam damit, im Garten Biogerste zu rösten und anschließend im Keller zu mahlen, während mein Bruder Tashi und ich das Mehl in schönen Papiertüten verpackten, deren Etiketten Martin entworfen und kopiert hatte, und zuletzt schleppte Sonam alles ins Kaufhaus. Doch sie verkaufte keine einzige ihrer Tüten, weil niemand etwas mit dem Namen *tsampa* anfangen konnte. Da wurde Sonam klar, dass sie Verkostungen machen musste, damit die Schweizer lernten, wie *tsampa* schmeckt und wie einfach man es zubereiten kann. Also war sie am nächsten Tag mit Zucker, Milch, Butter und Joghurt an ihrem Stand und fand sich von Dutzenden Leuten umringt, die sie nicht nur über *tsampa* befragten, sondern auch etwas über die Situation in Tibet wissen wollten, über den Dalai Lama und den Buddhismus, weil doch alles mit allem zusammenhängt. Bis zum Abend hatte Sonam alle dreißig Tüten verkauft und den Menschen auf ihre Frage, wo man denn sonst *tsampa* erhalten könnte, nur eine Antwort geben können: »Nirgendwo.«

Immerhin führte dieses Interesse dazu, dass sich Sonam immer mehr mit dem Thema beschäftigte. Sie erfuhr von Freunden, Bekannten und auch über das Internet, dass *tsampa* nicht nur in Tibet gegessen wurde und wird, sondern, unter anderen Namen, auch in anderen Weltgegenden bekannt war, die nie in Kontakt zu Tibet standen. So aßen die Ureinwohner der Kanarischen Inseln dieses geröstete Mehl unter dem Namen *gofio*, kannten es die Bewohner des ecuadorianischen Hochlandes unter dem Namen *machica*, und in Lappland wird es *talkkuna* genannt. Auch auf den Hochebenen Eritreas und Äthiopiens im afrikanischen Osten kennen die Bauern die Methode, aus gerösteter und gemahlener Gerste eine bekömmliche Grundlage für ihren kaltgerührten Brei zu produzieren. Somit war es für Sonam erwiesen, dass *tsampa* eine globale Idee ist, die jedoch in ihrer neuen Wahlheimat Schweiz unbekannt war.

Der Rest ist fast schon Geschichte: Sonam röstete und mahlte weiter, schloss einen Liefervertrag mit dem größten Berner Bioladen und musste bald darauf erkennen, dass sie die steigende Nachfrage niemals würden stillen können. Also suchte Sonam nach einem vertrauenswürdigen Produzenten, der das *tsampa* genau nach ihren Vorstellungen herstellen konnte, und nach einem Lieferanten für die beste Gerste in biologisch-dynamischer Qualität. Sie organisierte auch einen Biovertrieb, der das *tsampa* an Biolädern in der Schweiz liefern sollte. Später kam ein weiterer Vertrieb im Norden Stuttgarts dazu, der Verteiler in Deutschland und Österreich beliefert. Von da an kümmerte Sonam sich nur mehr um die Verbreitung ihrer Idee: Sie reiste zu Nahrungsmittel- und Biomessen, um *tsampa* bekannter zu machen, überreichte zahlreichen Händlern, Wiederverkäufern und

Kunden lächelnd *tsampa*-Proben, ließ eine Internetseite zu dem einzigen Produkt erstellen, das sie verkaufen wollte, und kümmerte sich um die Qualitätskontrolle bei der *tsampa*-Erzeugung.

Auf diesem Weg wurde aus einer Heimproduktion in einem stattlichen Berner Haus ein Unternehmen, das Bioläden in halb Europa beliefert und meiner Mutter ein Nebeneinkommen aus den Lizenzgebühren bescherte und immer noch beschert, denn auf jeder Tüte prangt das Etikett »Sonam's Tsampa«. Meine Amala verbürgt sich so mit ihrem Namen für die Qualität einer Ware, die Slowfood und Fastfood in einem ist: ursprünglich, naturbelassen und wunderbar schmeckend, aber auch schnell und einfach zubereitet. Heute kommt es mir wie ein kleiner Triumph des Guten über den so oft als böse gescholtenen globalisierten Warenhandel vor, dass meine Mutter ein durch und durch einwandfreies Produkt Menschen nahebringt, die sich damit nicht nur gesund ernähren, sondern auch noch etwas über die Menschen in ihrer Heimat erfahren. Ein Produkt, dessen europäischen Vertrieb meine Mutter heute über ihren Laptop mit Skype-Account vom New Yorker Küchentisch aus regelt, als Tochter einer Nonne aus dem tibetischen Hochland, die noch vor wenigen Jahrzehnten nicht wusste, dass es auf dieser Welt eine Institution namens »Post« gibt, die Briefe aus Papier von einem Ort an einen anderen beliebigen Ort der Welt bringt. Wenn das keine Metapher für die Kraft des technischen Fortschritts ist …

WIEDER DAHEIM

Das Glück war in jenen Jahren Dauergast in meiner Familie. Tashi und ich steckten voller Interessen, in uns pochten begeisterungsfähige Herzen. Sonam fand sich immer besser in der Welt des Westens zurecht, Mola genoss die Abwechslung zwischen uns lauten Kindern und der Stille ihrer täglichen Versenkung. Martin kletterte in seiner beruflichen Laufbahn Sprosse um Sprosse hinauf und wurde zum stellvertretenden Direktor des Völkerkundemuseums der Universität Zürich ernannt. Seine Ausstellungen kamen bei Kollegen, aber auch beim breiten Publikum gut an, seine zahlreichen Bücher zur Kultur- und Kunstgeschichte Tibets und anderer Anrainerstaaten des Himalaja sowie zum Buddhismus wurden erfolgreich publiziert und fanden in der internationalen Fachwelt Beachtung. Unser Pala ging aber trotz allem Arbeitsdruck vollständig in seiner Familie auf. Alles schien in schönster Harmonie zu sein, und doch saß tief in Molas und Amalas Brust ein kleiner Stachel, und der hieß Tibet.

Dieser Stachel schmerzte, weil Mola und Amala ihre alte Heimat so unerreichbar fern erschien. Denn die chinesische Regierung verweigerte bis in die achtziger Jahre hinein den meisten Exiltibetern die Einreise in ihr Vaterland. Nur zu gerne hätten die beiden meinem Vater und uns Kindern ihr Geburtsland gezeigt. Zudem wussten sie nicht das Geringste über unsere Verwandten in Tibet. Sie hatten nur gehört, dass Molas Brüder auf der Flucht nach Indien von den Chinesen gefangen genommen worden seien, und sie nahmen an, dass alle Familienangehörigen in den blutigen Jahren der Kulturrevolution umgekommen waren. Die Nachrichten aus Tibet, die durch neue Flüchtlinge, vereinzelte Journalisten und durch Organisationen von Exiltibetern in den Westen gelangten, verhießen nichts Gutes. Mola und Sonam hörten von zerstörten Klöstern, von verschwundenen Mönchen, von zwangsumgesiedelten Tibetern, von unter Druck sesshaft gemachten Nomaden. Der kulturelle Aderlass Tibets wurde fortgesetzt durch die Einführung des chinesischen Schulunterrichts, die massenhafte Einwanderung von Han-Chinesen und das planmäßige Zurückdrängen der tibetischen Sprache und Kultur. Mola und Sonam befürchteten, dass von ihrer Heimat bald nur noch die Berge, die Flüsse und der Himmel existieren würden, falls die Entwicklung so weiterginge, und selbst die waren in Gefahr: Raubbau an den Wäldern hatte zu Erosionen und Überschwemmungen geführt, Flüsse wurden durch Staudämme gezähmt, und der Himmel war durch den Dreck Hunderter chinesischer Industrieschlote über manchen tibetischen Städten angeblich nicht mehr so blau wie früher.

Diese Sehnsucht nach Tibet hatte das tägliche Familienglück nur ein wenig überschattet, bis meine Mutter einen tibetischen Mönch traf und von dem Brief erfuhr. Dann drängte sich bei meiner Amala der Wunsch, Tibet wiederzusehen, so brennend in den Vordergrund, dass sie sich vor Sehnsucht verzehrte. Der Mönch hatte nach dem Tod Maos und dem Ende der Kulturrevolution im Jahre 1976 nach Tibet geschrieben und von dort Antwort erhalten. Sonam war perplex, denn sie war der Meinung, dass keine Kontakte nach Tibet möglich seien. Früher hatte es, abgesehen von Regierungspostboten, kein öffentliches Postsystem gegeben, und nun fing der Geheimdienst alle Post ab, wie sie gehört hatte.

»Wie hast du das gemacht?«, fragte Sonam den Mönch. »Wir hatten doch keine Adressen in Tibet, keine Postleitzahlen, keine Straßennamen?«

Der Mönch lächelte. »Ich habe meinem Bruder geschrieben«, sagte er, »der ist auch Mönch, er wohnt im Kloster. Also schrieb ich seinen Namen auf das Kuvert, darunter den Namen der Brücke, an der er wohnt, und den Namen des Flusses. Dazu fügte ich den Namen des Dorfes, zuletzt den Namen des Klosters. Ganz zuletzt schrieb ich das Wort Tibet und PRC, ›People's Republic of China‹, auf Englisch und auf Chinesisch. Die Antwort kam nach einem Jahr. Mein Bruder teilte mir darin mit, wer von unseren Verwandten noch lebt, wer gestorben ist und wie es allen geht.«

Wie betäubt ging meine Mutter von diesem Treffen nach Hause und erzählte sofort Mola davon, doch die winkte nur ab. »Unsere Verwandten sind alle tot.«

Sonam ließ jedoch nicht locker. »Vielleicht leben sie noch?«

Mola konnte stur sein, wenn sie wollte. »Es hat keinen Sinn, es ist zu spät.«

Doch Sonam setzte noch am selben Tag einen Brief auf, an einen der Brüder Molas. Sobald ihre Mutter sah, wie Sonam die vertrauten tibetischen Schriftzeichen aufs Papier fließen ließ, war das Eis gebrochen. Mola beugte sich zusammen mit meiner Mutter über den Brief, gab ihr Hinweise für dieses oder jenes Zeichen, das ihre Tochter nicht mehr so genau schreiben konnte, wie es sich gehörte, und zu guter Letzt schrieben sie alles, was sie über die Adresse von Molas Bruder wussten, auf den Umschlag. Das war so viel, dass die kleine Schweizer Briefmarke kaum mehr Platz hatte auf der großen Botschaft aus einer neuen Welt in eine alte.

Zwei Jahre lang geschah nichts. Die erste Aufregung nach dem Versenden wich einer unruhigen Spannung, einer Enttäuschung, einem langsamen Vergessen, bis sich in Lhasa ein sonderbarer Zufall ereignete: Einer der Neffen Molas, der Sohn ihres Bruders, war in der tibetischen Hauptstadt zu Besuch und traf dort einen Freund, der ihm erzählte, dass es in Lhasa ein Büro der Post gäbe, das voller Briefe aus dem Ausland sei, die ihre Adressaten nicht erreicht hätten. Jeder könne sich dort die für ihn bestimmten Sendungen nehmen, der Rest würde verbrannt, und zwar in wenigen Tagen.

»Ihr habt doch Verwandte, die nach Indien geflüchtet sind«, sagte der Freund, »vielleicht liegt dort ein Brief von ihnen.«

Der Neffe verneinte: »Die sind alle tot. Wir haben gehört, dass sie es nicht geschafft haben.«

Damit wollte der Neffe die Sache auf sich beruhen lassen, aber sein Freund ließ nicht locker und wies ihn auf die kleine Chance hin, dass vielleicht doch ein Brief von den Verwandten gekommen sein könnte. Also machte sich Molas Neffe auf den Weg zu dem Büro, durchwühlte dort einen Berg von Briefen und fand tatsächlich einen Umschlag mit dem Namen seines Vaters, den er nur mühsam entziffern konnte, und brachte damit eine folgenschwere Lawine ins Rollen.

Wenige Wochen später erhielt meine Mutter eines Morgens einen mit vielen fremden Briefmarken frankierten Brief, die sie zuerst nicht zuordnen konnte. Erst auf den zweiten Blick stellte sie fest, dass der Brief aus China gekommen war, und sie fragte sich schon, wer ihr wohl aus China schreiben sollte, als sie endlich begriff: Das war der lange ersehnte Brief aus Tibet! Die Tatsache, dass Tibet seit den fünfziger Jahren des 20. Jahrhunderts offiziell nur ein Teil Chinas ist, hatte sie wie die meisten anderen Exiltibeter auch weit von sich gewiesen.

Sonam rief ihre Mutter herbei und öffnete hastig das Kuvert. Der Brief stammte tatsächlich von Molas Bruder. Atemlos lasen die beiden Frauen einander die mit leicht zittriger Hand gemalten tibetischen Schriftzeichen vor. Sie konnten kaum fassen, was darin stand: Beide Brüder Molas lebten! Außerdem stand in dem Brief, wer von der Verwandtschaft noch am Leben und wer gestorben war. Es war darin auch von Zuwächsen bei Molas Familie die Rede. Bei ihrer Flucht 1959 hatte ihr älterer Bruder erst ein, der andere Bruder noch gar kein Kind, und nun hatte Großmutter auf einmal elf Nichten und Neffen. Fast meine ganze tibetische Familie war in der Zwischenzeit nach Pang gezogen, in das Dorf zu Füßen des Klosters Pang-ri, in dem meine Amala die schönen Jahre ihrer frühesten Kindheit verbracht hatte. Diese Nachricht ließ die Herzen der beiden Leserinnen noch höher schlagen. Übrigens waren auch Molas Brüder der Meinung gewesen, dass ihre Schwester und ihre Familie längst nicht mehr lebten. In ihrem Heimatdorf ging das Gerücht um, die Flüchtlinge aus Molas Treck seien während ihrer Flucht im Gebirge erfroren.

»Wir müssen nach Tibet fahren«, entfuhr es Mola auf der Stelle. Nun wusste sie, dass dort eine lebendige Familie zu besuchen und keine tote Vergangenheit zu besichtigen war. Meine Mutter war derselben Meinung: Sie mussten alles versuchen, um ihrer alten Heimat und ihrer wiedergefundenen Familie einen Besuch abzustatten.

Vorbereitungen

Der Plan, nach Tibet zu reisen, ließ sich fürs Erste nicht umsetzen, weil die Volksrepublik China für ihre »Autonome Region Tibet« ehemaligen Bewohnern Tibets und deren Kindern nach wie vor nur unter allergrößten Schwierigkeiten Visa ausstellte. Doch Martin bekam als Tibet- und Buddhismus-Experte das Angebot eines auf Studienreisen spezialisierten Unternehmens, eine Touristengruppe nach Tibet zu begleiten. Mein Pala nahm die Chance wahr, um die Heimat seiner Frau zu sehen. So entstand die merkwürdige Situation, dass mein Vater eines Tages von Lhasa aus mit meiner Mutter telefonierte und ihr erzählte, wie er durch den Potala, den Winterpalast des Dalai Lama, spaziert war, während meine Amala in der Schweiz am Küchentisch saß und in den Hörer schluchzte.

»Das kann nicht sein! Martin? Bist du da? Bist du wirklich in Lhasa?«

Dieses einschneidende Erlebnis erschien Sonam wie eine Offenbarung und verstärkte ihre und ihrer Mutter Sehnsucht nach der Heimat noch mehr. Als Ersatz und als Vorbereitung auf Tibet mussten ihnen Reisen in andere Himalajastaaten dienen, die Martin im Rahmen seiner ethnologischen Feldforschungen, Ausstellungsvorbereitungen und seiner Arbeit in der schweizerischen Entwicklungszusammenarbeit unternahm und auf die ihn seine Familie, wann immer das im Rahmen der Ferienzeiten von uns Kindern möglich war, begleiten durfte. Für meinen Bruder Tashi und mich waren das wunderbare Abenteuerreisen in die entlegensten Orte der Welt, die wir in winzigen Propellerflugzeugen, klapprigen Bussen, staubigen Jeeps und teilweise nur zu Fuß oder zu Pferd erreichten, um in einem nepalischen, uralten hölzernen Bauernhof auf offenem Feuer zu kochen, zusammen mit Dutzenden Mönchen in einem bhutanischen Kloster zu wohnen oder stundenlange Fußmärsche zu hoch gelegenen Weilern zu unternehmen. Auf diesen Reisen erlebten wir alles: Ein wild gewordener Wasserbüffel galoppierte auf uns los, um uns auf die Hörner zu nehmen. Halluzinationen begleiteten mich durch tropische Fieberträume, die mir fast die Besinnung raubten. Flöhe, Wanzen und Läuse überfielen mich in einer Laubhütte, in der ich mit bhutanischen Kindern Nachtwache halten sollte, um ein Gerstenfeld vor den Überfällen von Wildschweinen und Bären zu schützen, die sich wegen unseres Tiefschlafes an die Gerstenfelder heranmachen konnten, worauf ich noch jahrelang die Narben der Läusebisse als Souvenirs am ganzen Körper trug. Wir Kinder kletterten auf einen riesigen bhutanischen Baum, der dort *leo-leo*-Baum genannt wird, und sahen mit Erstaunen, wie die einheimischen Kinder von den Ästen hängend plötzlich und ohne Scheu ihre Notdurft verrichteten. Wir wanderten stundenlang mit Tragpferden durch Wälder und Gebirge, besuchten Einsiedler, stiegen zu himmelhohen Almen auf, stießen auf giftige Schlangen, schlürften selbst gemachtes Erdbeer-Himbeer-Mus aus abgeschnittenen Bambusrohren und bastelten Bambusflöten und Fingerringe aus Strohhalmen und Spucke.

Das Wichtigste bei all diesen exotischen Abenteuern war für uns nicht der Spaßfaktor, sondern die frühe Erkenntnis, dass all die Sicherheit, Sauberkeit, Ruhe und Ordnung, die wir in unserer Schweizer Heimat Tag für Tag erlebten, nicht der Normalzustand der Welt war. Uns war schon als Kindern klar, dass nicht alle Menschen so reich waren wie die Schweizer, und zwar nicht nur, weil wir in der Schule davon gehört hatten, sondern weil wir den Mangel an für uns selbstverständlichen Gütern und den Geruch und das Chaos und das Ungeziefer der Dritten Welt mit allen unseren Sinnen spüren, riechen, hören und schmecken konnten. Mir selbst brachten diese asiatischen Kindheitsexpeditionen den für mich immer noch unschätzbaren Vorteil, dass ich auf Reisen wie auch zu Hause leicht auf allen überflüssigen Luxus verzichten kann. Ich habe kein Problem damit, wenn ein Hotelzimmer eng oder ein Bett hart ist und eine Toilette nicht westlichem Standard entspricht. Natürlich übernachte ich lieber in einem schönen Hotel als in einem hässlichen, aber ich akzeptiere es, wenn die Standards nicht so hoch sind, wie es einer Prinzessin auf der Erbse geziemt. Ich glaube, dass ich auf den asiatischen Reisen meiner Kindheit Einfachheit, Unkompliziertheit und Spontanität gelernt habe, die heute noch mein alltägliches Wohnen und Leben bestimmen. So bin ich meinen Eltern dankbar, dass sie uns beide auf fast allen ihren Reisen mitgenommen haben, auch wenn das für sie weder finanziell noch logistisch einfach war. Doch sie taten alles, um möglichst viel mit uns zusammen unterwegs zu sein, und zwar in einer Welt, die fern vom Wohlstand und vom selbstverständlichen Luxus war, den wir seit unserer Geburt genießen konnten. Außerdem machten uns die vielen Durchfälle, Darmverstimmungen, Fieberattacken und Insektenstiche, die wir uns auf diesen Reisen zuzogen, robuster und weniger anfällig gegen Unregelmäßigkeiten beim Essen oder bei schlechten hygienischen Verhältnissen, was jemandem, der so viel auf Reisen sein muss wie ich, sehr zugutekommt.

Verlorenes Paradies

Als wir alle schon längst die Hoffnung aufgegeben hatten, geschah das Wunder doch noch: In den achtziger Jahren lockerten die chinesischen Behörden der »Autonomen Region Tibet« die Einreisebestimmungen für Touristen und für Exiltibeter. So saß eines Tages unsere gesamte Familie im Flugzeug nach Lhasa. Für uns Kinder war das ein neues Abenteuer, für meinen Vater war es eine asiatische Forschungsreise mit Familienanschluss, für Mola und Sonam war es eine Expedition in die Vergangenheit: Klopfenden Herzens saßen sie im Flugzeug und konnten es kaum erwarten, fast dreißig Jahre nach ihrer Flucht wieder auf heimatlichem Boden aufzusetzen.

Auf den ersten Blick sah Lhasa für meine Familie so aus, wie sie die heilige Stadt der Tibeter immer in Bildern vor sich gesehen hatte, denn Martin war schließlich der Einzige von uns, der die tibetische Hauptstadt schon aus eigener Anschauung kannte. Es schien, als hätte sich nicht viel verändert, abgesehen von den Strommasten, die an allen Straßenecken standen, von der elektrischen Straßenbeleuchtung, den trüben Lichtern, die aus den Geschäften drangen, den wenigen Autos, die über die holprigen Straßen der Stadt fuhren, und vor allem abgesehen von den vielen Fahrrädern, die die Chinesen nach Tibet gebracht hatten, denn vor deren Ankunft war dieses Transportmittel dort so gut wie unbekannt. Die Fahrt über die Schotterpiste vom Flughafen in die Stadt dauerte einen halben Tag, es gab nur wenige einfache Hotels, es war schwierig, ein Taxi zu bekommen, und Chinesen waren im Straßenbild noch die Ausnahme, von den Radfahrern abgesehen.

Doch nach ein paar Tagen in der Stadt fielen meinen Eltern und auch Mola immer mehr die Veränderungen und Zerstörungen auf, die das neue Regime angerichtet hatte: Viele Klöster waren zerbombt und nur mehr als Schutthalden oder Grundmauern sichtbar, viele Straßen der Altstadt wegen des Baus eines Abwassernetzes aufgewühlt. Im Zuge dieser Arbeiten hatten die Chinesen etliche alte Häuser abgerissen und waren gerade dabei, diese durch eintönige Betonkästen im sozialistischen Allerweltsstil zu ersetzen. Manche der zerstörten Häuser bauten sie zwar in altem Stil wieder auf, doch selbst wichtige Plätze wie den vor dem Jokhang, dem bedeutendsten Heiligtum der Tibeter, gestalteten sie so um, dass von der alten Atmosphäre des Ortes wenig übrig blieb.

Die Sehenswürdigkeiten, die noch standen, konnten wir trotzdem in aller Ruhe besuchen, ohne große Touristenmassen, ohne Drängeleien und auch ohne Behinderungen. Dabei verwickelten meine Eltern öfters Tibeter in Gespräche, die ich nicht ganz verstand, die Amala und Mola aber so traurig machten, dass vor allem bei meiner Mutter regelmäßig Tränen flossen. Ich verstand nur, dass es dabei immer um alte Zeiten ging und darum, was die Menschen in den letzten Jahrzehnten verloren hatten, welche Schwierigkeiten sie durchstehen und welche Verwandte oder Freunde ihr Leben lassen mussten.

Für uns Kinder war Lhasa nicht enttäuschend oder traurig, sondern eine aufregende neue Erfahrung. Am meisten beeindruckte mich der Potala, den wir gemeinsam mit den Eltern und Mola besichtigten, und auch der Jokhang, der größte buddhistische Tempel inmitten der Altstadt Lhasas. Selbst wenn ich damals noch keine Ahnung davon hatte, dass dieser fast tausendvierhundert Jahre alte Tempel eine der wichtigsten Kultstätten Tibets ist, die jeder Buddhist zumindest einmal im Leben besichtigt haben sollte, war ich ergriffen von seiner Pracht. Ich wusste auch nichts davon, dass dieser Bau noch viel prächtiger gewesen war, bevor er während der Kulturrevolution geplündert und danach für viele Jahre als Hauptquartier der sogenannten »Roten Garden« missbraucht wurde, Maos jugendlicher kommunistischer Schläger- und Umerziehungstrupp. Ich war von dem Meer von Butterlampen fasziniert, die vor der riesigen vergoldeten Buddhastatue in der Haupthalle flackerten, von all den Fresken und Statuen und Götterbildern, vor denen sich die Gläubigen ehrfurchtsvoll verneigten, das Mantra *om mani peme hung* rezitierend.

Tashi und ich konnten nicht genug bekommen vom Anblick der langen Reihen von Gebetsmühlen im Hof vor dem Tempel, die von Hunderten Gläubigen immer wieder in Bewegung gebracht wurden, von den golden glänzenden Verzierungen auf dem Dach und den zwei goldenen Rehen, die sich auf dem Dachfirst des Tempels zu beiden Seiten des Dharma-Rades befanden. Nach dem ersten Besuch dort bettelten wir so lange, bis Pala und Amala noch einmal mit uns zum Jokhang gingen, was ihnen nicht schwerfiel, weil auch sie die Atmosphäre dieses heiligen Ortes schätzten, von Mola ganz zu schweigen, die entzückt war über unser offensichtliches Interesse am Buddhismus. Sie hätte ohnehin am liebsten die ganze Zeit in Lhasa zusammen mit uns in diesem Tempel verbracht, auch wenn uns nicht nur das heilige Ambiente faszinierte, sondern mindestens genauso die Aussicht, unzählige neue Butterlampen anzünden und eine möglichst große Zahl von Gebetsmühlen gleichzeitig in Bewegung setzen zu dürfen.

Wir Kinder wussten bereits damals, dass der Dalai Lama vor den Chinesen nach Indien fliehen musste und deshalb nicht mehr in Lhasa weilte. Immerhin hatten wir ihn alle schon zuvor persönlich getroffen, als er zur Eröffnung einer der Ausstellungen meines Vaters ins Museum nach Zürich gekommen war.

Umso beeindruckter standen wir im Potala vor dem verlassenen Thron des Dalai Lama, wo alles so aussah, als sei er nur für wenige Stunden in einen anderen der angeblich fast tausend Räume des Palastes gegangen. Die wenigen Besucher, auch Mola und meine Mutter, warfen sich ehrfürchtig auf den Boden, um dem Dalai Lama ihre Reverenz zu erweisen, sie beteten und verharrten in stiller Versenkung. Amala und Mola waren überwältigt von dem Glück, dass ihr langersehnter Wunsch Wirklichkeit geworden war, diese für jeden Tibeter heiligsten Stätten besuchen zu dürfen. Meine Mutter hätte niemals zu hoffen gewagt, ihrem Mann und ihren Kindern eines Tages ihre Heimat und sogar den Potala zeigen zu können. Endlich sah sie mit ihren eigenen Augen die Winterresidenz des Dalai Lama, endlich konnte sie Tibet wieder riechen, fühlen und hören. In ihr Glück mischte sich aber immer mehr Trauer und Wut, bis sie ihren Tränen freien Lauf lassen musste. Sie weinte, weil sie den verlassenen Thron des Dalai Lama nicht nur als heiligen Ort, sondern auch als Zeichen der Hoffnungslosigkeit der Tibeter empfand. In ihm sah sie den Zusammenprall zwischen einem schönen Traum und der bitteren Wirklichkeit. Sie sah den leeren Thron, auf dem zwar ein sorgfältig drapiertes Kleid des Dalai Lama lag, was aber nur zu deutlich machte, dass Tibet seiner Seele beraubt worden war. Meine Mutter spürte damals schon, dass der Potala zu einem Museum verkam, in dem man wie in Versailles oder anderen europäischen Schlössern lange vergangene Zeiten aufleben ließ, ohne sie wirklich wieder zum Leben erwecken zu wollen. Sie fühlte beinahe körperlich, dass sie und ihre geflohenen Landsleute versagt hatten, denn welchen Erfolg brachten all ihre Proteste gegen die Besatzung Tibets, ihre vielen Aktionen, an denen sie in der Schweiz regelmäßig teilnahm? Dass der Potala, dass das Herz Tibets zu einer Touristenattraktion geworden war, wie es viele andere alten Gemäuer auf der ganzen Welt auch waren? Sonam fühlte, dass sie nicht genügend für ihr Land unternommen hatte. Waren sie und alle ihre Landsleute zu sehr mit sich und ihren eigenen Problemen beschäftigt und zu wenig mit dem Land, das der Quell all ihrer Kultur, ihres Wesens war?

Doch um wie vieles trauriger wäre meine Mutter noch gewesen, wenn sie Lhasa damals schon in seiner heutigen Gestalt gesehen hätte, als eine fast durch und durch chinesische Stadt mit öden Neubauten, grellen Neonreklamen, unzähligen Touristenhotels, chinesischen Bars mit Prostituierten. Als Hexenkessel aus chinesischen Restaurants, brüllend lautem und stinkendem Verkehr und Straßen, die vor chinesischen Soldaten, Passanten, Touristen und Arbeitern überquellen.

Doch meine Familie war nicht nach Tibet gereist, um solch traurigen Gedanken nachzuhängen, sondern um nach Pang zu fahren, in das Dorf meiner Familie, in dem viele unserer Verwandten wohnten. Um dorthin zu kommen, mussten meine Eltern einen ganzen Autobus chartern, denn Überlandtaxis oder Mietautos gab es im damaligen Tibet nicht. So erreichten wir unser Ziel nach einer trotz des vielen Platzes anstrengenden Fahrt, denn der Bus war steinhart oder überhaupt nicht gefedert, und standen schließlich vor einer waghalsig konstruierten, abenteuerlich aussehenden Hängebrücke über den Pang-chu, der uns wild schäumend von Pang trennte.

Das Dorf meiner Familie

Der Fluss tobte so fürchterlich, dass wir es nicht eilig hatten, die Hängebrücke zu überqueren. Besonders Sonam zögerte, denn in ihr tauchten fürchterliche Erinnerungen an ihre Flucht auf, als sie an der Hand ihrer Mutter eine noch viel wackligere Hängebrücke überwinden musste. Tashi sollte vorgehen, mein kleiner Bruder war damals erst vier Jahre alt, und Amala führte ihn von hinten. Plötzlich rutschte er mit einem Fuß durch die Bretter, doch Mutter riss ihn wieder hoch, bevor er in den Strudeln verschwinden konnte. Auch mir kam unsere Reise mit einem Mal nicht nur als Abenteuer vor, sondern als Probe. Ich krallte mich an den schwankenden Seilen fest, und Schritt für Schritt kam ich ans andere Ufer, auf dem Mola längst stand und den Hang hinaufsah, der eher einer Felswand glich, an der ein Pfad entlanglief. Dieser Pfad war so schmal, dass sich auf ihm keine zwei Leute hätten begegnen können.

»Hier geht's weiter«, rief Mola fröhlich.

Der Pfad führte uns oberhalb des Flusstales über einen Hügel. Im Tal dahinter lag Pang. Die paar Häuser sahen fast so aus wie alte Bauernhäuser in der Schweiz, das Fundament aus Stein, der Aufbau aus Holz, die schrägen Dächer mit Steinen beschwert, damit nichts wegfliegt im Sturm. Überall wuchsen Malven und Blumen, deren Namen ich nicht mehr weiß und die aussahen wie faserige Farne. Sobald man uns vom Dorf aus sehen konnte, kamen meine Verwandten angerannt. Sie hielten Glücksschleifen in den Händen und schrien und winkten uns zu, denn sie hatten uns schon längst erwartet. Sie redeten auf uns ein und lachten und weinten und umarmten uns und zogen an unseren Kleidern und griffen uns Kindern in die Gesichter, als ob wir uns schon immer gekannt hätten. Sie hatten dunkle Teints und vor Schmutz stehende Kleider und ausgelatschte Turnschuhe und schwielige Hände.

Vor dem Haus stand eine magere Kuh, die für mich das Vertrauteste war. Kühe kannte ich von zu Hause, doch diese Kuh wirkte eher wie der Schatten einer Schweizer Kuh, so mager und ausgezehrt, wie sie aussah. Ich konnte mich aber nicht lange mit solchen Überlegungen aufhalten, denn wir mussten gleich mit den anderen in das Haus, in dem meine Familie schon erwartungsvoll vor dem Herdfeuer saß, das bereits anheimelnd prasselte. Der Raum wurde sonst nur von einer trüben Petroleumleuchte erhellt. Es ging gegen Abend, die tibetische Berge warfen schon ihre kalten Schatten auf die vergehende Sommerhitze. Die Frauen im Haus legten Holzknüppel ins Herdfeuer nach und kümmerten sich nicht darum, dass deren Enden aus dem gemauerten Herd hinausragten, zu lodern anfingen und ihren Rauch zur Decke aufsteigen ließen, der dort nur teilweise in einem schwarzen Loch verschwand und dessen Rest sich überall in der Küche verteilte. Anstatt einer Platte hatte der Herd runde Öffnungen, aus denen die Flammen züngelten, wenn darauf keine Töpfe standen. Wasserleitung gab es keine, das Wasser stand in großen Blecheimern neben dem Herd bereit. Auf dem Tisch lag Butter, zu einem Ball zusammengepresst, in den jemand von oben mit dem Daumen ein Loch hineingedrückt hatte, so dass der Ball aussah wie ein buttriger Apfel. Diese Butter wurde zusammen mit Tee in einem *dongmo*, einem hohlen Bambusrohr mit einem Deckel mit eingebautem Rührstab, einer Art tibetischem Mixer, in Buttertee verwandelt.

Die Kinder sprangen zwischen den Großen hin und her, alle redeten gleichzeitig, lachten und machten ihre Späße über unsere für sie so ungewohnten Gesichter. Ein Kleiner, den sie *kyag schora* nannten, »Hosenscheißer«, robbte zwischen unseren Beinen durch. Er hatte zwar eine Hose an, aber keine Windel, sondern nur einen langen Spalt im Hosenboden, durch den er seine Notdurft verrichten konnte, wenn ihm danach war, und die Hunde leckten den Boden wieder sauber. Alles erschien mir wild und unberechenbar und laut und groß und fremd und trotzdem vertraut und aufregend. Diese fröhliche und ausgelassene Atmosphäre trübte mein Großonkel mit einer für Mola traurigen Nachricht, die ihm so sehr auf dem Herzen lag, dass er sie nicht länger verschweigen wollte: Mit gebrochener Stimme erzählte er, dass er während der Kulturrevolution von den Chinesen dazu gezwungen worden war, die *daru*, die Handtrommel, und die Glocke des Trishul Rinpoche, die Mola ihm vor ihrer Flucht anvertraut hatte, zusammen mit den heiligen Schriften und anderen Kultgegenständen, die er besaß, zu zerstören. Damals war es verboten, religiöse Dinge zu besitzen. Mola und auch Amala waren traurig, als sie dies erfuhren, aber noch trauriger waren sie darüber, dass mein Großonkel befürchtete, sie könnten ihm diesen Verlust vorwerfen. So erfuhren sie wieder einmal, wie mitleidlos die chinesischen Besatzer selbst die kleinsten Details des Lebens der Tibeter bestimmt und wie akribisch sie an der Vernichtung ihrer Kultur gearbeitet hatten.

Von den vielgepriesenen Segnungen der modernen Zeit, die die Chinesen stattdessen nach Tibet gebracht haben sollten, war in Pang noch wenig zu sehen. In den Häusern gab es keine Toiletten, kein fließendes Wasser und auch keine Bäder, doch die Tibeter waren ohnehin nicht gewohnt, sich nackt auszuziehen oder den ganzen Körper zu waschen. Nur ab und zu gingen meine tibetischen Verwandten zum Fluss hinunter und wuschen sich abwechselnd die Beine, den Oberkörper und die Haare. Die Zähne putzten sie sich nur selten, sie zogen sich auch kaum um und entfernten nicht die Flecken auf ihren Kleidern. Mir kam das wie ein wunderbarer Traum vor. Pippi Langstrumpf, meine Heldin, wusch sich auch nicht und kannte kein Aufräumen und keine Sauberkeitsattacken, sie konnte tun und lassen, was sie wollte, genauso wie meine Verwandten in Pang. Die Tibeter meiner Familie fühlten sich nicht schlecht dabei, sondern prächtig. Sie stanken nicht, sie schwitzten zwar auch, rochen aber nie nach Schweiß, und sie hatten bei dieser einfachen Lebensweise nicht das Gefühl, etwas zu versäumen. Sie verbrachten ihre Tage draußen in der Sonne und im Wind und in der dünnen Luft und in der Kälte, die ihre Haut gegerbt hatte wie Leder.

Amala wollte das für ihre Kinder nicht gelten lassen. Also mussten Tashi und ich zusammen mit ihr hinunter zum Fluss gehen. Am Ufer entfachte sie aus gesammeltem trockenem Treibholz zwischen drei großen Steinen ein Feuer, wärmte darauf in einem großen Topf Wasser, zog uns aus, und wusch uns. Unter dem Gelächter der Dorfkinder, die sich in einiger Ferne hinter Büschen versteckten, seifte sie uns ein und rieb uns ab, bis unsere leicht braune Haut krebsrot war vor Kälte und Rubbeln. Das fanden die Dörfler noch komischer. Danach liefen wir durch Wiesen voller Edelweiß und Enzian, bei uns zu Hause in der Schweiz seltene Pflanzen, die man dort nicht anrühren darf. Wir sprangen von den Steinen, die neben dem kleinen Gerstenfeld meiner Familie lagen, kletterten Felsen hinauf und tobten mit den einheimischen Kindern.

Einmal sah ich, wie eine Ziege geschlachtet wurde. Diese lag mit zusammengebundenen Beinen vor dem Haus, und eine meiner Cousinen kam mit einem Messer und schlitzte ihr den Bauch auf, so schnell und selbstverständlich, als würde sie ein Paket öffnen. Ich sah entsetzt zu, drehte mich um und rannte weg. Meine Verwandten schauten mir lachend nach. Dieses Bild von der Ziege, die auf dem Rücken liegt, rundherum meine Verwandten, Erwachsene und Kinder, sehe ich bis heute vor mir, genauso wie ich noch den warmen Geschmack spüre, der sich in meinem Mund ausbreitete, als ich unter dem Euter der Kuh meiner Familie liegen durfte, die Amala molk und mir dabei die frische Milch direkt in den Mund und auch über das Gesicht laufen ließ. Als ich es selbst probieren wollte mit dem Melken, kam kein Tropfen aus dem Euter, obwohl ich alles genauso machte, wie meine Mutter es mir gezeigt hatte.

Weniger schön fand ich die Art, wie die Toilettenfrage in Pang gelöst war. Das Klo neben dem Haus meiner Familie mochte ich nicht, denn es stank fürchterlich und war voller Fliegen. Dort waren einfach ein paar Plumpsklos nebeneinander in den Boden gegraben, über die Amala uns Kinder halten musste, damit wir nicht hineinfielen, denn für uns waren die Löcher ein wenig groß geraten. Also verrichtete ich meine Notdurft lieber hinter einem Gebüsch oder einem Baum, wobei jedes Mal Schweine angerannt kamen und mich fast umrempelten vor Gier, weil sie mein Häufchen fressen wollten. Das fand ich seltsam, aber es war für mich ein Teil des wilden und freien Lebens, das wir hier einen Sommer lang führen sollten.

Amala hatte sich indes dazu entschlossen, nach Pang-ri hinaufzugehen, denn dort hatte sie ihre ersten sechs Lebensjahre verbracht. Pala sollte sie begleiten. Wir Kinder mussten im Tal bleiben, denn der Steig wäre zu schwer, sagten sie, und der Weg zu weit.

Mola hatte ihre eigenen Gründe, in Pang zu bleiben: »Was soll ich da oben?«, fragte sie, denn sie wusste bereits von unseren Verwandten, dass von dem Kloster nichts geblieben war als ein paar Grundmauern.

Während meine Eltern zusammen mit einem Cousin und einem Mönch, der bei der Klosterruine ein Rauchopfer darreichen wollte, nach Pang-ri gingen, passte Mola auf uns Kinder auf. Das war nicht weiter schwierig, denn mein Bruder Tashi und ich mussten kaum bewacht werden, wo wir doch im Paradies waren. Ich hatte Pema kennengelernt, eine meiner zahlreichen »Schwestern«. So nannte ich alle gleichaltrigen verwandten Mädchen aus meiner Familie, auch wenn sie in Wirklichkeit Cousinen waren. Pema ist zwei Jahre jünger als ich, also war sie damals vier Jahre alt. Sie ist eigentlich meine Großcousine, denn unsere Großeltern sind Geschwister. Pemas Mutter sagte, sie sei geboren worden, als die Vögel die Ähren fraßen, also muss es im Herbst gewesen sein. Den genauen Tag hatte sie nicht mehr in Erinnerung, doch das war egal, denn individuelle Geburtstage feiert hier niemand. *Losar*, das tibetische Neujahrsfest, gilt als Geburtstagsfest für alle. Pema war kleiner als ich und dunkler und schmutziger, aber genauso frech. Sie war das älteste Kind der Familie und daher an allem schuld, was zu Hause passierte, und es passierte viel. Yakmilch wurde verkleckert, *tsampa* oder fertig angerührter Gerstenbrei verschüttet, ein Brennholzstapel rollte auseinander, ein Huhn stand in der Küche, obwohl es dort nichts zu suchen hatte, oder die einzige Zahnpastatube der Familie auf dem Küchentisch war plötzlich mit einem Brei aus Mehl, Wasser und Spucke statt mit Zahncreme gefüllt, weil Pema die weiße Paste aufgegessen hatte, in der Meinung, sie sei eine Süßigkeit. Gemeinsam zogen wir durch das Dorf und über die Hänge rundherum. Wir kneteten uns Kaugummi aus Baumharz, rannten hinter den Hunden her und neckten die schwarzen Schweine. Eines davon war besonders intelligent: Immer, wenn es sich unbeaufsichtigt fühlte, lief es zu einer bestimmten Kuh und begann, an deren Euter zu saugen, bis es meine Tante mit lautem Geschrei wieder verjagte.

Pemas Eltern hatten nichts zu verschenken, denn bei ihnen stand nicht viel auf dem Herd. Oft gab es für alle nur wenig zu essen, die Familie war bettelarm. Damals lebte Pemas Familie von Suppe aus getrockneten Brennnesseln, *tsampa* und Buttertee. So bekam ich einmal mehr eine Ahnung davon, dass es noch etwas anderes gab als meine kleine, saubere, geordnete Ostschweizer Dorfwelt.

Ruinen der Kindheit

Meine Eltern marschierten mit einem Cousin, der ihnen den Weg wies, und dem Mönch auf einem schmalen Pfad über felsige Hänge und durch stacheliges Gestrüpp und kamen in einen lichten Wald mit Eichen, Birken und Nadelbäumen, deren Namen sie nicht kannten. Pang liegt etwa dreitausend Meter über dem Meeresspiegel, das Kloster Pang-ri stand noch knapp tausend Meter höher, für uns unfassbar hoch: In der Schweiz reckt sich in dieser Höhe schon der Gipfel des Matterhorns in den Himmel. Lange Flechten hingen von ineinander verkeilten Ästen, ein Raubvogel schrie, ein Fasan krächzte, und war das dort ein Wiedehopf?

Auf diesem Weg, so erzählte Amala ihren Begleitern, stand einmal ein riesengroßer Bär vor ihrem Vater. Tsering hatte sich sogleich auf den Boden geworfen, mit dem Gesicht nach unten, die Hände schützend über den Kopf gehalten, bewegungslos wie schon tot. Der Bär stutzte und kam neugierig schnuppernd näher. Die Begleiterin meines Großvaters aber, die Nachbarin, schlug mit ihrer mit Tee gefüllten Thermoskanne auf den Rü-

cken des Tieres, kreischte und drosch mit der schon zerbroche-
nen Kanne immer wieder auf den Bären ein. Der richtete sich
erstaunt auf, zu seiner vollen Größe, brummte gefährlich und
trollte sich von dannen.

Die kleine Gruppe stieg weiter bergan durch das Gestrüpp,
das immer höher wucherte, je schütterer die Bäume standen.
Nur langsam kamen sie auf dem mehr und mehr von hartem,
hohem Gras und trockenen Dornen überwucherten Trampel-
pfad voran, auf dem schon lange niemand mehr gegangen zu
sein schien. Mit jedem Meter, den sie sich dem Kloster näher-
ten, stiegen Erinnerungen in Amala, meiner tapferen Mutter,
hoch. Als sie die Baumgrenze hinter sich gelassen hatten, war
Sonam nicht nur in Pang-ri, sondern auch in ihrer Kindheit angekommen.

Aufgeregt stolperte meine Mutter über einen Trümmerhau-
fen und zwischen bis auf Brusthöhe eingestürzten Mauern hin
und her, die fast zur Gänze von Wacholder überwuchert waren, den traurigen Überresten des ehemaligen Klosters. Wenige
Schritte weiter standen noch ein paar Mauerreste, die vom kleinen Wohnhaus meiner Großeltern stammen mussten.

»Das war unsere Küche«, sagte Sonam und zeigte auf ein
Mauerviereck voller Brennnesseln, »hier stand der Herd.«

Tatsächlich fanden sie an der bezeichneten Stelle im hohen
Gras einen Haufen Mauersteine, manche noch erkennbar von
Ruß geschwärzt, obwohl das letzte Herdfeuer hier vor einem
Vierteljahrhundert gelodert hatte.

Doch alles war viel kleiner und bescheidener, als Sonam es
vor ihrem inneren Auge gesehen hatte: der Felsen, aus dem die
Quelle floss, von der sie immer Wasser geholt hatte. Die Stupa
etwas unterhalb des Klosters. Der noch übrig gebliebene *sang
bum,* einer von ursprünglich zwei Öfen, in denen die Rauch-

opfer gebrannt hatten. Die Bilder aus ihrer Kindheit kamen und stürzten sich auf Sonam und trugen sie fort in eine längst vergangene Zeit und in ein längst vergangenes Land, wie es ihr schien. Denn wenn auch die Berge noch da waren, die schroffen Grate der tibetischen Alpen, so war es doch eine andere Landschaft als die ihrer Kindheit: Viele der tiefen Wälder waren verschorften, felsigen Hängen oder verkrauteten Tälern gewichen, denn die chinesischen Machthaber hatten große Teile des einst unendlichen Holzreichtums fällen und ins baustoff- und brennholzgierige Mutterland abtransportieren lassen, ohne für Aufforstungen zu sorgen. Während der Kulturrevolution in den sechziger Jahren hatten Rote Garden und chinesische Soldaten, aber auch aufgehetzte Tibeter die heiligsten, kulturell und spirituell wichtigsten und noch dazu schönsten Plätze in den tibetischen Bergen zerstört, indem sie etwa sechstausend buddhistische Klöster des Landes dem Erdboden gleichmachten, ein tragisches Schicksal, das auch dem Kloster Pang-ri nicht erspart geblieben war. Ein Vater und zwei seiner Söhne, das erzählten sich die Leute unten in Pang, hatten sogar die Stupa vor dem Kloster aufgebrochen, ihren zugangslosen, vermauerten Innenraum, um daraus Reliquien sowie wertvolle, heilige Gegenstände, die die Überreste des dort zur Ruhe gelegten Lama ehren sollten, zu stehlen. Diese Räuber, auch das wussten die Bewohner von Pang, seien nicht glücklich geworden mit ihrer Untat, sondern wären an schrecklichen Krankheiten früh gestorben.

Den Wanderern in die Vergangenheit blieb indes nichts übrig, als ein Rauchopfer darzureichen und ein paar Gebete zu sprechen. Bald mahnte Martin zum Aufbruch. Immerhin lagen noch zwei Stunden Fußmarsch vor ihnen, ins Tal hinunter nach Pang, und die Sonne stand schon bedenklich tief über den Graten auf der anderen Seite des Tales. Die Vorstellung, hier oben eine Nacht zu verbringen, war auch für meine Mutter nicht verlockend, von den Gedanken an die hier immer noch lebenden Bären und die wenn auch seltenen Schneeleoparden ganz zu schweigen.

Die Nonne Puko

Als wir in der Küche unserer Verwandten in Pang saßen, stand plötzlich eine Frau im Türrahmen des Hauses und weinte. Mola erkannte sie erst nicht, doch dann fuhr ein Zucken über ihr Gesicht und Tränen rollten auch ihr über die Wangen. Dann fielen die beiden alten Frauen einander in die Arme, denn Ani Puko-la war gekommen, die Nonne Puko, in ihrer Jugend eine der engsten Freundinnnen Molas. Sie war zusammen mit Mola in der Einsiedelei gewesen, um gemeinsam bei ihrem Guru zu meditieren. Vor uns stand die Nonne, die einst das prächtige Haus ihrer reichen, adligen Familie verlassen hatte, um in einer selbstgebauten Laubhütte über die Leere nachzudenken, das Mantra des Mitgefühls zu beten und etwas von der Weisheit ihres Gurus aufzunehmen. Dabei waren die beiden jungen Frauen so enge Freundinnen geworden, die so viel Spaß miteinander hatten, kicherten und schwätzten, dass der Guru Puko dazu anhalten musste, ihre Hütte ein Stück weiter von der Molas entfernt zu bauen, damit sich die beiden besser auf ihre Versenkung konzentrieren konnten. Nun sah es aus, als wäre Puko Molas ältere Schwester: Die Furchen und Falten der noch immer stummen Frau waren viel tiefer eingegraben als die auf dem Gesicht meiner Oma, ihr Rücken war gebeugter, ihr Gang zittriger, ihre Hände von Schrammen und Altersflecken übersät.

Dass Puko noch lebte! So viel Schreckliches hatte Mola über

das Wüten der Roten Garden während der Kulturrevolution gehört, von Mord und Totschlag sowohl unter den Adligen als auch unter Mönchen und Nonnen, so viel von Verschleppung, Folter, Kerker und Umerziehung, und nun stand Puko vor ihr. Auch die war mehr als überrascht, als sie erfahren hatte, dass Mola zurück sei im Dorf, zurück und nicht auf ihrer Flucht über den Himalaja erfroren, erschossen, zu Tode gejagt.

Die Aufregung der gesamten Familie war groß, Mola konnte sich kaum beruhigen. Es dauerte eine Weile, bis Puko von der schrecklichen Zeit erzählen konnte, die ihre Familie und sie während der Kulturrevolution erdulden mussten: Die Chinesen hatten sie gezwungen, ihre Haare lang wachsen zu lassen, und ihr alles weggenommen, was sie besaß. Nur ihren *dzi* konnte Puko retten, ein Exemplar des magischen Steins der Tibeter, über den Volkssagen berichten, ein *dzi* käme direkt von einem Berg gerollt. Wenn man das sehe, müsse man schnell einen Hut auf ihn werfen, weil er ansonsten weiterrollen würde. Diese Steine sind meist schwarzweiß oder schwarzbraun gemustert, wobei ein *dzi* umso wertvoller ist, je mehr »Augen« seine Zeichnung aufweist, wie die Tibeter die weißen Einschlüsse im dunklen Grundmaterial nennen, und je glatter und seidiger seine Oberfläche ist. Diesen Steinen wird eine Schutzwirkung gegen Unglück und Krankheit nachgesagt, sie sind oft das Wertvollste, was Tibeter besitzen. In Tibet gilt es als großes Wunder, wie die *dzis* zu ihren Augen und ihrer Form kommen.

Nach dem ersten Wiedersehen der beiden Frauen dauerte es noch ein paar Tage, bis Puko in der Lage war, uns zu berichten, wie grausam ihre Eltern von den chinesischen Soldaten gefoltert wurden und wie sie danach aus Verzweiflung und Scham in den Fluss sprangen, um Selbstmord zu begehen. Viele Tote musste ihre Familie beklagen, die als adlige und gleichzeitig religiöse

Sippe doppelt starker Verfolgung ausgesetzt war. So gab es viele Tränen im Tal von Pang, bei Mola und auch bei meiner Mutter, als Puko beim Erzählen ihrer Geschichte immer wieder stockte, und von da an wusste Mola noch tiefer in ihrem Herzen, dass es damals kein Fehler war, ihrer Heimat den Rücken zu kehren und alle Strapazen der Flucht und der Fremde auf sich zu nehmen.

Ein paar Tage später bat Puko Mola verstohlen um ein Gespräch, von dem die anderen Verwandten nichts mitbekommen sollten. Nur zögernd und unsicher brachte sie der alten Freundin gegenüber ihr Anliegen vor: Puko wollte sich schweren Herzens von ihrem *dzi*-Stein trennen und bot ihn Mola zum Verkauf an, da sie kaum noch Geld hatte. Mola zahlte Puko den Betrag, den sie haben wollte, und mochte dafür den Stein gar nicht annehmen, doch Puko bestand darauf, denn sie wollte keine Almosen empfangen. Unter Tränen nahm Mola das wertvolle Stück an, das seitdem meine Mutter trägt, aber nicht als beliebigen Schmuck, sondern stets in dem Bewusstsein der langen und auch traurigen Geschichte, die damit verbunden ist. Für sie ist dieser Stein wertvoller als jedes Juwel, er wurde für sie zum Talisman. Das geschah aber weniger durch die ihm nachgesagten Wunderkräfte als vielmehr durch seine Aufladung mit Schicksal und Familiengeschichte, die Sonam damit verbindet.

Abschied für immer

Zusammen mit unseren neu gefundenen Verwandten unternahmen wir noch etliche Ausflüge in die Umgebung von Pang. Wir besuchten einen heiligen Ort, an dem in einer Höhle angeblich ein Fußabdruck Padmasambhavas zu sehen war, des Guru Rinpoche, der als Begründer des tibetischen Buddhismus gilt. Sogar Trommeln und Zimbeln hörten wir in dieser Höhle, wie aus weiter Ferne. Diese würden nicht von lebenden Menschen gespielt, sagten unsere Verwandten, und alle hörten wir diese Musik, außer meinem skeptischen Vater und meiner Mutter, die nichts davon wahrnehmen konnten. Wir fuhren auch zu dem heiligen See Basum Tso, den Mola mit der damals todkranken Sonam auf Geheiß des Rinpoche viermal umrunden musste. Diesen See zu Füßen des Berges Namlha Karpo, zu Deutsch »Weißer Himmelsgott«, bringen die Tibeter mit vielen legendären Figuren in Verbindung, unter anderem mit Gesar, dem Nationalhelden der Tibeter, einem sagenhaften, tapferen tibetischen Herrscher aus vorbuddhistischer Zeit. Als wir um den See wanderten, zeigten uns Bauern mehrere Heiligtümer, die sie mit Gesar verbanden, etwa einen hundertzwanzig Zentimeter hohen Stein, der genau der Größe Gesars entsprechen sollte, einen Baum, der der *bla zhing*, der »Seelenbaum« Gesars, sein sollte, einen Stein mit dem Hufabdruck von Gesars Pferd und sogar einen mit dem Fußabdruck von Gesar persönlich. Diese unscheinbaren lokalen Heiligtümer überlebten den Bildersturm der chinesischen Kulturrevolution besser als die meisten Tempel oder prächtigen Buddhastatuen, weil die vandalisierenden Zerstörer nicht begriffen, dass auch solche auf den ersten Blick nichtssagenden Gedenkplätze für die Tibeter von besonderer religiöser Bedeutung waren. Möglicherweise sind viele dieser Zeugnisse einer sehr alten Zeit heute nicht mehr an Ort und Stelle aufzufinden, weil sie von geschäftstüchtigen Händlern entwendet und für teures Geld verkauft wurden, wie Zehntausende anderer Objekte, die in den vergangenen drei Jahrzehnten aus meiner alten Heimat in den Westen und in letzter Zeit sogar vermehrt in die Volksrepublik China gelangten, um dort als Kunstgegenstände verschachert zu werden, was sie im Grunde genommen nicht sind. Diese Gegenstände sind vielmehr sakrale Kultobjekte, die mit Ehrfurcht behandelt, aber nicht gehandelt werden sollten.

Nach unserer Wanderung campierten wir an einem verlassenen Ufer des heiligen Sees, wo wir in der Nacht Moschustiere schreien hörten. Wir stiegen auf Almen, schliefen in fünftausend Meter Höhe auf gefrorenem Boden in Yakzelten, sammelten Pilze und besuchten Klöster, in denen uns Mönche in ihre Zellen führten und ihre Fotos vom Dalai Lama zeigten.

»Ihr müsst sehr vorsichtig sein«, entfuhr es Sonam, »das ist verboten, wenn die euch damit erwischen …« Doch die Mönche beruhigten uns:

»Mir ist das gleich«, sagte ihr alter Abt, »ich war schon im Gefängnis. Wenn ich noch einmal gehen muss, gehe ich wieder. Ich will nicht nach Indien flüchten, ich bleibe in Tibet, mein Platz ist hier. Ich warte auf den Dalai Lama.«

Das Kloster, in dem er mit anderen Mönchen lebte, war alt und wirkte heruntergekommen. Die Mauern bröckelten, die Dächer waren windschief, in den Fenstern fehlten Scheiben, die Türen hingen morsch in den Angeln.

»Wir verraten den Dalai Lama nicht«, sagte der Abt, »darum geben sie uns kein Geld für die Renovierung, und die Leute haben nichts, das sie dafür spenden könnten. Andere Mönche arbeiten mit den Chinesen zusammen, deren Klöster glänzen schön, weil sie Geld dafür bekommen. Das wollen wir nicht.«

Diese Zeit in Tibet war auch für uns Kinder groß und bedeutsam, weil wir das erste Mal spürten, dass es die Kultur, von der wir immer gehört hatten, und die Sprache, die wir immer lernen sollten, wirklich gab. Von nun an war Tibet für uns nicht mehr nur ein Traumland, sondern handfeste Realität. Tibet war auf einmal ein Land, das wir gesehen hatten, gefühlt, gerochen, bewandert und durchreist, auch wenn unser Aufenthalt dort viel zu kurz ausfiel. Als wir abreisen sollten, fanden wir für unsere Fahrt zurück nach Lhasa nur mit Mühe einen Militärjeep, in dem einer von Molas Brüdern jedoch keinen Platz fand. Er wollte mit einem anderen Fahrzeug nachreisen, um sich auf dem Flugplatz gebührend von uns zu verabschieden. Doch er kam nicht, was uns alle in Sorge versetzte. Damals gab es keine Telefonverbindung nach Pang, weshalb wir in Lhasa vergebens auf ihn warteten und schließlich abflogen, ohne ihm Lebewohl gesagt zu haben. Für Mola war dies beinahe unerträglich, erstmals haderte sie mit ihrem Schicksal: Sollte sie ihren Bruder nie mehr wiedersehen, ohne sich richtig von ihm verabschiedet zu haben?

Dieses Versäumnis lag ihr so schwer auf der Seele, dass sie schon ein Jahr später wieder nach Tibet reiste, diesmal alleine. Ihr Bruder erwartete sie schon, er war todkrank. So kam es zur endgültigen Verabschiedung zwischen den beiden, denn eine Woche nach Molas zweiter Tibetreise ging es dem Bruder schlechter, nur wenige Tage später tat er seinen letzten Atemzug. Mola sprach noch viele Gebete für eine gute Wiedergeburt des Verstorbenen und dankte den Göttern von da an jeden Tag, dass sie es ihr ermöglicht hatten, ihn in diesem Leben noch einmal zu sehen.

Seit diesen beiden Reisen sollte der Kontakt zwischen Mola und Sonam und der Familie in Pang nie mehr abbrechen. Die beiden Frauen schicken ihrer Familie seitdem jedes Jahr Geld. Zu dieser Zeit bezog Mola in der Schweiz bereits eine kleine Rente und hatte sich schon gewundert, woher das Geld eigentlich kam. Als sie die erste Rentenzahlung erhielt, musste ihr Martin ausführlich erklären, von wo und warum dieses Geld zu ihr gewandert war, denn Mola hatte noch nie davon gehört, dass jemand Geld erhielt, ohne zu arbeiten.

»Das Geld für die alten Menschen, die nicht mehr arbeiten können, geben die Leute, die arbeiten«, sagte Martin ihr.

Damals wurde die Rente in der Schweiz noch nicht auf das Konto überwiesen, sondern vom Briefträger in die Häuser gebracht. Mola legte die Scheine zuerst immer für ein paar Tage auf den Altar in ihrem Zimmer, als Opfer für die Götter, und bedankte sich im Gebet bei den Menschen, die für sie gearbeitet hatten, um dieses Geld zu verdienen. Dann marschierte sie jeweils zur Post und überwies in regelmäßigen Abständen Geld an unsere Verwandten in Tibet und an Freunde in Indien. Erst seit dieser Zeit kann sich meine Familie Schuhe und Socken und Kleidung für *losar,* das Neujahrsfest, kaufen. Auch meine Cousine Pema, das um zwei Jahre jüngere Mädchen aus Pang, bekam nun zum ersten Mal ein eigenes Kleid, auf das sie so stolz war, dass sie es erst beim nächsten *losar* anzog und es bis dahin immer nur unter ihrem Kopfkissen aufbewahrte, zur Sicherheit.

Heute, zwei Jahrzehnte später, besitzt meine Familie in Pang eine Kuh, die ihr stets frische Milch liefert und einmal sogar ein Kälbchen gebar, sowie eine Dusche mit einer Solarzelle zum Wärmen des Wassers. Das Geld für viele dieser Neuerungen hat Frau Steiner gespendet, die Schweizer Patenmutter Sonams aus jener Zeit, als meine Amala noch Schülerin in Indien war. Als Sonam in die Schweiz kam, traf sie ihre Patenmutter wieder und hielt bis zu deren Tod Kontakt zu ihr. Immer wieder besuchte sie sie, ging ab und zu mit ihr einkaufen oder kochte für sie, um ihr etwas von der Güte zurückzugeben, die sie als Kind von ihr erfahren hatte und die ihre tibetische Familie immer noch von ihr erfuhr.

Als Frau Steiner noch kurz vor ihrem Tod die Solardusche für Sonams Familie in Pang spendete, ahnte sie nicht, was sie mit ihrer Gabe alles anstoßen sollte: Mit ihrer Dusche betreiben meine Verwandten nun ein kleines Geschäft, Teil ihrer Lebensgrundlage, denn fast das ganze Dorf und auch Leute aus umliegenden Dörfern benutzen diese einzige Dusche des Ortes und bezahlen für deren Verwendung drei Yuan pro Person. Das bedeutet auch für die Kunden meiner Familie einen Gewinn, mussten sie zuvor doch weit bis zur nächsten öffentlichen Duschanlage fahren, was viel teurer war und auch noch den ungeliebten Chinesen zugutekam, denn diese große Anlage wird von denen betrieben. Nur meine Tante, die im Haus mit der Dusche wohnt, hat diese noch nie benutzt, weil diese neumodische Errungenschaft nicht in ihre Vorstellungswelt passt. Meine Tante geht zwar immer wieder, natürlich voll bekleidet, in die Duschkabine, und sieht sich die schönen glatten Fliesen an, die Wasserhähne und den Brausekopf, doch dann wandert sie kopfschüttelnd wieder hinaus. Nie würde es ihr einfallen, sich nackt auszuziehen, auch wenn ihr niemand zusieht. Sogar mein Onkel, jetzt selbst ein überzeugter Duschenbenutzer, kann sie nicht dazu überreden, denn meine Tante hält das Nacktsein und daher auch das Duschen für unsittlich …

BRETTER, DIE DIE WELT BEDEUTEN

Die Jahre gingen ins Land, und ich wuchs auf wie alle anderen Berner Teenager auch. Meine Haare standen von Gel gestärkt immer höher zu Berge, meine Röcke wurden kürzer, meine Augenlider dunkler und meine Jeans enger. Der Bund meiner Hose rutschte bald so tief, dass mir der Po schon halb im Freien hing, aber so war das damals modern. Mola fand es unanständig, sie schimpfte, aber sie hatte in solchen Fragen keinen Einfluss auf mich, denn für meine Erziehung waren meine Eltern zuständig. Meine Amala verbot mir nie, geschminkt oder in kurzen Röcken herumzulaufen, auch wenn sie es nicht gut fand.

»Mir gefällt das nicht«, sagte sie mir mehr als einmal, »aber das ist deine Sache. Solange ich nicht so herumlaufen muss, kannst du dich anziehen und schminken, wie du willst.«

Ich wollte Künstlerin oder Schauspielerin werden und bewarb mich bei der Berner Schule für Gestaltung. Dort wurde ich auch wirklich aufgenommen, worüber ich mich sehr freute. Ich zeichnete viel und für mein Leben gern. Meine Eltern hatten immer schon gedacht, dass ich einmal etwas mit Kunst zu tun haben würde, doch sie drängten mich nie in diese Richtung, sondern ließen mir auch die Option eines Studiums. Ich wusste aber schon früh, dass das für mich nicht infrage kam. So waren die letzten Jahre Schule für mich eher eine Qual, und ich konnte mir nicht vorstellen, diese Qual mit einem Studium noch um einige Jahre zu verlängern.

Im Vorkurs, dem ersten Jahr auf der Berner Schule für Gestaltung, gefiel es mir aber nicht so sehr. Ich erlernte zwar künstlerische Techniken von Siebdruck bis Malerei, doch die Lehrer waren mir zu konservativ, langweilig und uninspiriert, meine Fantasie konnte sich nicht ausleben. In die Grafikklasse wollte ich trotzdem und trug mich deshalb dafür ein. Zur Sicherheit meldete ich mich parallel für die Aufnahmeprüfung an der Berner Schauspielschule an. Dort wollte ich schon lange hin, nur war ich noch zu jung dafür, und meine Eltern wussten nicht recht, ob ich für die Schauspielerei Talent hatte oder nicht. Sie meinten, wenn sie dich nehmen, dann ist es dein Weg, ich müsse selbst entscheiden, was ich tun wolle. Ich war mir nicht sicher, ob ich die Aufnahmeprüfung schaffen würde, doch ich bekam den Studienplatz zu meiner Überraschung genauso wie den in der Grafikfachklasse auch. Nun hatte ich zwei Optionen offen und wusste sofort, dass ich an die Schauspielschule gehen wollte.

Lehrjahre

Wie immer in solchen Situationen beriet ich mich mit meinen Eltern, doch mein Entschluss stand schon fest. Ich trat von dem Grafikstudienplatz zurück, weil mir klar wurde, dass Grafikerin zu sein bedeutet, tagein, tagaus vor dem Bildschirm zu sitzen, und begann mit der Schauspielschule. Dort war ich mit siebzehn Jahren das Kücken unter den anderen Schülern, eine Rolle, die mir gefiel, weil ich gerne mit Älteren zusammen war, die mich aber auch vor Probleme stellte, weil ich häufig das Gefühl hatte, für die Anforderungen der Schule noch nicht gewappnet zu sein. Ich war ein Teenager, der schnell erwachsen werden musste. So hatten wir einen Ästhetiklehrer, der uns mit Fachbüchern bombardierte, mit Villem Flusser, Jean-Paul Sartre und anderen Philosophen, doch ich verstand nichts davon. Damals kannte ich auch kaum Theaterstücke. Meine einzigen Bühnenerfahrungen kamen von den gemeinsamen Theaterbesuchen mit meinen Eltern und meiner Schweizer Großmutter Ula, von den Zirkuslagern, in denen ich als Kind gewesen war, und von ein paar Theaterkursen, an denen ich zur Vorbereitung auf die Schauspielschule teilgenommen hatte.

An der Schauspielschule gefielen mir deshalb die konkreten Aufgaben am besten. Ich hatte Spaß daran, neben dem Theater die Möglichkeit anderer Ausdrucksformen zu erforschen. An der Schule gab es einen experimentierfreudigen Lehrer, der uns mit der Kunst der Performance bekanntmachte, mit uns in Ausstellungen ging und uns fernöstliches Gedankengut näherbrachte. Wir konnten auch eigene Performances vorbereiten. Mein Beitrag bestand aus über fünfzig Weinbergschnecken, die ich auf meinem nackten Körper kriechen ließ, so dicht nebeneinander, dass es wie ein Schneckenkleid aussah. Doch die Schnecken blieben nicht an einem Ort, sondern bewegten sich auf meinem Körper, was ein wunderbares Gefühl war. Dazu ließ ich Zuggeräusche vom Band laufen, und auf einem Monitor zogen Schienen, die ich aus einem Waggonfenster heraus gefilmt hatte, vorbei. Meine Amala und sogar Mola hatten mir geholfen, diese Schnecken zu sammeln und zu füttern. Das war nicht so einfach für die beiden, denn die Schnecken brachen immer wieder aus ihrem nur provisorischen Käfig aus, so dass sie ihre Not hatten, die Tiere wieder einzusammeln. Was ich mit den Schnecken vorhatte, verstanden sie nicht, doch das war ihnen egal. Sonam tat mit, weil sie wusste, dass es für meine Schauspielschule wichtig war, und weil sie immer Freude an meinen komischen Ideen hatte. Mola fütterte die Schnecken mit Löwenzahn, weil sie sich Sorgen machte, die Tierchen würden unter Hunger und Durst leiden.

Bei einer anderen Gelegenheit, dem »Ich-Projekt«, trat ich in einem roten Kleid auf, und mir kamen in meterlange Streifen geschnittene Plastiktüten aus dem Mund, auf die ich geschrieben hatte, was mir spontan eingefallen war. Dazu hatte mich das »Automatische Schreiben« inspiriert, von dem wir im Unterricht gehört hatten. Ich stellte mich als zerrissener Mensch zwischen zwei Welten dar, die durch ein zerschnittenes Laken symbolisiert wurden, genauso wie durch die zweigeteilte Bemalung meines Körpers, der sich im Laufe der Performance nackt aus dem Kleid schälte, vorne mit meiner europäischen Seite, hinten mit der tibetischen. Ich liebte diese freien Projekte, in denen ich meiner Fantasie und meinen Ideen freien Lauf lassen konnte. Daneben lief klassischer Schauspielunterricht: Wir hatten Stimmübungen, einzeln und in Gruppen, Akrobatik, Sprechunterricht, Tanzen, Fechten, Chigong, Shiatsu, Massage, Bodenturnen, Gesang und Szenenunterricht. Der Stundenplan war so dicht, dass wir meist von früh um neun bis abends um neun in der Schule blieben. Selbstdisziplin war gefragt, oft waren wir selbst samstags und sonntags dort. Wir aßen in der Schule, wir pflegten dort unsere Beziehungen, wir machten dort Party, und manchmal hatte ich das Gefühl, dass ich seit Wochen nur mehr zum Schlafen nach Hause kam.

Mit Vorurteilen hatte ich in der Schule auch zu kämpfen, aber nicht wegen meiner tibetischen Herkunft, sondern wegen meines Aussehens. Ich war nun mal nett anzusehen und gefiel den Castern von ein paar Schweizer Werbeagenturen, die mich hie und da für erste Modeljobs buchten. Außerdem liebte ich

Musicals. All das entsprach nicht den Vorstellungen der Theaterleute. Die fanden, dass man auf der Bühne umso besser spielen könnte, je kaputter man im eigenen Leben war. Je mehr Lebenserfahrung du hast, hieß es, umso mehr hast du als Schauspielerin zu erzählen. Ich fühlte mich nach solchen Aussagen immer sehr unerfahren und dachte, ich müsse nun schnell vieles und auch Schreckliches erleben, damit ich tragische Rollen spielen kann. Mein Problem bestand darin, dass ich keine schwere Kindheit gehabt hatte, sondern aus gutem Hause kam, dass ich eine Tochter liebevoller Eltern war. Dass ich einen Bruder hatte, der mir am Herzen lag, einen Freund, Benjamin, mit dem ich mich wunderbar verstand, auch wenn wir nur wenig Zeit füreinander hatten, und dass ich mir keiner psychischen Probleme bewusst war.

Oft hinterfragte ich, weshalb ich Schauspielerin werden wollte: Weshalb war ich hier? Was wollte ich erzählen? Erst nach Jahren fand ich, wonach ich suchte: Nicht ich selbst musste kaputt oder traurig sein. Nicht ich selbst musste gelebt haben, nein, ich musste mit meinen Gefühlen eine Generation zurückgehen, auf meinen tibetischen Teil zurückgreifen. Ich konnte den Schmerz und die Wut, die ich gegen China verspürte, in meine Rollen einbringen. Ich realisierte, dass ich nicht eins zu eins das Gleiche erlebt haben musste wie meine Rolle, sondern dass es meine Gefühle waren, die meine Motivation für die Rolle ausmachten. Mir wurde klar, dass jeder Schauspieler eine Motivation braucht, um sich diesen Gefühlen hinzugeben, und dass diese Motivation eine persönliche Sache ist, die bei jedem anders sein kann. So hatte ich meine persönliche Motivation in der Geschichte meiner Mutter, meiner Großmutter, ja meines ganzen Volkes gefunden, aus dem die Familie meiner Mutter stammt.

Erste Erfahrungen

Ich wäre von den anderen Studentinnen und Studenten gerne weniger nach meinem Aussehen oder meiner Biografie und mehr nach meinem schauspielerischen Können beurteilt worden, doch dazu kam es nicht mehr auf der Schauspielschule, die Bewertung meines Könnens mussten andere erledigen. So studierte ich nach der Schauspielschule ein kleines Programm ein, mit dem ich auf Vorsprechtournee gehen konnte. Ich begann mit einem Lied des Wiener Kabarettisten, Komponisten und Schriftstellers Georg Kreisler. »Nur kein Jud« hieß der böse, aus der Sicht einer Frau geschriebene Song, in dem es um die Suche nach einem Mann geht, der alles sein durfte, »nur kein Jud«:

> »Er kann im Wald ein Eremit sein,
> ein sizilianischer Bandit sein,
> kann ein Despot sein,
> ein Idiot sein,
> er kann auch arm sein, warm sein, tot sein,
> nur kein Jud.«

Dieses Lied sang ich mit blonder Perücke, die ich am Ende abnahm, um mich für den Applaus zu verbeugen. Damit wollte ich auf meine eigene Andersartigkeit hinweisen, auf meine Nichtblondheit, Nichtblauäugigkeit, die mir in meinem Job noch einige Probleme bereiten sollte, denn im deutschsprachigen Theater und Film, egal ob in der Schweiz oder in Deutschland, gibt es nur wenige Rollen für Frauen, die nicht deutsch oder schweizerisch aussehen, worunter sich viele Regisseure immer noch blonde, hellhäutige Frauen vorstellen. Genauso rassistisch, wie das klingt, ist es auch, oder warum hat die jahrzehntelange Einwanderertradition Mitteleuropas aus asiatischen, afrikanischen und südamerikanischen Ländern bis heute so gut wie keinen Niederschlag auf den Bühnen und Filmsets des deutschen Sprachraumes gefunden? Danach spielte ich eine Szene aus einem durchgeknallten amerikanischen Stück, um meinen Auftritt abzuschließen mit dem Monolog des Kindsmords aus der *Medea* des klassischen griechischen Dichters Euripides. Man konnte sich kein sperrigeres Programm vorstellen, doch ich hatte nichts zu verlieren. Ich wusste, was ich wollte: Interessante Rollen spielen und keine Durchschnittstexte. Vielleicht hatte ich mich mit meiner Auswahl auch übernommen, doch das waren die Rollen, die mir nahegingen.

Leider engagierte mich niemand nach meiner großen Vorsprechtournee, die mich durch halb Deutschland und die Schweiz führte. Die meisten Städte, die ich in Deutschland bereiste, empfand ich als leer und kalt. Ich fühlte mich dort nicht wohl. Für mich war die Stadt, in der ich lebte, immer wichtig. Sie sollte vibrieren, interessant sein, Weite haben. Doch in Berlin, Hamburg oder München, in den Städten, die ich mochte, bekam ich leider nie die Möglichkeit vorzusprechen. So wurde aus meiner Tour weniger eine Jobsuche als vielmehr ein Erfahrungstrip. Ich wollte so eine Vorsprechreise zumindest einmal erlebt haben. Mich dieser Herausforderung stellen, auch um mit mir darüber ins Reine kommen, was ich wirklich wollte. Schauspielschulen bereiten die Studierenden meist nur auf das Ziel vor, an einem Theater engagiert zu werden, obwohl es für eine Schauspielerin noch so viel anderes zu tun gibt. So konnte ich mir während dieser Tour immer weniger vorstellen, an ein Theater gebunden zu sein. Außerdem hatte ich von dem üblichen Dauerclinch in Institutionen nach meinen neun Schuljahren, einem Jahr Schule für Gestaltung und vier nahtlos angeschlossenen Jahren in der Schauspielschule genug. Ich wollte frei arbeiten, da ich das deutliche Gefühl hatte, dass ich in der Schauspielschulzeit viel von meiner Spontanität verloren hatte, zugunsten eines durchdachten Zugangs zum Theater. Außerdem wollte ich leben, reisen und neue Dinge erleben, um mein Spiel mit neuen Inhalten und Gefühlen zu füllen.

Aus diesen Überlegungen heraus wartete ich nicht auf ein Engagement, sondern kreierte zusammen mit zwei ehemaligen Studienkolleginnen ein eigenes Stück mit dem Titel *Everest 96 – The Summit*, in dem sich jede von uns ihre Rolle auf den Leib schrieb. In meinem Fall war es die Rolle einer tibetischen Journalistin, die anlässlich einer Katastrophe am Mount Everest kritisch über die Extrembergsteigerei auf dem Dach der Welt berichtet. Auf der anderen Seite schildern verunglückte Bergsteiger den Unfall aus ihrer Sicht. Das Stück hatte viel mit meiner Herkunft zu tun, mit den Himalaja-Erfahrungen meiner Flüchtlingsmutter und Flüchtlingsgroßmutter, und endete in einem Verwirrspiel zwischen Fiktion und Realität, bis die Zuschauer nicht mehr wussten, ob es die Darstellung eines realen Unfalls war oder eine ausgedachte Geschichte. Wir gingen mit diesem Stück auf große Tournee durch die Schweiz und Deutschland und wurden vom Publikum durchweg positiv aufgenommen.

Gleich danach erhielt ich mein erstes Stückengagement am Aachener Stadttheater. Das waren drei spannende Monate für mich, in denen ich hinter die Kulissen eines Theaterbetriebes blicken konnte. Ich spielte dort in einer erfolgreichen Inszenierung von Goethes *Torquato Tasso* die Eleonore von Este, als die mich die Regisseurin Gabriele Gysi trotz meines nicht »klassischen« Aussehens bewusst verpflichtet hatte. Am Ende meines Engagements wusste ich, dass dies nicht mein Weg sein würde, zumindest nicht in den nächsten Jahren. Ich konnte mir nicht vorstellen, zwei Jahre an ein und demselben Theater angestellt zu sein. Die Menschen, die ich dort sah, waren teilweise jahrelang an demselben Theater engagiert und längst eingeschlafen, sie spielten ohne Motivation. Auf der Bühne sprühte nichts mehr, die Lust war weg, alles lief in gleichförmigem Trott, und man blieb nur, weil am Ende des Monats das Gehalt kam.

Ich hatte damals einen Freund aus Genf, Vincent, einen Schauspieler aus der französischsprachigen Schweiz. Das zwang mich dazu, intensiv Französisch zu lernen, denn er konnte kaum Deutsch und kein Englisch. Zuvor hatte ich schon mit ihm in Genf zusammengelebt, doch während meiner Aachener Zeit drehte Vincent in Brüssel. Damals sahen wir uns meist nur am Wochenende, bei ihm oder bei mir, und zwischendurch in der Schweiz. Ich bin noch nie zuvor und auch später nie wieder so oft im Zug gesessen wie damals.

Während der Aachener Zeit wurde mir klar, dass ich meinen Platz beim Film suchen wollte und nicht auf der Bühne. In Berlin drehte ich mit Anna Faroqhi meinen ersten Kurzfilm, *Mehrwert der Liebe*. Ich pendelte zwischen Bern, Zürich und Genf und spielte vor allem in schweizerischen und auch deutschen Film- und Fernsehproduktionen. Nebenbei nahm ich immer wieder Modelaufträge an und trat in Fernsehspots auf.

Alles in allem waren es schöne und intensive Jahre für mich, in denen ich meine wichtigsten Erfahrungen vor der Kamera sammelte, viele neue Menschen kennenlernte und vor allem eines erfuhr: dass Karriere, Scheinwerferlicht, Partys und Medienpräsenz nicht alles sind im Leben. Ich merkte, dass mich eine Existenz als Schauspielerin und Model zwar finanziell gut ernähren, mich aber seelisch, wie das im Westen so schön heißt, nicht ausfüllen konnte. Ich wusste, dass es noch etwas anderes in meinem Leben geben musste, nach dem sich tief in meinem Herzen eine große Sehnsucht entfaltet hatte.

KERKER IN ROT

Der letzte Anstoß zu meinem persönlichen politischen Engagement für die Befreiung Tibets kam von Jiang Zemin. Der damalige Staatspräsident der Volksrepublik China traf 1999 auf Staatsbesuch in der Schweizer Hauptstadt Bern ein, wo ich damals noch die Schauspielschule besuchte. Natürlich war ich bereits zuvor für die politische Frage Tibets sensibilisiert worden, immerhin waren Tashi und ich schon als kleine Kinder zusammen mit Amala, Mola und manchmal auch mit Pala zu sämtlichen Demonstrationen gegangen, bei denen für die tibetische Unabhängigkeit marschiert wurde. Unsere Mutter hatte uns zu Mahnwachen mitgenommen, zu Solidaritätsbazaren, Benefizkonzerten und allen anderen Veranstaltungen für die Unabhängigkeit Tibets. Wir interessierten uns seit unserer Kindheit für die Situation in Tibet, und es war uns ein Anliegen, etwas für das Heimatland unserer Mutter zu tun.

Als Jiang Zemin in die Stadt kommen sollte, verwandelte die Polizei Bern in eine Festung, denn die offizielle Schweiz hatte Angst, sich durch nicht unter Kontrolle gebrachte Protestaktionen vor dem chinesischen Staatsmann zu blamieren. Soldaten rollten auf dem Bundesplatz vor dem Bundeshaus, dem schweizerischen Regierungs- und Parlamentsgebäude, den roten Teppich für den hohen Staatsgast aus, Fahnen wurden hochgezogen, Polizei und Presse gingen in Stellung. Die Stimmung war gespannt, denn Tibeter hatten eine Demonstration angemeldet, die verboten worden war. Währenddessen kletterte Amala zusammen mit einigen Tibetern und Schweizern auf das Dach des Hauses, in dem sich der Bio-Supermarkt Vatter befand. Dessen Eigentümer hatte ihnen die Dachbodentür geöffnet und den Weg gewiesen. Zur Familie Vatter unterhielt meine Mutter gute Kontakte, weil sie nicht nur deren gute Kundin war, sondern auch Lieferantin ihres *tsampa*s.

Auf dem Dach, in schwindelerregender Höhe mit wunderbarem Rundblick auf die Berner Altstadt und ihre Kirchtürme, begann Sonam zusammen mit den anderen Aktivisten mit ihrer Arbeit: Sie pumpte Gas in Luftballons, an die wir lange, weiße Laken banden, auf denen in großen Lettern »DIALOG« stand. Eine Aussage, die nicht auf Gewalt abzielte, nicht auf Aggression, nicht einmal auf die Unabhängigkeit Tibets, sondern nur darauf, dass sich die chinesische Seite bewegen sollte, um zu einer Lösung der Tibetfrage zu kommen.

Sobald die Polizisten Amala und ihre Helfer entdeckt hatten, wollte ihre Führung das Dach räumen lassen, doch die damalige Schweizer Bundespräsidentin Ruth Dreifuss, die vor dem Bundeshaus auf die Ankunft ihres Gastes wartete, verbot den Polizeieinsatz, weil sie ihn für zu gefährlich hielt. Sie hatte Angst, dass dabei jemand vom Dach fallen könnte. Auch wusste sie aus der Vergangenheit, dass wir Tibeter keine Gewalt anwenden und friedlich für ein freies Tibet kämpfen. Die Aktivisten ließen die vielen bunten Ballons fliegen, und dank guter Windverhältnisse trieben die auf das Bundeshaus zu, so dass alle sie bestens sehen konnten. Der Windgott war uns gnädig gestimmt! Unser Protest sorgte für einigen Wirbel: Der chinesische Staatspräsident Jiang Zemin wollte nicht wie geplant zu Fuß von seinem Luxushotel über den roten Teppich ins Bundeshaus gehen, einen Weg von kaum zweihundert Metern, sondern er nahm eine Limousine und ließ sich mit Verspätung zu seinem Ziel fahren. Dort stürmte er wütend in das altehrwürdige Bundesratsgebäude hinein, nicht ohne auf meinen Bruder Tashi, seine Schulklasse und viele seiner Freunde zu treffen, die am Rande des Bundesplatzes ein ordentliches Pfeifkonzert aufführten. Während der Veranstaltung beschimpfte der chinesische Staatsgast die Schweizer Präsidentin, dass sie ihre Leute, das Schweizer Volk, nicht im Griff habe und dass sie dadurch einen wichtigen Freund verloren hätte.

Das Hotel Jiang Zemins am Rande der Altstadt hoch oberhalb der Aare besitzt einen wunderbaren Blick auf die Berner Alpen und einen Fußballplatz am Ufer des Flusses, der Bern mehrfach umschlängelt. Für den Rasen dieses Platzes hatte mein Vater eine Tibetfahne so groß wie das ganze Fußballfeld organisiert und mit vielen Helfern auslegen lassen. Die Fahne war polizeilich genehmigt, musste aber plötzlich, als die Stadtbehörden kalte Füße bekamen, entfernt werden, sobald der Staatsgast angereist war. Darauf ließ sich mein Vater nicht ein, sondern besorgte von einem befreundeten Unternehmer gelbe Gerüstabdeckplanen, mit denen er die Fahne zudecken ließ, um sie in einem günstigen Moment wieder zeigen zu können. Um auf die amtliche Willkür hinzuweisen, ließ er einen Künstler einen metergroßen Stempelabdruck mit der Aufschrift »amtlich bedeckt« auf die Mitte der Abdeckplane anbringen. Es dauerte nicht lange, bis Polizisten erschienen, diese Aufschrift ebenfalls bedecken ließen und darauf achteten, dass weder die Aufschrift noch die Fahne zum Vorschein kämen. Nur die Bandenwerbung des Fußballplatzes konnten sie nicht abmontieren. Die lautete: »Tibeter wünschen Dialog mit China«. Während die Presse noch Fotos von dem Fußballfeld anfertigte, leitete das Organisationskomitee der Tibeter die Fotografen bereits wieder vor das Bundeshaus. Dort stand ich zusammen mit ein paar Freunden. Wir hatten Jiang-Zemin-Masken umgebunden und verteilten Flugblätter. Damals kam mir die gesamte Berner Aktion polizeistaatlich überwacht und reglementiert vor, doch ich sollte bald erfahren, dass davon keine Rede sein konnte, da echte Polizeiwillkür anders aussieht. In Wirklichkeit, das weiß ich heute, gibt es kaum einen Staat, in dem Protestaktionen gegen einen so hohen und von allen Politikern gefürchteten Staatsgast wie den chinesischen Präsidenten trotz Verbot so weit zugelassen und so milde geahndet werden wie in der Schweiz, denn keiner von uns wurde bestraft.

Mola und Sonam schätzten dagegen den Schweizer Staat schon direkt nach dieser Aktion umso mehr. Meine Mutter konnte kaum glauben, dass auch sie als ehemalige Ausländerin in der Schweiz frei ihre Meinung äußern durfte. Für Sonam war das eine Freiheit, die sie sich nie vorzustellen gewagt hatte.

Protest

Dieser Berner Protest führte mir nicht nur die Arroganz der chinesischen Führung deutlich vor Augen und brachte mich der politischen Tibetszene noch näher, sondern er bewies mir auch, dass wir Tibeter mit fantasievollen Aktionen sogar in einer von Medien übersättigten Welt Aufmerksamkeit für unser Anliegen schaffen können. Bisher hatten sich jeden 10. März, am Jahrestag der Flucht des Dalai Lama nach dem gescheiterten Aufstand des Jahres 1959, einige der dreitausend in der Schweiz lebenden Tibeter vor der chinesischen Botschaft versammelt, um »We want freedom« oder »China out of Tibet« zu rufen. Dazu waren immer dieselben tibetfreundlichen Journalisten erschienen, deren Berichte tags darauf in wenigen Zeilen in der Zeitung standen, weil es weder viel zu berichten noch zu fotografieren gab. Die wirkliche Nachricht, dass vielleicht vierhundert Menschen zwar erleichtert, weil sie etwas getan hatten, aber doch mit einem Gefühl der Unzufriedenheit darüber, dass sich dadurch nichts ändern würde, nach Hause gingen, die stand in der Presse nirgendwo zu lesen. Um diesen Konflikt drehten sich die Diskussionen in der tibetischen Szene der Schweiz: Wie weit sollen wir gehen, um die Menschen wachzurütteln? Was ist gewaltloser Widerstand? Hat es überhaupt Sinn, in der Schweiz auf die Straße zu gehen? Was bringt das den Tibetern in Tibet?

Da ich nach der Schauspielschule Zeit hatte und mich mehr für mein zweites Heimatland einsetzen wollte, kam der Besuch einer politisch aktiven Tibeterin bei mir genau zum richtigen Zeitpunkt. Sie fragte mich, ob ich Präsidentin des Vereins »Tibeter Jugend in Europa« werden mochte. Niemand wollte diese Verantwortung übernehmen oder im Rampenlicht der Presse stehen. Ich hatte damit keine Probleme, doch ich war mir über meine Antwort nicht sicher, da ich vielleicht aus der Schweiz wegziehen wollte und der Sitz des Vereins in Zürich lag. Nach einem langen Gespräch sagte ich dennoch zu, unter der Bedingung, dass ich eine Co-Präsidentin bekäme. Das Amt wurde für zwei Jahre vergeben, was ich mit meinem Beruf vereinbaren können sollte. Wir trafen uns von da an regelmäßig, meistens in Zürich, um zu beratschlagen, was man unternehmen könnte, um das Thema Tibet lebendig zu halten, denn die Öffentlichkeit vergisst leider schnell, dass unser Land seit 1959 von einer fremden Macht besetzt ist.

Damals lebte ich bereits mit meinem Freund Vincent in Genf. Ich wollte perfekt Französisch sprechen, nahm Privatstunden und beherrschte die Sprache zwar immer besser, aber mir gefiel Genf nicht. Ich fühlte mich fremd in der Stadt, richtige Freunde hatte ich keine. Die Kultur war anders, und trotz all meiner Bemühungen stieß ich immer wieder auf Sprachbarrieren, durch die ich mich nicht so ausdrücken konnte, wie ich wollte. Trotzdem saß ich jede Woche stundenlang im Zug: drei Stunden von Genf nach Zürich, zu den Treffen, dann wieder drei Stunden zurück. Dazu noch Castings, die Reisen zu Drehs und Theaterauftritten. Bei der »Tibeter Jugend« fand ich, was mir in meinem Schauspielerleben fehlte: die Identifikation mit einer Sache, die ich nicht nur aus persönlichen Gründen verfolge, wegen meiner Karriere oder meinem Kontostand, sondern für andere. Für mein Volk, mein Land.

Als Präsidentin, dachte ich, könnte ich dieses Engagement nach meinen Vorstellungen gestalten, aber so lief es nicht. Ich wollte etwas Neues probieren, neue Aktionsformen finden, doch die älteren Tibeter oder die Eltern der übrigen Vereinsmitglieder hatten ein wachsames Auge darauf, dass sich nicht allzu viel änderte. Auch kamen viele der Mitglieder aus anderen Lebensbereichen als ich. Als Banker, angehende Juristen oder Sozialarbeiter dachten sie in anderen Kategorien und betrachteten die Dinge vorsichtiger. Tibeter sind eher zurückhaltend und waren nun plötzlich mit mir konfrontiert, die früher kein Mitglied des Vereins, aber plötzlich dessen Präsidentin war und dessen Fokus auf politische Aktionen lenken wollte.

Es dauerte eine Weile, bis ich mich gegen die Blockierer durchsetzen konnte. Außerdem schwelte in unseren Reihen derselbe Dauerstreit wie zwischen allen Exiltibetern: Eine Gruppe ist für die Freiheit Tibets und kämpft für eine völlige Loslösung von China, die andere tritt für eine Autonomie Tibets innerhalb der Volksrepublik China ein, die die chinesische Regierung den

Tibetern formell zwar längst zugestanden, in der Praxis aber nie eingelöst hat. Ich nenne die erste Gruppe Idealisten, die zweite Realisten, doch die chinesische Politik verdammt und bekämpft beide Strömungen als Separatisten. Die »Tibeter Jugend« ist ein Zweig des internationalen tibetischen Jugendvereins in Dharamsala, des »Tibetan Youth Congress« (TYC), und verlangt nach den Statuten des Vereins gänzliche Freiheit für Tibet. Die wollte ich natürlich auch, doch ich erklärte meinen Mitstreitern immer, dass eine wirkliche Autonomie, eine echte kulturelle Selbstbestimmung für die Tibeter ein großer Schritt in Richtung Freiheit wäre, natürlich im Gegensatz zur Scheinautonomie, wie es sie damals gab und heute noch gibt. Das war meine Privatmeinung, wiewohl ich als Präsidentin für die völlige Loslösung von China arbeiten musste. So entsprachen meine Reden nicht völlig den Statuten des TYC, denn ich ließ oft durchblicken, dass das Streben nach einer echten Autonomie Tibets eine politische Option darstelle. Ich glaube nicht, dass sich die Zeit zurückdrehen lässt, dass die Chinesen jemals Tibet verlassen, dass Millionen chinesischer Siedler ihre neuen Existenzen in Tibet aufgeben werden und dass die Volksrepublik auf ihre Provinz Tibet verzichten wird. Ich denke, es muss eine Lösung gefunden werden, damit wir Tibeter mit den Chinesen so zusammenleben können, dass beide Völker zu ihrem Recht und zu ihrer Freiheit kommen. Dazu muss sich auch die Einstellung der Chinesen zu Tibet ändern. Sie wissen viel zu wenig über uns, über unsere Kultur, über unsere Geschichte, denn sie werden seit Jahrzehnten falsch informiert und mit negativer Propaganda gefüttert.

Die übermäßig langen Diskussionen über die Frage, ob wir für Freiheit oder Autonomie Tibets eintreten sollten, empfand ich als Zeitverschwendung, weil sie an der Sache nichts änderten. Ich bin kein Typ für Sitzungen, ich empfand sie meist als langweilig, außer wenn es um die Vorbereitung von Aktionen und den Austausch konkreter Ideen ging. Ich wollte etwas tun, ich fand, wir jungen Tibeter müssten uns mehr trauen. Die Generation vor uns hatte schon damit angefangen, doch sie war damit noch nicht sehr erfolgreich gewesen. Nun waren wir an der Reihe. Unverändert wichtig blieb für mich die Bewahrung der tibetischen Sprache und Kultur, obwohl ich selbst sah, wie schwierig das im Exil war: Reisen nach Tibet waren wieder unmöglich, in der Schweiz verkehrte ich außerhalb des Vereins kaum mit Tibetern, und kein Schweizer, den ich kannte, sprach Tibetisch.

In diesem Zusammenhang verstand ich erstmals das Wort »Muttersprache«. Die Sprache, die die Mutter mit ihren Kindern spricht, ist die Sprache, die einem Kind ins Herz geht. Deshalb bin ich meiner Amala heute noch sehr dankbar, dass sie mit uns vor allem in unserer frühen Kindheit nur Tibetisch gesprochen hat, genauso wie Mola, denn nur so konnte es ihr gelingen, die große Kultur ihres Volkes uns auch in der Emigration einzupflanzen. Diese Kultur wird Tashi und mich immer bestimmen, unabhängig davon, dass wir die tibetische Nationalhymne nicht fehlerfrei mitsingen können, viele Lücken in der Sprache haben und nicht flüssig Tibetisch schreiben und lesen können, denn die Essenz dieser Kultur ist in unseren Herzen verankert.

Für mich war es manchmal schmerzhaft zu erfahren, dass ich als Halbtibeterin von manchen Landsleuten nicht als echte Tibeterin wahrgenommen wurde. Sollten nicht auch wir Halbtibeter und die nichttibetischen Partner von Tibetern und Tibeterinnen in die tibetische Gesellschaft integriert werden, nicht zuletzt deshalb, weil es in Zukunft mehr und mehr Mischehen geben wird? Ich denke, das würde der tibetischen Sache guttun, zumal ich feststellen konnte, dass sich die nichttibetischen Partner oft mit großem Engagement für Tibet einsetzen, was allen Tibetern und Tibeterinnen zugutekommt.

Also warf ich mich in meinem neuen Leben als Präsidentin auf die Aktion: Ich organisierte ein Happening in Genf, vor meiner Haustür, und damit vor der Handelskammer. Dort sollte ein schweizerisch-chinesisches Freundschaftstreffen stattfinden, und ich hatte die Idee, dass jeder Tibeter mit einem weißen Laken versehen dorthin kommen und sich vor dem Gebäude auf den Boden legen sollte, bedeckt mit seinem Laken. Dann wollten wir sehen, ob die Chinesen über uns gehen würden, um zu ihrem Sitzungssaal zu kommen. Ob sie, bildlich gesprochen, über tibetische Leichen spazieren würden.

Wir meldeten diese Aktion nicht an, weil die Polizei sie ohnehin verboten hätte, sondern sagten bloß ein paar Journalisten Bescheid. Kurz vor dem Eintreffen der chinesischen Gäste versammelten wir, zweihundert Tibeter, uns insgeheim in der Nähe, um uns dann auf mein Kommando vor der Handelskammer auf den Asphalt zu legen. Als die Chinesen aus ihren Autos kletterten, waren sie zuerst verdutzt, stiegen dann aber ohne mit der Wimper zu zucken über uns, vor den versammelten Fotografen. Diese bekamen ihre Bilder, die Journalisten hatten ihre Storys, und Tibet stand im Mittelpunkt der Schweizer Öffentlichkeit. Mein Vater und ein paar andere Schweizer beteiligten sich währenddessen an einer Art Guerillaaktion direkt im Tagungsgebäude, bei der sie mit angeblichen Visitenkarten die chinesischen Gäste verunsicherten, weil auf den Karten nicht ihr eigener Name stand, sondern auf die missliche Lage Tibets hingewiesen wurde.

In dieser Zeit traf ich in meiner Funktion als Präsidentin, aber auch als Tochter Martin Brauens, mehrmals persönlich auf den Dalai Lama. Pala war all die Jahre in Kontakt mit Seiner Heiligkeit geblieben und hatte ihn immer über seine Ausstellungen und Publikationen informiert. Der Dalai Lama schätzt die Arbeit meines Vaters, er hat Vorworte zu seinen Büchern geschrieben und hat mehrere seiner Ausstellungen in Zürich besucht.

»Natürlich kenne ich Martin Brauen seit vielen Jahren«, sagte er in einem Filminterview, »er ist nicht nur ein Freund von mir persönlich, sondern er zeigt auch großes Interesse an der tibetischen Kultur und der tibetischen Sache. Aber vielleicht«, fügte er, wie das seine Art ist, lachend hinzu, »vielleicht liegt das alles auch nur daran, dass seine Frau Tibeterin ist …«

Bei einem seiner Besuche in einer von meinem Vater kuratierten Ausstellung sah ich Seine Heiligkeit das erste Mal von Angesicht zu Angesicht und war so überwältigt, dass ich keine Ahnung hatte, wie ich reagieren sollte. Ich stand neben meinen Eltern und neben Mola, im größten Gedränge der Vernissage. Mein Vater begrüßte den Dalai Lama, wie zwei Freunde einander begrüßen, dann sah ich zu Sonam, die sich tief verbeugte. Jetzt fielen die Blicke des Dalai Lama auf mich, automatisch senkte auch ich meinen Oberkörper. Ein heißer Strahl durchfuhr mich. Martin stellte Sonam und mich vor, was mich wieder beruhigte. Der Dalai Lama versprühte Sicherheit, Freude und Güte, so dass ich nicht das Gefühl hatte, es sei etwas von mir gefordert. Er legte einfach seine Hand auf meine Backe, ich spürte seine Wärme, er lächelte, ja lachte fast und schritt dann weiter und begrüßte andere Menschen, die ebenfalls von ihm berührt werden wollten.

»Wir kennen uns nun schon seit vielen Jahren«, sagte er bei

seiner Rede zur Ausstellungseröffnung über und zu meinem Vater, »Sie sind ernsthaft über die tibetische Kultur und Spiritualität besorgt und haben viele Jahre darüber gearbeitet … Das ist sehr, sehr wichtig. Das ist in dieser kritischen Zeit sehr hilfreich. Als eine Person, die Verantwortung trägt für den Erhalt tibetischer Kultur und Spiritualität und auch für die gesamte Nation des alten Tibet, für dieses einmalige kulturelle Erbe, das nun zu verschwinden droht, als diese Person schätze ich Ihren Beitrag dazu als wirklich groß ein. Ich danke Ihnen sehr herzlich …«

In Moskau

Einige Zeit später fuhr ich mit einer Abordnung der »Tibeter Jugend in Europa« nach Straßburg, um den Dalai Lama in einem persönlichen Gespräch über unsere bisher größte Aktion zu informieren, die wir uns wegen der bevorstehenden Vergabe der Olympischen Sommerspiele 2008 an Peking ausgedacht hatten. Das IOC, das Internationale Olympische Komitee, hatte eine Konferenz in Moskau geplant, bei der diese Entscheidung verkündet werden sollte. Dagegen wollten wir demonstrieren. Frank Bodin, ein Schweizer Werber, der sich sehr für Tibet einsetzt, entwarf uns dafür unentgeltlich ein Plakat, auf dem eine Steinmauer mit fünf Einschusslöchern zu sehen war, die wie die olympischen Ringe angeordnet waren. Darunter stand »The Games of Beijing with Tibet«, »Die Spiele Pekings mit Tibet«. Der Dalai Lama fand unsere Idee gut, er mahnte zu friedlichem Vorgehen, was unsere Absicht war, und wünschte uns viel Erfolg.

Für mich war das eine riesige Aktion. Nachträglich wundere ich mich heute noch darüber, was wir alles zuwege brachten, denn jeder von uns musste nebenbei auch noch in seinem Job

Geld verdienen. So landeten wir erst nach einer langen Organisationsphase in Moskau. Es galt, Presseerklärungen zu verschicken, Journalisten, Fotografen und Kamerateams einzuladen, den Ort des Geschehens zu besichtigen. Am nächsten Tag begann unsere Aktion: Wir fuhren zu dem Platz gegenüber vom Moskauer World Trade Center, wo die IOC-Konferenz stattfinden sollte. Eine Freundin und ich rollten das Plakat aus, die Journalisten begannen zu filmen und zu fotografieren. Die Aktion dauerte nur wenige Augenblicke, dann kam ein Mann in Zivil herbeigerannt und riss unser Plakat zu Boden, doch ich hielt es noch fest. Ich rief einem anderen Tibeter zu, dass er mir helfen solle, es noch einmal hoch zu halten, denn die Fotografen protestierten lautstark, dass sie noch nicht genug Bilder hätten. Der Tibeter eilte zu Hilfe, und die Aufschrift mit der Mauer und den fünf Einschusslöchern war wieder zu sehen, allerdings nur wenige Sekunden lang. Gleich um die Ecke mussten mehrere Polizisten gewartet haben, denn schon waren wir von ihnen umringt, so dass die Fotografen uns Tibeter nicht mehr sehen konnten. Die Polizisten begannen, meine Mitstreiter abzuführen, aber ich sprach laut zu den Journalisten, denn ich wollte, dass sie nicht nur über die Polizeiaktion berichteten, sondern auch über die Motive unseres Protests. Ich erklärte ihnen, warum wir die Olympischen Spiele nicht in Peking haben wollten, und berichtete von der Unterdrückung der Tibeter in ihrem eigenen Land, doch ich war nicht sehr gut, ich war nervös und hektisch. Ich hatte einen anderen, viel längeren Text vorbereitet, den ich in dieser Situation nicht anbringen konnte.

Viel Zeit gaben mir die Polizisten ohnehin nicht. Zwei von ihnen hakten sich bei mir unter und zogen mich von den Journalisten weg. Ich schrie, riss mich wieder los und lief um die Journalisten herum, um nicht noch einmal festgenommen zu werden.

»Wie heißt du?«, brüllte mir ein Journalist zu, und ich rief meinen Namen zurück, dann wurde ich, ehe ich mich versehen konnte, vom Boden hochgehoben, meine Füße zappelten in der Luft, ich war so überreizt, angespannt, übermüdet und voller Angst, dass mir die Tränen in die Augen schossen. Das war der Moment, in dem die Fotografen ihre Kameras rattern ließen und die Bilder schossen, die wenige Stunden später um die Welt gingen. Ich wurde in einen bereitstehenden Mannschaftswagen gestoßen, und die Veranstaltung war kaum fünf Minuten, nachdem sie begonnen hatte, vorbei.

Die Polizisten brachten uns alle, nicht nur unsere kleine Gruppe von drei Tibetern und einem Schweizer, sondern auch eine unbeteiligte russisch-amerikanische Dolmetscherin, einen Schweizer Journalisten und einen Tibeter aus Indien, in ein Polizeigefängnis. Dort wurden wir den ganzen Tag bis in die Nacht hinein festgehalten und verhört und mussten demütigende Untersuchungen über uns ergehen lassen. Essen und Trinken wurde uns verweigert. Als wir wieder in den Zellen waren, merkten wir, dass die Polizisten sie nicht abgeschlossen hatten. So schlichen wir kurzerhand auf den Flur und holten unsere Handys aus den Taschen, die sie uns abgenommen und dort deponiert hatten. Die Telefone klingelten ohnehin schon ununterbrochen, weil wir vielen Journalisten die dazugehörigen Nummern gegeben hatten und sie nun wissen wollten, was mit uns passiert war. Schnell schlichen wir wieder in unsere Zellen, und ich rief als Erstes meine Eltern in der Schweiz an. Mein Vater wusste schon Bescheid, denn die Meldung über unsere Verhaftung hatte sich über Nachrichtenagenturen und Internet bereits weltweit verbreitet. Pala reagierte gefasst. Er beruhigte mich, da ich sehr aufgeregt klang. Er hatte schon das schweizerische Auswärtige Amt angerufen, wo man ihm versichert hatte, alles zu tun, damit wir wieder herauskämen. Als ich das hörte, fiel mir ein Stein vom Herzen. Danach führten wir per Telefon Interviews mit Journalisten aus aller Welt. Irgendwann sahen uns die Polizisten mit den Handys in den Zellen, doch es war ihnen egal. Sie hatten ohnehin keine Ahnung, was sie mit uns machen sollten, und ließen uns daher in Ruhe.

Nach langer Wartezeit holten sie uns aus den Zellen und wollten uns Formulare ausfüllen lassen, die nur auf Russisch gedruckt waren, das keiner von uns verstand. Also bestanden wir auf einem Dolmetscher. Es dauerte Stunden, bis eine Übersetzerin zur Stelle war. Diese konnte nur schlecht Deutsch, aber wir schafften es, die Formulare auszufüllen. Danach brachten uns die Bewacher in einen anderen Raum oberhalb des Gefängnisses. Dort durfte ein Anwalt zu uns, der Bruder der russisch-amerikanischen Dolmetscherin. Er hatte einen dicken Gesetzeswälzer dabei, in dem er ständig hin und her blätterte. Wieder vergingen zwei, drei Stunden, bis wir, jeder einzeln, in einen Raum geführt wurden, in dem an einem langen Tisch Offiziere in merkwürdigen Uniformen mit riesigen Mützen saßen, wie in einem schlechten amerikanischen Spionagethriller aus dem Kalten Krieg. Diese alten Männer sahen uns grimmig an, waren über und über mit Orden und Abzeichen behängt und sagten dem Anwalt, dass wir unterschreiben sollten, am nächsten Tag zu unserer Gerichtsverhandlung zu kommen. Daraufhin ließen sie uns wirklich frei, was für jenen Abend keiner von uns mehr erwartet hatte. Als wir am nächsten Tag tatsächlich vor Gericht auftauchten, stellte die Richterin schnell fest, dass viele Verfahrensfehler begangen worden waren. Sie schickte alle Unterlagen zurück an die Polizei, und damit war der Fall zumindest juristisch gesehen erledigt.

In der Zwischenzeit hatte die Presse in der Schweiz herausgefunden, dass das weinende Mädchen, das auf dem Foto von den russischen Polizisten weggezerrt wurde, nicht nur die Präsidentin der »Tibeter Jugend«, sondern auch eine Jungschauspielerin war, und schon lief die Medienmaschinerie an. Ich war noch in Moskau, aber meine Bilder waren schon in den Nachrichtensendungen zu sehen. Als unser Flieger in Zürich landete, standen nicht nur meine Eltern und viele Tibeter mit weißen Glücksschleifen, sondern auch jede Menge Journalisten am Gate. Die nächsten Tage und Wochen verbrachte ich damit, Interviews zu geben, zu Fotoshootings zu gehen, in Talkshows zu sitzen und die Ergebnisse all dieser Gespräche in Zeitschriften zu lesen und auf dem Bildschirm zu sehen. So bekam ich zum ersten Mal mit, wie die Medienmaschinerie arbeitet, wobei mir klar wurde, dass das Interesse der Journalisten nicht nur Tibet und der Moskauer Aktion galt, sondern auch der Kombination aus Schauspielerin und Tibetaktivistin, wie sie sich in meiner Person zeigte.

Der Hype um meine Person zog den Neid einiger Menschen auf sich, die mir vorwarfen, ich würde dieses Medieninteresse für meine Zwecke ausnutzen, was falsch gedacht war: Ich benutzte den mir in der Öffentlichkeit zur Verfügung gestellten Raum, um auf die Probleme von uns Tibetern aufmerksam zu machen und auf die Farce von sogenannten friedlichen Olympischen Spielen in einem Land, das mein Volk brutal unterdrückt.

AUF PILGERSCHAFT

Obwohl ich damals in Genf lebte, war ich oft zu Hause auf Besuch, denn Bern liegt an der Strecke Genf–Zürich, auf der ich fast jede Woche unterwegs war. Dann saß ich mit meinen Eltern, meinem Bruder Tashi und mit Mola in der Küche um den großen Tisch oder auf dem Sofa daneben, die Türen zum Garten standen offen, und wir unterhielten uns und tranken Tee. Die Küche war schon immer der zentrale Ort in unserem Haus. Dort wurde gestritten, geheult, diskutiert und getanzt, dort besprach meine Familie die Probleme des täglichen Lebens. Als wir wieder mal alle beisammensaßen, kündigte Mola aus heiterem Himmel an, sie wolle auf eine Pilgerreise gehen, nach Indien.

»Ich weiß nicht, wie lange ich noch reisen kann«, sagte sie, »ich möchte noch einmal an die großen Pilgerstätten und nach Dharamsala, zum Dalai Lama.«

Das saß, damit hatte niemand von uns gerechnet. In unseren Augen war Mola mit den Jahren zur gemütlichen Rentnerin geworden, die mit dem Familienhund spazieren ging, Sonam in der Küche half, ihre täglichen Gebete und Opfer verrichtete, ihre schwyzerdütschen Schwätzchen mit den Nachbarinnen hielt und sich auf dem Balkon vor ihrem Zimmer sonnte. Aber jetzt wollte sie nach Indien, und zwar zusammen mit ein paar Freundinnen und Freunden, die in ihrem Alter oder jünger und ebenfalls Anhänger der Nyingmapa-Schule des Buddhismus waren und als Exiltibeter in der Schweiz lebten. Mola schien die Reise schon ziemlich konkret vorbereitet zu haben, denn sie benötigte nur mehr Martins Hilfe beim Buchen der Flüge. Ich hörte Mola ruhig zu, nahm die besorgten Kommentare meiner Eltern zur Kenntnis, ob das alles nicht zu anstrengend würde für sie und ihre Begleiter, doch mich durchzuckte ein Gedanke, und ich hörte mich auf einmal wie von selbst sprechen:

»Mola, ich komme mit!«

Alle blickten mich an, denn damit hatten weder ich noch meine Eltern gerechnet.

»Du willst mit?«

»Ja«, sagte ich, als wäre es das Selbstverständlichste von der Welt, »ich möchte auch all diese Orte sehen, und ich möchte darüber einen Film machen.«

Immerhin hatte ich schon das ganze Jahr über gedacht, dass es schön wäre, etwas selbst zu filmen, weshalb ich mit geliehenen Kameras schon einige Videos gedreht hatte. Das wäre nun die Gelegenheit, einen richtigen Dokumentarfilm zu drehen, denn es gab kaum Filmmaterial über tibetische Pilgerreisen in Indien. Es ging mir darum, den Leuten im Westen den tibetischen Volksbuddhismus näherzubringen, den Glauben der einfachen Menschen und nicht den der in den Klöstern ausgebildeten Mönche, über deren Leben schon viele Filmbilder zu sehen waren. Mola und ihre Freunde sind vielleicht die letzte Generation, die diesen althergebrachten Volksbuddhismus mit all seinen Riten nicht nur kennt, sondern auch mit allen Fasern ihres Seins lebt.

Beflügelt von diesem Gedanken stieg ich in den Zug nach Genf, und schon wenige Stunden später saß ich zusammen mit meinem Freund in unserer gemeinsamen Küche. Vor dem erstaunten Vincent breitete ich eine Indienkarte auf dem Tisch aus, die ich zuvor am Bahnhof gekauft hatte.

»Wir fliegen nach Indien und drehen einen Film«, sagte ich ihm, und er sah mich an, als ob er nichts verstanden hätte.

»Wir haben kein Geld«, versuchte er es mit einem sachten Einwand, doch darauf war ich vorbereitet.

»Stimmt«, sagte ich, »darum setzt du dich jetzt hin und schreibst ein Exposé, damit wir Filmförderung bekommen, eine Kamera kaufen und die Tickets besorgen können. In einem Vierteljahr fliegen wir.«

So geschah es. Schon ein paar Monate später saßen wir mit Mola und ihrer Pilgergruppe im Flieger. Vincent studierte noch die Bedienungsanleitung unserer neuen Kamera, die wir mit Zuschüssen aus den Kulturbudgets verschiedener Schweizer Kantone und auch der »Tibeter Jugend« bezahlt hatten. Er sollte filmen, ich war die Redakteurin, Regisseurin und Übersetzerin. Ein aufreibender Job, wie sich bald herausstellen sollte, denn ich musste nicht nur für Mola und ihre Gruppe Englisch in Tibe-tisch und umgekehrt übersetzen, sondern auch für Vincent vom Tibetischen ins Französische, genauso wie vom Englischen ins Französische und zurück, denn die Sprachverwirrung war ba-bylonisch. Mola übersetzte mir dafür den Amdo-Dialekt, den einer der Tibeter in der Gruppe sprach, in ihr Tibetisch, denn ich hatte alle Mühe, ihn zu verstehen.

Für mich wurde diese Pilgerfahrt eine Reise voller Wunder: Wir fuhren zur Höhle des großen Yogi Mahasiddha Tilopa, die von Hängepflanzen überwuchert am Ufer eines Flusses liegt. Es hieß der Yogi, der als Begründer der Kagyüpa-Schule innerhalb des tibetischen Buddhismus gilt, habe sich immer dort aufge-halten, meditiert und von selbst gefangenen Fischen gelebt. Da es nicht sehr buddhistisch gewesen wäre, so viele Fische zu töten, hatten die Guides vor Ort, die sein Ansehen hochhielten, eine andere Erklärung bereit: Mahasiddha Tilopa habe keine Fische getötet, sondern sie nur gefangen und ihre Seelen direkt in den Buddhahimmel geschickt, um danach ihr nicht mehr belebtes Fleisch zu essen.

Begonnen hatte unsere Reise in Dharamsala. Dort fand eine *tsok*-Zeremonie statt, eine Opfer- und Reinigungspraxis des Vajrayana-Buddhimus, die durch die Geldspenden der aus der fernen Schweiz angereisten Gläubigen ermöglicht wurde. Seine Heiligkeit der Dalai Lama war mit dabei. Als Dank dafür durften die Mitglieder unserer Pilgergruppe im Tempel sitzen, ein Privileg, das Laien sonst nicht genießen, außer sie spenden kräftig, denn im Buddhismus zählt nicht nur die spirituelle Stufe, auf der man sich befindet, sondern auch die Höhe der Spendierfreude. Mola brachte es in ihrer Bescheidenheit nicht über das Herz, im Tempel zu sitzen, wo sie als Frau eigentlich nichts zu suchen hatte, und hockte draußen bei den Laien und Nonnen, obwohl sie genauso viel gespendet hatte wie alle anderen.

Höhepunkt der Reise war die Audienz beim Dalai Lama, die er extra für diese Pilgergruppe abhielt. Natürlich war es für alle das Größte, in einem Raum mit Seiner Heiligkeit zu sein, dem »Kostbaren Meister«, dem »Juwel, das alle Wünsche erhört«. Die Pilger unserer Gruppe benannten unser Oberhaupt ausschließlich mit solchen Umschreibungen, denn der aus dem Mongolischen stammende Amtstitel des Mönches Tenzin Gyatso, Dalai Lama, was bekanntlich so viel wie »Ozean-Lehrer« bedeutet, wäre ihnen ebenso wie allen gläubigen Tibetern als zu wenig ehrfürchtig oder feierlich erschienen.

Danach fuhren wir nach Tso Pema, indisch Rewalsar, und waren dort zu Besuch in den Höhlen Padmasambhavas, des Guru Rinpoche, Begründer des tibetischen Buddhismus. Wir fuhren auch nach Bodh Gaya, dem Pflichtreiseziel aller buddhistischen Pilger. Dort wird unter einem riesigen Baum der Platz verehrt, an dem Buddha der Überlieferung nach erleuchtet wurde. Die Pilger nennen diesen Platz »Sitz des Diamanten«. Dort nahmen wir an einer zwölf Tage dauernden *bum-tsok*-Zeremonie teil, die die Hindernisse auf den Lebenswegen der Gläubigen beseiteräumen sollte. Dabei hatte ich das Gefühl, dass unsere Gruppe ohnehin keine Hindernisse mehr vor sich sah, seit sie dem Dalai Lama höchstpersönlich gegenübergesessen hatte. Mola befand sich in einem permanenten Stimmungshoch. Sie konnte es kaum fassen, all diese Orte, die sie vor vier Jahrzehnten auf ihrer ersten großen indischen Pilgerreise unter ärmlichsten Verhältnissen und größten Entbehrungen besucht hatte, nun als alte, aber im indischen Sinne wohlhabende Frau bereisen zu können, jedenfalls mit genug Geld in der Tasche, um sich nicht nur Bahn- oder Bustickets und angenehme Hotelbetten leisten, sondern auch großzügige Spenden an all die frommen Männer und Frauen verteilen zu können, die sie in den Klöstern und heiligen Orten des Buddhismus traf. Das war eine Form der Mildtätigkeit, die laut Mola ihr Karma mit großer Sicherheit entschieden verbesserte.

India revisited

Zwei Jahre nach meiner Pilgerreise mit Mola fuhren meine Eltern mit ihr wieder nach Indien. Ich konnte leider nicht dabei sein, weil ich während dieser Zeit schon für lange feststehende Drehtermine gebucht war. Pala hatte in Dharamsala eine private Audienz beim Dalai Lama, mit dem er über eine bevorstehende Ausstellung sprechen wollte.

Noch zuvor trafen meine Eltern und Mola Sonams Cousine Pema, das nun schon erwachsene Mädchen aus Pang, mit dem ich als Kind bei unserer Tibetreise über die Wiesen und Steine getobt war. Pema war nach einer an schrecklichen Details reichen Flucht, die in ihrer Härte die Reise von Mola und Amala noch bei weitem übertraf, ohne ihre Eltern mit einer Gruppe ihr unbekannter Erwachsener und Kinder über den Himalaja nach Indien gekommen und lebte nun in einem tibetischen Internat in Dharamsala. Die Geschichte ihrer Flucht bot meinen Eltern einen neuen Beleg dafür, dass sich immer noch viele über die Bedingungen in ihrer Heimat verzweifelte Tibeter auf die lebensgefährliche Reise machten, die in Pemas Fall einige Teilnehmer der Gruppe nicht überstanden hatten.

An Martins Audienz beim Dalai Lama durfte neben Mola und Sonam auch Pema teilnehmen. Pema begann sofort zu weinen, als sie zusammen mit den anderen den Audienzraum Seiner Heiligkeit betrat. Der Dalai Lama ist bei uns eine so hochverehrte und dadurch für den durchschnittlichen Tibeter so entrückte Person, dass es die meisten kaum fassen können, wenn er persönlich vor ihnen steht. Auch Pema empfand dabei so stark, dass sie dieses Gefühl nur durch Tränen ausdrücken konnte. Der Dalai Lama nahm sie in den Arm, hielt sie und sprach beruhigend auf sie ein. In diesem Moment spürte auch Sonam die Wärme Seiner Heiligkeit und war so ergriffen von dieser Szene, dass ihr unwillkürlich selbst Tränen in die Augen schossen.

Pema erzählte danach, dass sie von den chinesischen Lehrern in ihrer Schule gehört hätte, der Dalai Lama sei schlecht, ein Verbrecher aus einer alten Zeit. Als sie nach Indien gekommen war, hatte sie kaum glauben können, dass er noch lebt, denn sie hatte gedacht, dass es nur mehr Statuen von ihm gebe. Dass der

Dalai Lama aber ein Mensch ist, ein echter Mensch aus Fleisch und Blut, das hatte sie sich nie vorgestellt, und auch ihre Eltern hatten es ihr nie gesagt, weil es zu gefährlich gewesen wäre, den Kindern vom Dalai Lama zu berichten, denn die konnten mit solch einem Wissen schließlich an den Falschen geraten, etwa an einen übereifrigen chinesischen Lehrer. Ich konnte es kaum fassen, als meine Eltern mir das erzählten, weil ich gewohnt war, dass ich mit ihnen immer alle Fragen bereden konnte, die mir auf dem Herzen lagen.

Sonam war damals das zweite Mal in Dharamsala, doch im Gegensatz zu Mola gefiel ihr vieles nicht. Sie ist die Skeptischste von uns allen. Während Mola nur in Seligkeit schwelgte, so nah bei ihrem religiösen Oberhaupt zu sein, registrierte Sonam alles, was sie sah, und machte sich über vieles davon Gedanken. So stieß sie sich an den reichen Tibetern, die in Dharamsala lebten und ihre indischen Diener und Angestellten ausnützten. Sie war schockiert über die Kinderarbeit, die sie in den Hotels und Restaurants sah, die den Tibetern gehörten, während sie ihre eigenen Kinder in englische Schulen schickten. Sonam konnte nicht fassen, dass diese nepalischen und indischen Kinderarbeiter von frühmorgens bis spätabends schuften mussten, während die tibetische Oberschicht ein gutes Leben genoss.

In der Tat ist das einer der Widersprüche des Buddhismus: Einerseits sollen die Gläubigen gütige und barmherzige Menschen sein, die ihren Mitmenschen hilfreich zur Seite stehen, andererseits entspricht es beliebter buddhistischer Praxis, dieses Mitleid weniger in praktische Handlungen umzusetzen, als es vielmehr zur Grundlage der eigenen Versenkung zu machen. Buddhisten behaupten oft, es sei wichtig, sich meditativ in das Leid der anderen einzufühlen, denen das Beten mehr helfe als Geldspenden oder Nahrungsmittel, denn, so sagten uns Mön-

371

che, diese würden nur dem Körper des Armen zugutekommen, nicht aber seiner »Seele«. Solche Gedanken beschäftigen meine Mutter und mich, und wir setzen uns immer wieder damit auseinander.

UNTER BÄREN

Mein Traum vom Dokumentarfilm über die tibetische Pilgergruppe musste noch ein Jahr auf einer Festplatte schlummern,
denn sobald ich wieder in Europa war, war ich nicht hinter, sondern vor der Kamera gefragt, und hatte keine Zeit, die Bilder zu
einem Film zu schneiden. Dass ich genügend Jobs hatte, war mir
nur recht, weil ich erstens von etwas leben musste, und andererseits meinem politischen Engagement für Tibet in seiner bisherigen Form der Schwung abhandengekommen war. Ich merkte,
dass ich mich nicht mehr in der Politik und in den tibetischen
Organisationen betätigen wollte, weil ich festgestellt hatte, dass
ich dort meine Meinung nicht so vertreten oder durchsetzen
konnte, wie ich es gerne getan hätte.

Außerdem wollte ich die Welt sehen. Nichts lag für mich
näher, als nach Berlin zu gehen, wo die größten Filmstudios
Deutschlands sind, wo die meisten Fernsehproduktionen entstehen, wo nach vielen Jahrzehnten des Stillstands in den ersten
Jahren des neuen Jahrtausends das neue Zentrum des europäischen Films wiedererstand. Ich wollte in die Stadt ziehen, von
der ich mir neue Impulse versprach, nicht nur was neue Rollen
betraf, und in der schon gute Freundinnen von mir lebten.

Mein Freund Vincent sah das anders, was ich bereits geahnt
hatte. Er konnte es sich nicht vorstellen, von Genf wegzugehen,
und wenn, dann nur nach Frankreich oder nach Brüssel, wo ich

für mich keine Zukunftsperspektiven sah. Als wir an diesem Punkt angelangt waren, bestand für mich kein Zweifel, dass sich unsere Wege trennen müssten. Er würde ein regionaler Player sein, bei seinen Wurzeln bleiben, während ich mir die Welt vornehmen wollte. Ich meinte das ihm gegenüber nie abschätzig, weil ich schon immer Menschen bewundert habe, die feste Wurzeln haben, die ihren Platz kennen und dort bei sich selbst sind. Ich fühlte nur, dass es bei mir nicht so ist. Ich pendle zwischen den Kulturen, zwischen den Orten. Ich fühlte mich damals schon nirgendwo wirklich daheim, was den Vorteil mit sich bringt, dass ich mich überall zu Hause fühlen kann, wo es mir gutgeht und ich Möglichkeiten habe, mich zu entwickeln. Dieser Ort sollte nun Berlin sein. »Ich bin eine Berlinerin«, dieser Satz war für mich bald keine hohle Phrase mehr, er ging mir leicht und ohne Widerstand über die Lippen.

Dabei machte es mir die Stadt zu Beginn alles andere als leicht. Zum ersten Mal in meinem Leben wohnte ich alleine, was eine neue Erfahrung für mich war. Ich liebte es zwar immer schon, für mich zu sein, mich in meinem Zimmer zu verkriechen, meinen Gedanken nachzuhängen, zu lesen oder einen Film anzuschauen, aber zu wissen, dass auch im Nebenzimmer niemand ist, war etwas anderes. Dass keine Amala unten in der Küche wirtschaftete, dass kein Pala nebenan auf die Tastatur seines Computers einhämmerte, keine Mola im Stockwerk darüber zu ihren Rauchopfern murmelte. Doch ich hatte Glück, denn meine beste Freundin Anna lebte Tür an Tür mit mir, und so hatte ich zumindest in der Nebenwohnung jemanden, mit dem ich mich unterhalten konnte, wann immer ich wollte und sie Zeit hatte. Ich blickte allerdings nicht mehr in den blühenden Garten meiner Kindheit, sondern in einen Berliner Hinterhof, dessen einziges Grün aus ein paar kümmerlichen Blumentöpfen bestand, die andere Mieter auf ihren Fensterbänken stehen hatten. Ich musste lernen, damit umzugehen, dass sich niemand mehr darum kümmern würde, wann ich aufstand, wo ich hinging, wann ich wieder zurückkam und wie ich mich dabei fühlte.

Doch ich hatte es so gewollt, und so sollte es sein. Also stürzte ich mich in die Arbeit, denn ich war auch nach Berlin gekommen, weil es hier die meisten Castings gibt. Die fetten Jahre, in denen Agenten Schauspielerinnen für jedes Casting egal woher und nach Belieben einfliegen ließen, waren schließlich vorbei. Mein Einstieg war nicht leicht, da ich kaum Kontakte zu Castern hatte, mich niemand kannte und ich lernen musste, mit Absagen zu leben. Anna war immer da, wenn es mir nicht so gutging, wir unterstützten uns gegenseitig. Auch für sie war es nicht leicht, Finanzierungen für ihre Drehbücher zu finden, und so konnten wir lange und intensive Gespräche bei mir oder bei ihr am Küchentisch führen, mit Tee und Keksen und tausend Überlegungen rund um die Themen Film und Schauspielerei.

Nach solchen Gesprächen dachte ich oft, dass ein bisschen mehr Alltagsbuddhismus gut für mich wäre. Ich dachte, dass mir das Loslassen fehlte, die Leere, die meine Großmutter so gut spüren konnte. Solche buddhistischen Gedanken waren in den dunklen Momenten von Ablehnung, Schwierigkeiten und Einsamkeit bei mir, aber es gelang mir nicht immer, sie in mein Leben zu übertragen. Ich wollte keinen Neid spüren, keine Eifersucht, kein Begehren nach einer bestimmten Situation oder nach etwas so Profanem wie einem Rollenangebot, aber es klappte nicht immer.

Manche Buddhisten ziehen sich in solch schwierigen Phasen in ein Kloster zurück, in ein »Retreat«, wie es auf Westlich-buddhistisch so schön heißt, aber für mich kam das nicht infrage.

Erstens hätte ich mir diese luxuriöse Variante der buddhistischen Praxis finanziell nicht leisten können, und zweitens fand ich es zu einfach, sich vom Alltag zu verabschieden, um in schöner Selbstversenkung fernab der bestehenden Probleme mit allem ins Reine zu kommen. Für mich bestand die Herausforderung darin, meine Lebenswelt als Schauspielerin, als Berlinerin und als Jobsuchende mit meiner buddhistischen Gedankenwelt in Einklang zu bringen. Ich wollte ruhiger werden, ausgeglichener, und trotzdem weiterkommen, ohne vor den Anforderungen, die das Filmbusiness an mich stellte, zu kapitulieren.

Manchmal musste ich dabei an den Berliner Bären denken, das Wappentier, das einem in dieser Stadt unweigerlich begegnete und mir witzigerweise von meiner Heimatstadt Bern vertraut war, die auch den Bären im Stadtwappen führt. Ich musste an die Ruhe und an die Kraft denken, die für mich von diesem Tier ausgeht. Ich stellte mir die Kombination von Mut und Gleichmut eines Bären vor, und ich dachte, dass das eine schöne und auch im buddhistischen Sinne gute Kombination wäre, die zu erreichen ich mir vornahm. Damals wusste ich noch nicht, dass ich bald in einen Staat ziehen würde, der auch einen Bären im Wappen führt. Doch das als bloßen Zufall zu sehen hieße fast schon, sein Karma kleiner zu reden, als es eigentlich ist …

Don't grasp

Meine Chance, diese bärenhaften Tugenden miteinander zu verknüpfen, ließ nicht lange auf sich warten, auch wenn alles wieder mal anders kam, als ich es mir vorgestellt hatte. Ich befand mich auf Besuch in Bern und sollte am nächsten Tag nach New York fliegen, weil ich mich dort nach einem Job umsehen und eine Freundin besuchen wollte, als mich ein Anruf meiner Agentur erreichte. Sie wollte mich zu einem Casting einladen, für eine sogenannte »Popelrolle«, ein paar winzige Szenen ohne eigenen Dialog in einem amerikanischen Science-Fiction-Film, der in den Studios von Potsdam gedreht werden sollte. Ich wollte meinen teuren Flug nicht umbuchen, wie ich das sonst schon oft getan hatte, weil Angebote meistens dann kommen, wenn ich mir etwas anderes vorgenommen habe, und bot der Castingfrau an, per Videotape an dem Casting teilzunehmen, womit sie einverstanden war. Also gab ich meiner Mutter meine Kamera, stellte sie mir als Gegenpart meiner Rolle vor und spielte meinen stummen Part. Danach spielte ich eine kurze Szene aus einem Theaterstück, um dann noch mit meiner Amala zu reden, über ihre Kamerahaltung, über die Rolle, erst in Schwyzerdütsch, dann auf Tibetisch, dann wieder auf Englisch. Ich dachte, Sonam hätte die Kamera längst abgeschaltet, doch sie lief noch. Danach war keine Zeit mehr, die eigentliche Szene aus dem Video herauszuschneiden, also steckte ich das Band in einen Umschlag und radelte in Windeseile zur Post, um die Sendung kurz vor Betriebsschluss aufzugeben, denn später am Abend musste ich in das Flugzeug nach New York steigen.

Dort bekam ich schon zwei Tage später eine Mail von der Castingfrau, die mein Band so witzig fand, dass sie es der Regisseurin gezeigt hatte. Auch der gefiel es so gut, dass sie mich persönlich treffen und für eine größere Rolle mit Text casten wollte, aber ich war in New York! Also lief alles wiederum über ein Tape: Ich verpflichtete eine Freundin, mich aufzunehmen, wie ich die größere Szene in die Kamera sprach, mit Jetlag, übermüdet, weil wir früh am Morgen drehen mussten, und schickte das Ergebnis nach Berlin. Wieder gefiel der Regisseurin die Szene sehr gut, und als ich eine Woche später in Berlin landete, setzte ich mich sofort in die S-Bahn nach Potsdam und fuhr zu den Studios, um sie zu treffen. Noch eine Woche später bekam ich die Mitteilung, dass ich für die Rolle in *Aeon Flux* gebucht war, für meinen ersten Part in einer internationalen Produktion. In dem Science-Fiction-Film sollte ich eine schnittige Bösewichtin spielen, was mir gut gefiel.

Der buddhistische Aspekt an der ganzen Sache bestand darin, dass ich die Rolle nicht in dem Moment bekam, in dem ich mich an etwas klammerte, sondern in dem ich losließ. »Don't grasp«, sagen die Buddhisten, »klammere dich an nichts, hafte nicht an den Dingen.« In diesem Fall bescherte mir diese Haltung den größten Erfolg.

HOLLYWOOD!

Für meinen Weg von Bern nach Berlin kam mir nur eine logische Fortsetzung in den Sinn, nämlich die nach Los Angeles, nach Kalifornien, das auch den Bären im Wappen trägt. Das vorläufige Ziel meiner Träume hieß Hollywood. Ich wollte versuchen, in der größten Illusionsfabrik der Welt Fuß zu fassen. Als sich mir die Möglichkeit bot, in L.A. bei meiner schweizerischen Freundin Laura für zwei Wochen wohnen zu können, setzte ich mich in den Flieger, und schon flimmerten die berühmten weißen Buchstaben auf den dürren Hängen der Hollywood Hills vor mir in der Hitze. Ich war glücklich, ich war am Ziel, doch dann kam alles anders, als ich es mir vorgestellt hatte.

Ich besaß weder Führerschein noch Auto, was beides sowohl in New York als auch in all den europäischen Städten, in denen ich bisher gelebt hatte, nicht nötig gewesen war. Nun musste ich feststellen, dass die Uhren in L.A. anders liefen. Die Stadt ist im Wesentlichen eine knapp tausenddreihundert Quadratkilometer große Einfamilienhaussiedlung, die mit ein paar Hundert Einkaufszentren, Autobahnen und nur relativ wenigen Hochhäusern durchsetzt ist. All das wird von einem Bussystem vernetzt, gegenüber dem die Berner Stadtbusse ein logistisch hoch komplexes, superschnelles und modernes Verkehrssystem sind. Erschwerend kommt hinzu, dass L.A. zwar am Meer, aber dennoch in der Wüste liegt, und aufgrund der hohen Temperaturen keine Stadt der Radfahrer oder Fußgänger ist.

Ich aber lief zu Fuß auf dem Hollywood Boulevard und dem Sunset Strip auf und ab, sah mir all die Touristensachen an und wunderte mich, dass es hier weniger Glamour als vielmehr abgerissene Gestalten, Alkoholiker und düstere Liquor Stores zu bestaunen gab. Also wollte ich in einen Bus steigen, um ans Meer zu fahren, nach Santa Monica. Ich fragte ein paar Leute nach der Haltestelle, aber niemand konnte mir weiterhelfen. Als ich endlich zusammen mit Obdachlosen, Südamerikanern und Touristen an einer kaum als solche erkennbaren Haltestelle stand, dauerte es eine halbe Stunde, bis der Bus kam. Der fuhr tatsächlich den Sunset Boulevard hinunter, blieb alle paar Ecken stehen und brauchte ewig, bis er am Meer ankam, doch leider nicht in Santa Monica. Dorthin musste ich einen anderen Bus nehmen, auf den ich wieder ewig wartete. Kurz, der innerstädtische Trip entpuppte sich als Tagesausflug, den ich mit einer Taxifahrt beendete, weil ich keinen direkten Bus zurück nach Hollywood fand. Der Rückweg kostete mich ein kleines Vermögen, denn die Strecke im Taxi war so lang, als würde ich zehnmal rund um Bern im Kreis fahren. Von da an wusste ich, dass ich ein Auto brauchte, wenn ich in dieser Stadt bleiben wollte.

Abends besuchte ich ein Charity-Event, das mit vielen Stars glänzte. Viele von ihnen erkannte ich nicht, weil sie anders aussahen als auf der Leinwand. Ich war mit Laura dort, fand genauso wie sie den Auftrieb schrecklich und kam mir in all dem Glamour wie ein Mädchen vom Land vor, das zum ersten Mal durch eine Großstadt läuft. Ich war jung und schüchtern, ich konnte mich nicht locker unterhalten wie die Amerikaner, die alle so offen waren und immer etwas zu erzählen hatten. Der weltberühmte Schweizer Modefotograf Michel Comte, der schon mit mir gearbeitet hatte, wurde als Initiator des Charity-Events während der Party von einer so dichten Menschentraube umschwärmt, dass ich es albern fand, mich auch noch an diesen Schwarm aus Models, Stylistinnen und Schauspielerinnen dranzuhängen. Ich zog es vor, nach Hause zu gehen.

Ein paar Tage später besuchte ich Michel im Bel Air Hotel, in dem er abgestiegen war. Es ist eines der edelsten, prächtigsten und romantischsten Hotels, die ich je gesehen habe, im Stil spanischer Kolonialarchitektur in einen künstlich angelegten Dschungel und Paradiesgarten eingebettet. Dort lagen wir am Pool, und ich kam mir vor wie im falschen Film, zwischen all den Millionären und den Mädels, die badeten oder sich in der Sonne räkelten. Michel Comte stellte mich Bob vor, einem seiner Freunde, den Chef vom *Gear Magazine*, einer Zeitschrift, die es leider nicht mehr gibt. Ich verstand mich gut mit ihm, und er wollte eine Geschichte über mich machen. Wir blieben in Kontakt, die Story erschien wirklich, zusammen mit Michels Bildern von mir, und wurde so etwas wie mein Door-Opener in L.A.

Zunächst musste ich aber zurück nach Berlin, dort meine Dinge ordnen, ein paar Jobs erledigen und meinen Führerschein machen. Ein Jahr später wohnte ich wieder in L.A., diesmal bei Ronny und Rebecca Novick, einem Filmer und einer Autorin. Beide waren Tibetkenner, aufopfernde Menschen und gläubige Buddhisten. Sie nahmen mich auf, ohne mich zu kennen, ohne etwas dafür zu verlangen, und stellten mir ein eigenes Zimmer zur Verfügung. In ihrem Haus lebten fünf Hunde, alles von ihnen aufgelesene, teilweise übel zugerichtete Straßenköter, die sie pflegten und aufpäppelten. Durch sie kam ich mit anderen Tibetern in Kontakt, die in L.A. lebten. Die beiden nahmen mich auch zu dem Tempel mit, in dem sie immer beteten.

Dieser Tempel, *Thubten Dhargye Ling*, tibetisch für »Park der blühenden Lehre«, ist ziemlich anders gelegen als alle buddhistischen Tempel, die ich je zuvor gesehen hatte. Er steht in der Industrie- und Hafenstadt Long Beach im Süden von Los Angeles. Die beiden Städte sind längst zu einem undefinierbaren Siedlungsbrei zusammengewachsen, in dessen Mitte an einer mehrspurigen Straße in einem unscheinbaren, zweistöckigen ehemaligen Wohn- und Geschäftshaus der Tempel, das tibetische Kulturzentrum und die Wohnungen der Mönche untergebracht sind. Die Hausfassade ist so bemalt und gestaltet, wie ich es von tibetischen Tempeln kenne. Nachdem man seine Schuhe im Vorraum abgestellt hat, betritt man eine andere Welt, in der es nach Butterlampen duftet, nach Weihrauch, Räucherstäbchen, geopfertem Obst und Blumen. Immer, wenn sich die Gelegenheit ergab oder ich in der Nähe war, tauchte ich für ein paar Stunden in diese Oase des Friedens ab, in der jeder Laut durch Teppiche und Kissen und Vorhänge gedämpft wird, und hörte den Belehrungen von Geshe Tsultim Gyeltsen zu, einem weisen, erfahrenen tibetischen Mönch, der genauso wie Mola und meine Amala 1959 vor der chinesischen Gewalt von Tibet nach Indien geflohen war. Er war bei seiner Flucht schon fünfunddreißig Jahre alt und ein angesehener buddhistischer Gelehrter gewesen, der die chinesischen Säuberungen nach der Niederschlagung des tibetischen Aufstandes kaum überlebt hätte.

Geshe-la, wie der Gründer und Guru des Tempels in Long Beach von allen genannt wurde, ein wie Mola aus Osttibet stammender Khampa, starb leider vor kurzem im Alter von 85 Jahren. Drei Stunden und drei Tage vor seinem Tod hatte Geshe-la mit einer Lichtmeditation begonnen, aus der er in sein nächstes Leben wechseln wollte. Während dieser Zeit lebte er zwar noch, bewegte sich aber nicht mehr, sprach mit niemandem und nahm nichts zu sich. Gläubige Buddhisten berichteten, dass sich direkt nach seinem Tod ein doppelter, außergewöhnlich deutlicher und prächtiger Regenbogen über Long Beach, über das Häusermeer und die Industrieanlagen und den Hafen bis hin zum langen Strand am Pazifischen Ozean spannte, ein wegen der dort meist herrschenden Trockenheit selten beobachtetes Phänomen, das viele Bewohner der Stadt staunend beobachteten, ohne etwas von dem soeben verstorbenen Lama zu wissen. Tausende Menschen fotografierten die Himmelserscheinung, die selbst in der *Los Angeles Times* vom darauffolgenden Tag abgebildet und beschrieben wurde. Geshe-las Andenken wird mir immer wichtig sein, denn er war mir eine wichtige Stütze, vor allem in meiner ersten Zeit in Los Angeles.

Meine Gastgeberin Rebecca Novick hatte ein Radioprogramm über Tibet ins Leben gerufen, das im Großraum L.A. über Antenne und weltweit über das Internet Nachrichten, Interviews und Dokumentationen verbreitet. Mittlerweile ist »The Tibet Connection« nicht nur eine Sendung, sondern auch eine gut funktionierende Internetplattform zu allen Fragen rund um Tibet, den chinesisch-tibetischen Konflikt und die Bestrebungen für ein autonomes oder freies Tibet. Weil Rebecca meine Stimme gefiel, aber auch weil ich von der Sache überzeugt bin, fing ich als Anchor-Woman der Sendung an und moderierte die einmal monatlich aufgezeichnete einstündige Show, eine Aufgabe, der ich auch heute noch nachkomme, wenn es mir nur irgendwie möglich ist. Die Tibet-Connection ist für mich ein Symbol für die internationale Vernetzung der Tibeter, die zwar über kein gemeinsames, freies Heimatland verfügen, dafür aber über ein weltumspannendes, freies Kommunikationssystem.

Nach der Zeit bei Rebecca und ihrem Mann Ronny zog ich in die Wohnung des Berliner Schauspielers Guido, in den ich mich während meines letzten, kurzen Berliner Zwischenspiels verliebt hatte, seltsamer- oder auch wundersamerweise ohne zu wissen, dass er lange Jahre in L. A. gelebt hatte und dort immer noch eine Wohnung unterhielt.

Unter Latinos

Weil diese Wohnung zu klein für zwei Personen war, sahen Guido und ich uns bald darauf nach einer neuen gemeinsamen Bleibe um. Wir fanden einen hölzernen Bungalow mitten in Hollywood, gleich neben den großen Studios, in einer Siedlung, in der außer uns nur Latinos lebten. Diese Bungalows waren früher Unterkünfte von Schauspielern gewesen, die in den umliegenden Studios gearbeitet hatten. Vor dem Häuschen, das in der Schweiz gerade mal als Gartenlaube durchgehen würde, parkte die alte, schwarze Mercedes-Limousine, die wir uns gekauft hatten, auf unserer winzigen Veranda stand der Schaukelstuhl, auf dem ich die lauen Abende von Los Angeles genießen und zumindest ein wenig mit unseren Nachbarn plaudern konnte, denn die meisten sprachen nur Spanisch. Diese dörfliche Stimmung wurde immer wieder von Hubschraubern unterbrochen, die regelmäßig unter wildem Geknatter über das Viertel flogen und mit ihren Suchscheinwerfern die Straßen abtasteten, weil sie nach einem Ganoven fahndeten, von denen es in diesem Teil Hollywoods nicht wenige gab. In solchen Momenten zog ich es genauso wie meine Nachbarn vor, mich in unser Häuschen zurückzuziehen, denn niemand hatte Lust, ungewollt die Bekanntschaft eines der gesuchten Männer zu machen.

Ansonsten verlief das Leben in Hollywood in friedlichen, fast kleinstädtischen Bahnen. Im Diner um die Ecke wussten die

Kellnerinnen bereits, was ich frühstückte, in der Reinigung einen Block weiter musste ich nicht mehr meinen Namen nennen, wenn ich meine Sachen abholte. Der stumme Asiate im Liquor Store an der Straßenecke ließ sich manchmal sogar zu einem Nicken hinreißen, wenn ich seinen Laden betrat, und der alten Frau, die mit ihrem Einkaufswagen die Straßen abklapperte, um Getränkedosen zu sammeln, von deren Pfand sie lebte, trug ich meine Plastikflaschen vorbei.

Den größten Teil meiner Zeit verbrachte ich auf der Autobahn, um von einem Casting zum nächsten zu fahren, während ich aß, telefonierte, neue Termine abmachte oder einen Cappuccino auf Eis schlürfte. Finanziell hielt ich mich mit »Commercial Jobs« über Wasser, mit Auftritten in Fernsehwerbespots. Ich merkte schnell, dass mein Typ in der Werbung gefragt ist, weil ich in L. A. als Frau vieler verschiedener Nationalitäten durchgehe, als Asiatin, Russin, Latina oder Italienerin. Um ein geregeltes Einkommen zu haben, fuhr ich nebenbei kurze Zeit als Chauffeurin gestresste Businessleute mit umweltfreundlichen Hybridfahrzeugen zwischen Flughafen und den Hollywood Hills hin und her. Mehr braucht man in L. A. nicht, um dazuzugehören. Hier leben Menschen aus aller Welt, aller Hautfarben, aller Kulturen. Hier wird man nicht gefragt, wo man herkommt, sondern danach, wo man hin will, und damit ist immer die Karriere gemeint.

Ich traf noch mal Bob, den Chefredakteur von *Gear*. Der meinte, ich hätte einen »Look« für L. A., womit er sich auf mein Aussehen bezog, das für die meisten Filmleute keiner bestimmten Kultur zuzuordnen war. Mit Zöpfen halten sie mich, wenn ich will, auch für eine Namibierin, und mit ein bisschen Schminke kann ich eine Japanerin spielen. Nur in Deutschland war ich immer nur eine Asiatin, nichts sonst, genau umgekehrt wie in

Asien: Dort könnte ich nur Europäerinnen und niemals eine Tibeterin, Chinesin oder Japanerin spielen.

Dank Bob lernte ich über drei Umwege meinen ersten Agenten in L.A. kennen. Ihm gefiel meine Arbeit, doch ich musste zwei Dinge tun, bevor er mich in die Agentur aufnahm: meinen undefinierbaren Akzent abtrainieren und ein Künstlervisum besorgen. Zwei Hürden, die nicht einfach zu nehmen waren, aber es gelang mir in beiden Fällen. Ich belegte Kurse bei einem Sprecherzieher und ging zu einem auf Einwanderungsfragen spezialisierten Rechtsanwalt. Das Schöne an L.A. ist, dass es für alles Fachleute gibt: einen schwäbischen Mechaniker für ältere Mercedes-Modelle, einen Lehrer in Sachen Castingvorbereitung, eine bayerische Friseuse für das Diskutieren von Beziehungsproblemen und gewiefte Trainer für verschiedene Vorsprechtechniken. Das ist auch nötig, denn hier feilt jeder an sich, an seinem Auftritt, ununterbrochen, rund um die Uhr, ein Leben lang. Natürlich bemühen sich auch in Deutschland oder in der Schweiz Schauspieler darum, an einem Theater engagiert zu werden oder eine Rolle beim Fernsehen oder beim Film zu bekommen, doch zwischen Engagements ist es dort im Gegensatz zu L.A. nicht üblich, sich weiterzubilden. In L.A. nehmen Schauspieler an viel mehr Castings teil als in Europa, denn die Agenturen sortieren sie nicht schon im Vorhinein aus, um ihre Lieblinge zu pushen, sondern laden jeden ein, der den Anforderungen der zu besetzenden Rolle entsprechen könnte. So haben in Amerika auch unbekanntere Schauspieler die Chance, an eine Hauptrolle heranzukommen.

In L.A. interessiert keinen Menschen, wo oder ob man die Schauspielerei gelernt hat, es zählt nur das Resultat, das Können. Hier lernte ich schnell, dass es keine Sicherheiten gibt. Als ich nach ein paar Wochen Drehs in Europa nach L.A. zurückkam, erfuhr ich, dass mich eine Agentur kurzerhand aus ihrer Kartei gestrichen hatte, weil mein Agent nach Korea ausgewandert war, ohne mir auch nur eine Mail zu schicken. Das ist L.A., das darf man nicht persönlich nehmen. Absagen oder negative Nachrichten bekommt hier keiner zu hören, für die nimmt sich niemand Zeit. Es gibt nur Erfolg oder das große Schweigen, es geht immer weiter und niemals zurück. Seit ich das weiß, ist für mich nichts mehr selbstverständlich, denn ich habe gelernt, mich mit voller Konzentration durch meine Welt zu bewegen. Diese Einstellung hat auch meinen Blick auf Europa verändert. Dort fällt mir vieles leichter als früher, weil vieles in der Alten Welt einfacher ist als in Amerika. Wer sich in L.A. durchschlagen kann, dem kommt Berlin wie ein gemütliches Dorf mit einem sicheren sozialen Netz vor, in dem man bei gutem Willen kaum verlorengehen kann.

FLUCHT OHNE ENDE

Flucht war mein erster Gedanke. Angst, Ohnmacht, Wut. Mit Tränen in den Augen saß ich vor dem Fernseher, starr. Nur meine Finger zuckten hektisch. Ruhelos wanderten sie über die Fernbedienung, um von einem Nachrichtenkanal zum nächsten zu zappen, obwohl überall die gleichen Bilder zu sehen waren: Polizisten mit Helmen, Schilden und Schlagstöcken, die auf wütende Jugendliche eindreschen. Soldaten, die in großen Formationen durch die Straßen laufen, Militärlaster, die Nachschub an Menschenmaterial bringen. Ich sah Tibeter Steine auf chinesische Geschäfte werfen, ich sah Autos in Flammen aufgehen, Männer in Zivil, die andere Zivilisten verprügeln. Ich sah Mönche auf der Straße liegen, bewegungslos, und noch mehr Polizei und Militär, bis es auf den Straßen Lhasas aussah wie im Krieg. Der größte Aufstand der Tibeter seit 1959 hatte am 10. März 2008 begonnen, als Mönche des Klosters Sera am Stadtrand von Lhasa in einer friedlichen Demonstration an den neunundvierzigsten Jahrestag der Niederschlagung des großen Tibeteraufstandes von 1959 erinnern und wieder einmal die Unabhängigkeit Tibets einfordern wollten.

Die chinesischen Sicherheitskräfte schritten anfänglich nicht ein, worauf sich Mönche anderer Klöster den Demonstrationen anschlossen und der Protest auf Lhasa übergriff. Jugendliche gingen auf die Straße, plünderten Geschäfte von Han-Chinesen, steckten Fahrzeuge in Brand und wehrten sich gewaltsam gegen eingreifende Polizisten. Als wenige Tage nach dem Beginn der Proteste die ersten Bilder des Aufstands in Lhasa um die Welt gingen, griffen die chinesischen Sicherheitskräfte hart durch. Es fielen Schüsse auf Mönche und tibetische Zivilisten, mindestens achtzig Menschen wurden getötet, die meisten davon buddhistische Mönche. Wie viele Opfer es genau gab, wissen nur die chinesischen Behörden, doch diese verhängten eine Nachrichtensperre über Tibet. Westliche Journalisten durften nicht einreisen, und die, die vor Ort waren, hatten das Land unverzüglich zu verlassen, weshalb die Flut der Bilder vom Aufstand rasch verebbte, was mich nur noch ratloser vor meinem Fernseher zurückließ, der in diesen Tagen wie bei fast allen Exiltibetern rund um die Uhr lief. Meine Ratlosigkeit nahm immer mehr zu, je weniger Informationen aus Tibet herauskamen.

Ich telefonierte stundenlang mit meiner Mutter, meinem Vater und mit tibetischen Freunden in der Schweiz. Alle versuchten, ihre Verwandten in Tibet telefonisch zu erreichen, aber sie kamen nicht durch. Keiner wusste, ob nur das Netz überlastet war oder die chinesische Verwaltung die Leitungen abgeschaltet hatte. Wer dennoch jemanden in Tibet an den Hörer bekam, wusste zwar, dass die betreffende Person noch lebte, war aber nach dem Gespräch nicht schlauer, da kein Tibeter es gewagt hätte, offen am Telefon zu sprechen. Jeder weiß von abgehörten Leitungen, denn zu oft brechen Telefonate ab, wenn heikle Themen erörtert werden. Zu oft bekommen Tibeter, die mit dem Westen telefoniert haben, ungebetenen Besuch von der Polizei, da jeder Kontakt von eigenen Bürgern mit dem Ausland als Spionage verdächtigt wird, wie es in allen Diktaturen der Welt üblich ist. Der Unterschied besteht nur darin, dass die Volksrepublik China von der internationalen Politik nicht als Diktatur betrachtet wird, obwohl es dort keine Wahlen gibt und keine Selbstbestimmung der Nationalitäten des Riesenreiches. Kein Recht auf Meinungsäußerung, keine freie Presse, keine ungehinderten Kontakte der Menschen mit dem Rest der Welt und keine unabhängige Justiz. Die Liste ließe sich beliebig fortsetzen, doch sie hat keine Geltung in der Welt, weil China eine mächtige Wirtschaftsnation ist, ein von allen Staaten geschätzter Handelspartner, Rohstoffkonsument und Machtfaktor. Jeder unbedeutende Kleinstaat mit so stark beschnittenen Bürgerrechten wäre weltweit geächtet, China hingegen wird von allen hofiert und durfte sich nur wenige Monate nach den blutigen Vorfällen in Tibet als friedliebender Gastgeber der Olympischen Spiele, angeblich ein großes, weltumspannendes Fest des Friedens, präsentieren.

Ich hatte also allen Grund, gründlich ins Grübeln zu kommen. Verzweifelt fuhr ich ins Studio der Tibet Connection, um die Moderation für die Sendung aufzunehmen, in der Menschen in hilfloser Wut über die gewaltsame Niederschlagung des Aufstandes berichteten. All das warf viele Fragen in mir auf: War es gut, dass die Tibeter sich erstmals seit Jahrzehnten mit Gewalt gegen die chinesischen Unterdrücker gewehrt hatten? Hatte es Sinn, chinesische Geschäftslokale zu zerstören, die zum Teil kleinen Leuten gehörten, die versuchten, ausgerechnet in Lhasa ihr Stück vom Glück zu erhaschen? Brachte es etwas, auf Soldaten mit Steinen zu werfen, die zur zahlenmäßig größten Streitmacht der Welt gehörten? Ich konnte diese Gewaltausbrüche verstehen, aber gutheißen konnte ich sie nicht, weil sie wie so oft die Falschen trafen, weil sie nichts an der Lage änderten, weil sie zu einer Verschärfung der Situation aller Tibeter führten, die seitdem in einem noch viel härter zupackenden Polizeistaat leben müssen.

Andererseits musste ich auch anerkennen, dass die tibetischen Freiheitskämpfer Helden sind, denn sie mussten sich der

Konsequenzen ihres Tuns bewusst sein. Oder handelten sie aus totaler Verzweiflung, weil sie keine Zukunft vor sich sahen? Immerhin war es das erste Mal seit den Tibeteraufständen vom Ende der achtziger Jahre, dass die Welt Bilder von der Unterdrückung der Tibeter durch die chinesischen Besatzer sehen konnte. Die verzweifelten Aufständischen wollten sich mit ihren Aktionen Gehör verschaffen, was ihnen auch gelang, denn Tibet war endlich wieder einmal im Fokus der Weltöffentlichkeit. Mein Land ist schließlich seit fast sechzig Jahren besetzt, die Politiker der Welt kennen die Tatsachen, doch sie unternehmen nichts. Sie alle wissen von den grundlosen Verhaftungen, den Umerziehungslagern, der Gewalt, der Folter, aber sie verschließen die Augen davor. Viele Tibeter mussten im Aufstand von 2008 mit ihrem Leben dafür bezahlen, dass dieses Thema im Vordergrund der Weltöffentlichkeit stand, doch ob sich deshalb an der Situation in Tibet etwas ändern wird, weiß niemand, wie es auch meine Mutter kürzlich ausdrückte:

»Wir haben zwar ein weltweites Bewusstsein für Tibet geschaffen«, meinte Sonam, »aber in Tibet haben wir nichts verändert, nicht das Geringste konnten wir in Tibet erreichen.«

Wenige Monate später fand ich mich, genauso ohnmächtig, zusammen mit vielen anderen Tibetern und deutschen Tibetsympathisanten auf einer großen Bühne vor dem Brandenburger Tor in Berlin wieder. Neben mir stand der Dalai Lama und suchte für die fünfundzwanzigtausend Menschen auf dem Platz vor ihm versöhnliche Worte über China. Wie immer konnte er die Herzen der Menschen für sich gewinnen, konnte trösten und jene Menschen für die Sehnsucht der Tibeter nach wahrer Autonomie begeistern, die ohnehin schon dieser Meinung gewesen waren. Die anderen wissen oft nicht einmal, wo Tibet liegt, oder sie denken, mit diesem seit über einem halben Jahrhundert schwelenden Konflikt müsse man sich nicht mehr beschäftigen. Diese Leute haben keine Ahnung, was es bedeutet, in einem Staat wie China mit einer politischen Forderung, die bei den dortigen Machthabern unerwünscht ist, als friedlicher Demonstrant auf die Straße zu gehen.

Am Tag nach unserer Kundgebung vor dem Brandenburger Tor war in den Zeitungen von einem »spontan praktizierten Freizeit-Buddhismus« der Berliner die Rede, von einer »Katja-Riemann-Religion für unterbeschäftigte Fernseh- und Filmdarsteller«, vom »Hüpfen für Tibet«. Natürlich ist diese Kritik teilweise berechtigt, und auch ich frage mich oft, was die Leute dazu bringt, sich in einer naiven Tibetbegeisterung zu ergehen, die sich auf das Schwenken von Tibetfahnen und den Besuch solcher Veranstaltungen beschränkt. Doch was sollen die Menschen sonst tun, die das Verhalten der chinesischen Obrigkeit gegenüber meinem Volk verurteilen? Sollen sie stattdessen zu Hause bleiben? Sollen sie Steine auf die chinesische Botschaft werfen? In meinen Augen ist eine Demonstration die bessere Wahl, damit Politiker wenigstens sehen, dass die Tibetfrage nicht allen Menschen außerhalb Tibets gleichgültig ist.

Wie sehr hätte ich mir gewünscht, dass deutsche Politiker wenigstens anlässlich dieses Besuchs des Dalai Lama in Berlin ein deutliches Zeichen gegen die chinesische Unterdrückung gesetzt hätten. Doch es war wie immer, es war nur ein klägliches, halbherziges Nicken zu bemerken, das nichts anderes bewirkte, als den Chinesen zu zeigen, dass sie keine wirklich negativen Reaktionen der Deutschen auf ihre Politik zu befürchten haben. So kam kein hochrangiger Politiker zu der Veranstaltung, und selbst der Berliner Bürgermeister Klaus Wowereit, der sonst keine Gelegenheit auszulassen scheint, um sein Gesicht in der Öffentlichkeit zu baden, ließ seine Grußbotschaft nur vom Mode-

rator der Kundgebung verlesen. Eine Botschaft, in der er halbherzig von einer »größtmöglichen kulturellen und religiösen
Autonomie der Tibeter« sprach, ohne zu erwähnen, worin diese
Beschränkung auf das »Größtmögliche« liegen sollte. Hatte er
damit auf die Wünsche der Chinesen eingehen wollen, die stets
behaupten, diese Autonomie längst geschaffen zu haben? Vor
dem Berliner Rathaus wurde keine tibetische Flagge gehisst, obwohl der Dalai Lama für alle Tibeter deren unbestrittenes Oberhaupt ist und sonst bei jedem Besuch eines Staatspräsidenten
oder Kanzlers dessen Heimatflagge aufgezogen wird. Doch im
Falle Tibets gelten andere Gesetze, die sich die Deutschen von
den Chinesen diktieren lassen, weil sie wirtschaftlich eng mit
ihnen verflochten sind.

Meine Mutter verlieh ihrem Frust darüber auf eigene Art
Ausdruck: In ihrem Studio setzte sie ihre Ohnmacht in Gemäl-
de um, indem sie etwa das Pekinger Nest-Stadion, das Schweizer
Architekten entworfen hatten, zum Thema eines ihrer Bilder
machte. Mola saß zu dieser Zeit viel vor ihrem Berner Altar, um
dort für das Wohlergehen ihrer Landsleute und aller anderen
Menschen zu beten. Doch wenn unsere Politiker weiterhin vor
den Chinesen kuschen, können wir hier im Westen nicht mehr
gegen die chinesische Allmacht unternehmen, als hin und wieder dagegen zu demonstrieren und über die Situation meines
Volkes und Tibets zu informieren, wie ich es auch mit diesem
Buch versuche. Ich werde jedenfalls nicht aufhören, für die
Menschenrechte in Tibet und die weitestgehende Autonomie
der Tibeter einzutreten, damit es meinem Volk nicht so ergeht
wie den amerikanischen Indianern oder den australischen Abo-
rigines, die ein trauriges Leben als aussterbende, bedeutungs-
und landlose Folkloredarsteller fristen müssen.

Ich mache mir aber keine Illusionen darüber, dass wir uns in

Geduld üben müssen, was Freiheit für alle Tibeter betrifft. Wenn schon die Generation meiner Mutter und vielleicht auch meine Generation kein wirklich autonomes Tibet erleben wird, dann bestimmt diejenige meiner Kinder oder Enkelkinder. Wir müssen uns jedoch der Tatsache bewusst werden, dass das Schicksal Tibets von der unglaublichen wirtschaftlichen Macht Chinas abhängt. Dass es heute kaum mehr ein Produkt gibt, auf dem nicht »Made in China« steht, sollte uns zu denken geben, wenn wir von der Politik ein Einschreiten in einer Krisenregion verlangen, deren Besatzungsmacht wohl bald die wichtigste Wirtschaftskraft der Erde repräsentieren wird.

Diaspora

Meine Familie lebt das Leben vieler Exiltibeter: Über die halbe Welt verstreut hängen unsere Herzen an einer Heimat, die manche von uns kaum kennen oder nie gesehen haben, aber trotzdem lieben, jeder auf seine Art. Wäre Tibet frei, würde ich zwar sofort hinfahren, schon um all meine Verwandten zu besuchen, aber ich würde dort nicht leben wollen. Obwohl Tibet ein Teil meiner Heimat ist, ist es doch fern von den Werten und Vorstellungen, mit denen ich aufgewachsen bin. Ich bin Schauspielerin, ich muss da leben, wo es eine Filmindustrie gibt, ich muss am Puls einer Metropole teilhaben, ich bin von meiner Sozialisation her im Westen verankert. Ganz anders Sonam, meine Mutter. Wäre Tibet frei, würde sie dorthin zurückkehren, wenn auch nicht für immer, so doch für eine bestimmte Zeit. Sie würde dort einen zweiten Wohnsitz unterhalten und sich zusammen mit Martin auch in der Schweiz und in den Vereinigten Staaten für ihre Heimat einsetzen. Für meine Eltern wäre es unvorstellbar, getrennt in zwei verschiedenen Ländern zu leben, oder gar auf zwei verschiedenen Kontinenten. Als mein Vater Martin letztes Jahr einen Job in New York angeboten bekam, als Chefkurator des Rubin Museum of Art, eines auf die Kunst der Völker des Himalaja spezialisierten Hauses, zögerte Amala keine Sekunde mit der Entscheidung, zusammen mit ihrem Mann nach New York City zu gehen, wo meine Eltern seit Sommer 2008 leben.

Und Mola? Obwohl meine Großmutter bald neunzig Jahre alt wird, würde sie keinen Moment zögern, ihre wenigen Habseligkeiten zusammenpacken und in ihr Heimatland zurückkehren, in das Dorf, in dem sie die kleine Sonam aufzog und in dem sie ihre jüngste Tochter gebar, um dort zusammen mit ihren Verwandten zu leben. Ihr größter Wunsch ist es, in ihrer Heimat zu sterben, von einem Lama begleitet, der alle wichtigen Rituale durchführen kann, damit ihrer guten Wiedergeburt nichts im Weg steht, denn das ist ihre größte Sorge bei einem Tod fern der Heimat. Ein frommer Wunsch, dessen Erfüllung alles andere als sicher ist.

Mein größter Schmerz ist mein Unvermögen, etwas zur Erfüllung von Molas Traum beizutragen. Das Einzige, was ich tun kann, habe ich mit diesem Buch versucht: einen Beitrag zu leisten, damit die Kultur, die Traditionen und die wahre Geschichte der Heimat meiner Großmutter und meiner Mutter nicht in Vergessenheit geraten.

Heute sind neben den in Tibet lebenden Tibetern noch die tibetischen Jugendlichen Träger dieser Kultur, die in der Diaspora geboren wurden oder aufwuchsen. Zum Beispiel die Jugendlichen, die in den buddhistischen Klöstern Indiens oder Nepals ausgebildet wurden, um als Mönche oder Nonnen im asiatischen Exil zu lehren oder von dort in die Schweiz oder die

USA auszuwandern, weil sich in den westlichen Ländern viele Menschen für die buddhistische Lehre interessieren.

In der Schweiz lebende Bekannte meiner Eltern schickten vor vielen Jahren ihre beiden Söhne nach Indien, da diese als Inkarnationen verstorbener Lamas anerkannt worden waren. Einer von ihnen kam mit dem Wechsel nach Indien nicht zurecht, er verließ sein Kloster, kehrte nach Europa zurück und lebt jetzt zusammen mit seiner Frau in Deutschland. Der andere der beiden Brüder ist mittlerweile selbst ein Guru. Ich kann kaum fassen, dass der Junge, der mit mir durch die Vorgärten von Münchwilen flitzte und bei uns zu Hause mit dem Rasenmäher Gras mähen durfte, was seinen Eltern gar nicht recht war, weil er dabei viele Insekten tötete, dass dieser Junge heute ein hoher Lama ist. Er lebt in einem tibetischen Kloster in Südindien und ist jedes Jahr monatelang in der ganzen Welt unterwegs, um Belehrungen zu halten, Kontakte zu anderen asiatischen, europäischen und amerikanischen Rinpoches zu pflegen und sein Kloster weltweit zu vernetzen. Er spricht nicht nur fließend Tibetisch, Hindi, den lokalen indischen Dialekt der Gegend seines Klosters, und Chinesisch, sondern auch Englisch, Deutsch und natürlich Schwyzerdütsch. Mein ehemaliger Spielkamerad ist so viel moderner als ich, obwohl auch ich ganz gut mit Handy, Internet und E-Mail umgehen kann. Er aber hat auf seinem Handy so viele E-Mail-Clients, VoIP-Accounts und Videostreams laufen, wie andere Leute Schlüssel an ihrem Schlüsselbund klimpern lassen, über seinen Laptop und sein Telefon ist er mit aller Welt vernetzt, die neueste Soulmusik hört er auf seinem iPod, und wenn er im Tempel meditiert, stellt er sein Telefon auf Vibration, damit die anderen Gläubigen nicht durch das Geläute gestört werden, denn er möchte auch im Tempel stets wissen, wer anruft.

Dieser Mönch ist ein wunderbarer Buddhist, ein prächtiger Mensch, ein kluger Tüftler, aber er ist nicht mehr der tibetische Buddhist vom Schlage Molas, für den Versenkung, Leere und weltabgewandte Spiritualität an erster Stelle rangieren. Er steht für eine moderne, neue Interpretation des Buddhismus, die ich gut finde, die mir aber zeigt, dass das alte Tibet, das meine Mola täglich vor ihrem inneren Auge auferstehen lässt, bald nicht mehr existieren wird. Dieses alte Tibet verschwindet nicht nur deshalb, weil die Chinesen unser Land besetzt halten, dieses alte Tibet verblasst auch immer mehr, weil die Menschen, die es gekannt haben, bald nicht mehr leben werden. Doch all diese Veränderungen können und sollen nicht mehr rückgängig gemacht werden. Die Tibeter mussten sich wandeln und werden sich wandeln wie alle anderen Völker dieser Erde, in einem Prozess, der von den Tibeterinnen und Tibetern selbst gesteuert werden sollte und nicht von einer fremden Macht, die ihnen ihre eigene, ganz andere Form der Entwicklung aufzwingen will.

Auch das Exil verändert die Menschen, Tibeter machen dabei keine Ausnahme, ja selbst tibetische Rinpoches, die von den normalen Tibetern so vergötterten Gurus. Manche von ihnen verlieren den Bezug zu ihrem Glauben, wenn sie plötzlich auch von europäischen oder amerikanischen Gläubigen vergöttert und auf Händen getragen werden, von diesen ihnen früher so fremden weißen Wesen, die viele Tibeter immer für etwas Besseres, Klügeres gehalten haben. Sie geben dann den Kern ihrer Lehre, keine Anhaftungen an weltliche Dinge zu haben, auf, widmen sich dem bequemen Leben, das ihnen die westlichen Fans ermöglichen, tragen Luxusuhren und steigen in teuren Hotels ab. Ein Vorbild all derjenigen, die diesem Trend nicht verfallen sind, ist der Dalai Lama. Er hat trotz seiner unzähligen

Kontakte zu Stars und Politikern, trotz seiner weltumspannen-
den Reisetätigkeit nie seine Bodenhaftung verloren. Er wirkt
immer noch wie ein einfacher Mönch, in all seiner Bescheidenheit, seiner Direktheit und auch in seiner Besitzlosigkeit. In seiner hundertprozentigen Hingabe an die Religion, an sein Volk,
ja an jeden Menschen, mit dem er es zu tun hat.

New York

Seit meine Eltern in New York leben, ist diese Stadt ein neues
Zentrum unserer Familie geworden. Seit 2008 arbeitet mein
Pala als Chefkurator im Rubin Museum of Art, einem wunderbaren Haus für die Kunst und die Kultur Tibets und der Völker
des Himalajas. Zuvor war er fünfunddreißig Jahre lang am Völkerkundemuseum der Universität Zürich tätig. Mein Vater hat
das, was er am besten kann und am meisten liebt, zu seinem
Beruf gemacht: Ausstellungen über tibetische Kultur. Er ist ein
weltweit geachteter und renommierter Ethnologe, Tibetfach-
mann und Buddhismusforscher, ein ruhiger, in sich gesammel-
ter Mensch. Er hat sich bewusst keinen Platz im Elfenbeintum
der Wissenschaft gesucht, sondern erreicht mit seinen Büchern
und Ausstellungen ein breites Publikum. Pala würde sich niemals selbst als Buddhist bezeichnen, aber für uns alle ist er einer,
denn er klammert sich wenig an irdische Dinge und lebt die
buddhistischen Tugenden wie Bescheidenheit, Ruhe, Ehrlich-
keit, Ausgeglichenheit und auch Mildtätigkeit; er setzt sich für
sozial und wirtschaftlich Schwache ein und arbeitete lange Zeit
für ein in der Dritten Welt tätiges Hilfswerk.

Die letzten Weihnachtsferien verbrachten wir alle in Chelsea,
in der neuen Wohnung meiner Eltern. Ich kam aus L.A. nach

New York. Mola reiste von Tashi begleitet aus der Schweiz an. Vier Jahre lang war mein Bruder Lehrer im Zürcher Kreis 5, wo viele Ausländerkinder wohnen, die ihn gut leiden mochten. Mit denen trainierte er an seinen freien Samstagen Basketball und setzte sich für die Integration der Kinder ein, die aus der ganzen Welt stammen. Tashi möchte Künstler werden, zurzeit studiert er in Basel Kunst. Er wohnt in Zürich, ist aber auch oft in Bern, bei Mola, die im alten Schweizer Haus meiner Familie lebt.

Unser Familientreffen war ein schönes Wiedersehen, für mich ein Wunder, dass wir es alle geschafft hatten. Sonam sprudelte nur so vor den vielen Eindrücken, die sie in den vergangenen Monaten in ihrer neuen Heimat bekommen hatte. Sie ist fasziniert von der Stadt, sie genießt die kulturelle Vielfalt, die unzähligen Anregungen, die ihr in ihrer Kunst, der Malerei, zu einem Schub verhalfen, und sie war anfangs überwältigt von der Freundlichkeit und Offenheit vieler Menschen, mit denen sie so viel schneller und unkomplizierter ins Gespräch kam als in der Schweiz. Sonam ist jetzt fünfundfünfzig Jahre alt, aber manchmal sieht sie wie ein kleines Mädchen aus, so verschmitzt und neugierig und flink. Ihre Haare trägt sie notdürftig zu einem Knoten zusammengebunden, denn ihre schwarzen Locken drohen dauernd unter der kreativen Anspannung in Sonams Kopf zu explodieren. Meine Mutter ist Malerin, sie arbeitet abstrakt, aber sie ist mit allen Problemen dieser Welt befasst, in ihrem Kopf brauen sich nicht nur neue Gedanken, sondern auch ständig neue Formen und Farben zusammen. Ich finde, das ist ihr auch von außen anzusehen.

Leicht fiel ihr die Anpassung an ihren neuen Wohnort aber nicht. Meine Mutter klammert sich gerne an Gewohnheiten und meidet, im Gegensatz zu meinem Vater, das Erkunden von Neuem und Ungewohntem, an das sie sich aber nach einer längeren Eingewöhnungsphase so gut anpassen kann wie ein Chamäleon an die Farben seiner Umgebung.

Amala litt unter dem Schmutz und der sommerlichen Hitze der Stadt, am meisten jedoch unter dem Lärm. In New York gibt es einen ständigen Lärmpegel aus Air-Conditioning, Untergrundbahnen, Straßengeräuschen und Sirenen, der nie erstirbt, auch nicht in der tiefsten Nacht. Wie sehr vermisste sie anfangs die Stille, die absolute Stille, die sie aus Pang kennt und manchmal auch aus der Schweiz, wenn sie sich für ein paar Tage in die Berge zurückgezogen hatte.

Sonam ist nach wie vor entsetzt von den harten sozialen Gegensätzen, die ihr jeden Tag in New York vor Augen geführt werden. Von den vielen Bettlern und Obdachlosen, den hoffnungslosen Gestalten an den U-Bahn-Eingängen, den in Lumpen gehüllten Menschen, die in Einkaufswagen Berge von Dosen und Pfandflaschen über die Gehsteige schieben, um sie zu Geld zu machen, und im Kontrast dazu vom Reichtum und von der Verschwendung, der man in Manhattan auf Schritt und Tritt begegnet. Meine Mutter kann es nicht fassen, dass in einem modernen, entwickelten Land so viel Ungerechtigkeit in der Öffentlichkeit unwidersprochen, ja unbeachtet bleibt. Je länger sie in den USA lebt, desto mehr erfährt sie zu ihrem großen Erstaunen Dinge, die sie nie für möglich gehalten hätte: dass kein anderer Staat so viele Gefängnisinsassen hat wie die USA, dass der Anteil schwarzer Gefangener und Hispanics bedeutend größer ist als ihr eigentlicher Anteil an der Bevölkerung. Dass fast vierzig Millionen Amerikaner als arm gelten und deshalb keinen oder nur eingeschränkten Zugang zum Gesundheitssystem haben. Am meisten schockiert sie jedoch, dass es in vielen Bundesstaaten der USA noch immer die Todesstrafe gibt.

Außerdem setzte Sonam die in New York so offensichtliche

Macht des Geldes und insbesondere das Gehabe superreicher Männer zu, bis sie endlich ein Studio fand, in dem sie all ihre Erlebnisse in ihre Kunst umsetzen konnte. Dort malt sie Bilder über die *white collars*, in denen sie versucht, die Macht dieser Männer bildnerisch zu hinterfragen, nicht mit dem metaphorischen Holzhammer, sondern in abstrakten Andeutungen.

New York erinnert meine Amala immer mehr an ihre Zeit als nordindische Straßenarbeiterin und Steineklopferin. Damals erlebten sie und Mola, wie abhängig sie von den Leuten waren, die sie angestellt hatten: Wenn es denen passte, erhielten sie Arbeit, wenn sie den Lohn nicht zahlen wollten, hatten sie das Nachsehen. Nachdem meine Mutter in der Schweiz eine andere Welt kennengelernt hatte und sich schon kaum mehr an diesen urtümlichen, puren Kapitalismus erinnerte, erlebte sie ihn in New York plötzlich wieder, spürte sie die enge Verbundenheit von Geld und Macht täglich und fast körperlich. Sie erfuhr diese Verflechtung von Geld und Dominanz auch im Alltag ihres Mannes und in ihrer Kunst. Sie realisierte, wie künstlerisches Schaffen und die Anerkennung als Künstlerin von Faktoren abhängig sind, die sie kaum beeinflussen kann, nämlich vom Diktat der Händler und der Sammler.

Meine Mutter sieht sich immer mehr als Spielfigur des Marktes und reicher Sammler. Diese erinnern meine Mutter an die *pretas*, die nimmersatten, hungrigen Geister, die gemäß der tibetischen Religion eine der sechs Daseinsarten sind, neben Menschen, Göttern, Titanen, Tieren und Höllenwesen. *Pretas* stellen tibetische Künstler mit kugelrunden Bäuchen und langen, dünnen Hälsen dar, wie die aus Ton geformten vasenähnlichen Gefäße, die Sonam zurzeit herstellt.

Mola kann viel besser mit solchen Situationen und Eindrücken umgehen. In New York nahm sie himmelhohe Fassaden dicht an dicht stehender Wolkenkratzer, die sie nie zuvor in ihrem Leben gesehen hatte, mit unbeweglicher Miene zur Kenntnis, bis sie voller Freude hoch oben auf dem Dach eines Hochhauses ein ihr bekanntes Schild entdeckte, nämlich ausgerechnet das der Schweizer Großbank UBS. Was hat meine Großmutter immer noch für Adleraugen! Ich bin mir aber trotzdem nicht sicher, ob die übereinandergestapelten, wie ineinanderstürzenden Leuchtreklamen von Times Square und Broadway durch ihre dann meist zu schmalen Schlitzen verengten Augen tief in ihre Seele eindringen konnten. Irgendwann meinte sie nur:

»Mir tut mein Nacken weh vom ewigen Hinaufblicken. Diese Häuser sind so hoch, dass ich den Kopf zu stark nach hinten halten muss, um ihre Enden zu sehen.«

Als wir mit ihr auf einen der Wolkenkratzer hinauffuhren, blickte sie nur kurz in die Tiefe und meinte, ihr werde schwindlig.

»Ist es nicht unglaublich, dass Menschen hier leben können?«, fragte sie, ohne eine Antwort zu erwarten.

Am liebsten saß Mola auch in New York auf ihrem Bett und ließ die hundertacht Perlen der Gebetskette durch ihre faltigen Finger gleiten. Dazu brannte sie Räucherstäbchen ab und murmelte Gebete. Gegenüber Bern war nur anders, dass die Opfergaben, die sie für ihre Gebete benutzte, danach nicht den Spatzen zugutekamen, sondern den Nördlichen Kardinälen, wie die mittelgroßen roten Vögel im winzigen New Yorker Garten meiner Eltern genannt werden. Und Mola war nicht mal mehr alleine mit ihrer Andacht, denn auch meine Amala fing wieder an, die alten Gebete aus ihrer Kindheit zu rezitieren. Zeile für Zeile kamen ihr die lange vergessen geglaubten Verse in den Sinn, die sie nun regelmäßig leise, fast vorsichtig vor sich hin murmelt. Meine Mutter tut dies nicht, weil in ihr eine neue Religiosität erwacht ist, sondern weil diese Verse sie beruhigen. Weil sie in ihnen sich selbst erkennen kann und das Gefühl hat, damit wieder ein Stück näher an ihren Wurzeln zu sein. An Wurzeln, die Mola nie verlassen hat und die ihr ein Leben lang immer innere Ruhe und Kraft gespendet haben. Selbst als sie wegen einer vorübergehenden Herzschwäche für zwei Tage in ein New Yorker Krankenhaus musste, verlor sie nicht die Nerven. Sonam war entsetzt von den Verhältnissen dort, von den mit Patienten überfüllten Sälen, von unfreundlichen Krankenschwestern, überlasteten Pflegern und gehässigen Bettnachbarinnen, doch Mola blieb ruhig und fand alles nett. Sie hatte während der langen Krankheit ihres Mannes indische Krankenhäuser gesehen, so dass ihr selbst dieses für schweizerische Verhältnisse wie ein Militärlazarett anmutende Krankenhaus komfortabel erschien.

Es dauerte nur ein paar Tage, bis Mola nach ihrer Entlassung aus der Klinik in New York wieder unterwegs war. Alleine durfte sie zwar nicht gehen, denn dazu waren ihr die Umgebung zu fremd und die Straßenzüge zu leicht zu verwechseln. So war Mola an die Wohnung in Chelsea gebunden, wo sie ihr Heiligtum neben ihrem Bett stehen hatte, wenn auch in stark verkleinerter Form, nämlich als Foto des Dalai Lama, als Bildchen des Dudjom Rinpoche und als handliche Buddhastatue.

Nur ein einziges Mal war Mola alleine in New York unterwegs, um eine kleine *kora* zu machen, einmal um den Block herum. *Kora* nennt man in Tibet die Umrundung eines heiligen Ortes, zu Fuß, oft sogar unter tausendfach wiederholten Niederwerfungen, und immer im Uhrzeigersinn. So ein heiliger Ort kann ein Kloster sein, ein Berg oder der Potala, der alte Winterpalast des Dalai Lama. In Bern gibt es keinen solchen heiligen Ort, also macht Mola ihre *kora* dort immer um den Häuserblock, in dem sie wohnt. Viele der Nachbarn, mit denen Mola bei solchen Gelegenheiten über deren Gartenzaun hinweg plauscht, mögen Molas Weg für den täglichen Spaziergang einer rüstigen Rentnerin halten, doch für sie ist es ein heiliger Akt, denn in ihrem Zimmer steht der Altar mit der Buddhastatue, dem Bild des Dalai Lama und von ihrem Rinpoche, mit kleinen Statuen von tibetischen Gottheiten und einer Schale mit getrockneten Blättern aus Tibet, vom Ufer des heiligen Sees Basum Tso. Nichts davon hätte Mola selbst gekauft, denn sie hält nichts davon, Dinge anzuhäufen. Alles, was dort steht, kam zu ihr, als Geschenk von anderen Menschen, als Fundstück oder als Rest von für andere längst unbrauchbar gewordenen Dingen. Trotzdem ist all das in ihren Augen das Heiligste, das sich in Bern umrunden lässt, und darum tut sie das jeden Tag.

Als ich meine Großmutter dieses eine Mal über die Straßen Chelseas gehen sah, die Nonne mit ihren kurzgeschorenen, schneeweißen Haaren, in ihrem orangeroten Habit, auf der *kora* um ihr Dalai-Lama-Bildchen zwischen all den betriebsamen Bewohnern Manhattans, da musste ich an die vier »Edlen Wahrheiten« des Buddhismus denken: Alles Leben ist Leiden, so lautet die erste Wahrheit. Das Leiden entsteht durch Begierde, so heißt es in der zweiten Wahrheit. Begierde und somit Leiden können durch tugendhaftes Leben und Meditation überwunden werden, so die dritte Wahrheit. Wie tugendhaftes Leben geht, ist in der vierten Wahrheit nachzulesen. Dort ist vom »Edlen Achtfachen Pfad« die Rede, von dem Weg, den Mola ihr Leben lang gegangen ist. Ein Weg, auf dem sie jetzt ihr Ziel erreicht hat, dachte ich, als ich meine versunken lächelnde tibetische Großmutter langsam, bedächtig und ganz bei sich über die Straßen New Yorks gehen sah. Wie ich mir wünsche, auch so einen Weg der eigenen Kraft zu gehen!

Danksagung

Ich möchte an dieser Stelle meiner Mola Kunsang Wangmo, meiner Mutter Sonam Dölma Brauen und meinem Vater Martin Brauen dafür danken, dass sie mir bei der Erforschung meiner Familiengeschichte mit ihrem enormen Wissen, ihrer tatkräftigen Hilfe und ihrer großen Liebe zur Seite standen – ohne euch gäbe es dieses Buch nicht. Ganz herzlich danke ich auch Lukas Lessing für seine Unterstützung.

Ganz lieben Dank an meine Agentin Lianne Kolf sowie an Isabel Schickinger. Einen großen Dank an Guido Föhrweißer, der an mich glaubte und immer für mich da war. Merci an meinen Bruder Tashi, meine Großmutter Ula Brauen, Tamdin, Martina Harrer, Nina Hauser, Lexy Rapsomanikis, Gerold Wunstel, Garo Kuyumcovic, Dominique Schilling, Georg Georgi, Barbara Ryter, Andreas Messerli, Yangchen Lhamo Tagsar, Jampa Tagsar, Kavie Barnes und den Heyne Verlag, der es ermöglicht hat, unsere Geschichte zu publizieren: Ulrich Genzler, Heike Plauert, Claudia Limmer, Sabine Hellebrand und Johann Lankes, vielen Dank für euren Einsatz. Einen speziellen Dank an die vier jungen Männer, die in letzter Zeit so gut nach meiner Mola sehen, seitdem meine Eltern in New York leben: Kaspar »Wüdu« Sutter, Christoph »Stobal« Frey, Christian Schneider und Pierre Strauss.

Zum Schluss möchte ich allen Menschen meinen Dank aussprechen, die sich für die Freiheit und Autonomie Tibets sowie für die Erhaltung der tibetischen Kultur einsetzen. Ohne sie wäre die Heimat meiner Mola, meiner Mutter und damit auch meine Heimat ein weißer Fleck auf der Weltkarte und das Schicksal meiner Landsleute völlig unbekannt.

ANHANG

Zeittafel

1911 In China endet die Qing-Dynastie. China wird eine Republik, die chinesischen Truppen verlassen Tibet.

1913 Thubten Gyatso, der 13. Dalai Lama, kehrt aus seinem Exil in Sikkim zurück und erklärt am 14. Februar die Unabhängigkeit Tibets, versäumt es aber, sich um eine internationale Anerkennung Tibets zu bemühen.

1914 In der »Shimla-Konvention« legen die Abgesandten Großbritanniens, Chinas und Tibets die Grenze zwischen dem damals noch britischen Indien, Tibet und China fest. Sie beschließen eine »Suzeränität« Chinas über Tibet, die außenpolitische Oberherrschaft Chinas bei gleichzeitiger innerer Autonomie der Tibeter, doch die Chinesen ratifizieren das Abkommen nie.

1917 Die tibetische Armee erobert den größten Teil der zuvor noch von den Chinesen besetzten Provinz Kham zurück.

1924 Der damalige Panchen Lama Thubten Chökyi Nyima flieht nach einer Auseinandersetzug mit dem 13. Dalai Lama in die Innere Mongolei und gerät so unter chinesischen Einfluss.

1935 Geburt von Tenzin Gyatso, des 14. Dalai Lama, des »Kundün« oder »Weisheitslehrers«. 1949 Gründung der Volksrepublik China unter der Führung Mao Zedongs, der sofort chinesische Ansprüche auf Tibet stellt.

1950 Chinesische Invasion Osttibets. Der erst fünfzehnjährige 14. Dalai Lama wird angesichts der chinesischen Bedrohung vorzeitig inthronisiert.

1951 Am 23. Mai unterzeichnen Vertreter Tibets und Chinas in Peking das »17-Punkte-Abkommen zur friedlichen Befreiung Tibets«, in dem die Chinesen den Tibetern innenpolitische Autonomie und Religionsfreiheit zusichern, dafür aber den Außenhandel, die Außenpolitik und die Verteidigung Tibets übernehmen. Tibet wird so formell zu einem Teil der Volksrepublik China. Am 24. Oktober stimmt auch der Dalai Lama dem Vertrag zu, unter dem Druck chinesischer Truppen, die bereits das ganze Land besetzt halten, »um die völlige Zerstörung Tibets« zu vermeiden. Die Erfüllung des wichtigsten Punktes, innenpolitische Autonomie für Tibet, bleibt die chinesische Führung bis heute schuldig.

1954 Der 14. Dalai Lama reist auf Einladung Maos nach Peking und lässt sich dort zum »Stellvertretenden Vorsitzenden des Ständigen Ausschusses des Nationalen Volkskongresses« wählen, in der Hoffnung, so Einfluss auf die Politik Tibets zu bekommen. Er setzt auf ein friedliches Zusammenleben der beiden Völker.

1956 In den osttibetischen Provinzen Kham und Amdo kämpfen bewaffnete tibetische Rebellen gegen die immer brutalere chinesische Besatzung, die ihre Militärpräsenz danach umso mehr verstärkt.

1959 Am 10. März bricht in Lhasa ein Aufstand der Tibeter gegen die chinesische Besatzung los, der auf tibetischer Seite Zehntausende Menschenleben fordert. Die Volksbefreiungsarmee beschießt den Norbulingka, die Sommerresidenz des Dalai Lama, der daraufhin mit seinen Getreuen am 17. März nach Indien flüchtet.

1964 Der Panchen Lama beschuldigt China des Völkermordes an den Tibetern und wird daraufhin von den Chinesen verhaftet.

1965 Formelle Gründung der »Autonomen Region Tibet« (TAR) im Rahmen der Volksrepublik China, deren Grenzen allerdings nicht das ganze tibetische Siedlungsgebiet umfassen. Große Teile Osttibets verbleiben bei den chinesischen Provinzen Sichuan und Qinghai, kleine Teile bei Yunnan und Gansu.

1967–1976 Während der chinesischen Kulturrevolution zerstören chinesisches Militär, Rote Garden und auch aufgehetzte Zivilisten an die sechstausend buddhistische Tempel und Klöster, Hunderttausende Tibeter sterben oder verschwinden.

1976 Nach dem Tod Maos Zedongs am 9. September 1976, auf dessen Konto vermutlich mehr als vierzig Millionen Tote gehen, kommt es zu einer Lockerung des politischen Drucks im gesamten Gebiet der Volksrepublik China.

1979–1986 Weitere Liberalisierungswelle in Tibet unter dem chinesischen Reformer und Staatsoberhaupt Deng Xiaoping. Religiöse Freiheiten werden wieder eingeführt, Klöster renoviert, Mönche ausgebildet.

1987–1989 Tibetische Unabhängigkeitsdemonstrationen in Lhasa werden vom chinesischen Militär brutal niedergeschlagen.

1989 Der 14. Dalai Lama erhält den Friedensnobelpreis, die Weltöffentlichkeit blickt erstmals auf das unterdrückte Tibet.

1995 Der sechs Jahre alte Gedhun Choekyi Nyima wird vom 14. Dalai Lama als 11. Panchen Lama anerkannt. Die Chinesen benennen jedoch den unter ihrem Einfluss stehenden sechsjährigen Gyaincain Norbu zum 11. Panchen Lama, der dieses Amt bis heute innehat, aber vom Dalai Lama wie von den meisten anderen Tibetern darin nicht anerkannt wird. Gedhun Choekyi Nyima wird entführt und taucht bis heute nicht mehr auf.

2001 Protest der »Tibeter Jugend« in Moskau gegen die Vergabe der Olympischen Spiele nach Peking.

2007 Die neu errichtete Eisenbahnlinie Peking-Lhasa nimmt ihren Betrieb auf und begünstigt in weiterer Folge die massenhafte Einwanderung von Han-Chinesen nach Tibet.

2008 Gewaltlose Demonstrationen tibetischer Mönche anlässlich des 49. Jahrestages des Tibet-Aufstandes von 1959 führen zu gewalttätigen Auseinandersetzungen zwischen tibetischen Jugendlichen und chinesischen Ordnungskräften auf den Straßen Lhasas, die chinesische Polizisten und Militärs mit großer Brutalität niederschlagen.

2008 Die 29. Olympischen Sommerspiele finden ungeachtet internationaler Proteste gegen die chinesische Besatzung Tibets in Peking statt.

2009 Der 14. Dalai Lama erklärt seinen Kampf für die tibetische Unabhängigkeit für gescheitert. Die Tibeter verzichten erstmals seit Menschengedenken auf das Feiern von Losar, dem tibetischen Neujahrsfest, entgegen ausdrücklicher chinesischer Anordnung, das wichtigste Ereignis des Jahres wie immer zu begehen.

2009 Im Zuge des 50. Jahrestages des tibetischen Aufstandes von 1959 verschärfen die chinesischen Sicherheitsbehörden den Druck auf Tibet, insbesondere auf Mönche, Andersdenkende und Sympathisanten des Dalai Lama, um im ganzen Land aufflackernde Unruhen im Keim zu ersticken. Die Chinesen erklären den Tag der tibetischen Niederlage zu einem nationalen Feiertag, dem »Tag der Befreiung von der Sklaverei«. Einmal mehr schließen die Chinesen Tibet für Journalisten und Reisende aus dem Ausland. Die ersten Todesurteile gegen an den Demonstrationen im Frühjahr 2008 beteiligte Tibeter werden gefällt. Prozesse gegen Hunderte weitere Inhaftierte stehen zum Zeitpunkt der Drucklegung dieses Buches noch an.

Adressen

Tibet Initiative Deutschland (TID)
Die größte und älteste Tibet-Organisation in Deutschland, nach der Niederschlagung der tibetischen Unruhen 1989 gegründet. Informationen, Veranstaltungen und Aktionen zu Tibet.
Greifswalder Straße 4, D-10405 Berlin, Tel. +49.30.42 08 15 21
www.tibet-initiative.de

Gesellschaft Schweizerisch-Tibetische Freundschaft (GSTF)
Veranstaltungen und Publikationen zum Thema Tibet, Unterstützung für tibetische Projekte, aktuelle Tibetberichte auf der Internetseite, seit 1983.
Binzstraße 15, CH-8045 Zürich, Tel. +41.44.4 51 38 38
www.tibetfocus.com

Save Tibet
Gesellschaft zur Hilfe an das tibetische Volk. Hilfsorganisation, die mit der tibetischen Exilregierung und Tibet-Unterstützungsgruppen in aller Welt zusammenarbeitet. Veranstaltungen, Öffentlichkeitsarbeit für Tibet.
Lobenhauerngasse 5/1, A-1170 Wien, Tel. +43.1.4 84 90 87
www.tibet.at

Verein Tibeter Jugend in Europa (VTJE)

Die größte tibetische Jugendorganisation Europas veranstaltet Aktionen zu politischen Fragen Tibets und richtet Veranstaltungen im Bereich tibetischer Kultur aus.
Binzstraße 15, CH-8045 Zürich, Tel. +41.79.5 06 85 12
www.vtje.org

International Campaign for Tibet (ICT)

Über hunderttausend Förderer sprechen seit mehr als zwanzig Jahren mit einer Stimme, die weltweit gehört wird. Büros in Washington, D. C., Amsterdam, Brüssel und Berlin, Field Teams in Dharamsala (Indien) und Katmandu (Nepal).
ICT Deutschland e. V., Schönhauser Allee 163, D-10435 Berlin, Tel. +49.30.27 87 90 86
www.savetibet.de

· Internationale Gesellschaft für Menschenrechte

Die »Arbeitsgruppe München« der weltweit tätigen Organisation befasst sich mit dem Thema Tibet, sammelt Informationen über die dortige Menschenrechtssituation und gibt einen gut recherchierten Newsletter heraus.
IGFM München c/o Adelheid Dönges, Packenreiterstraße 18, D-81247 München, Tel. +49.89.8 11 35 74
www.igfm-muenchen.de

Students for a free Tibet (SFT)

Studentenorganisation von Tibetern und Nichttibetern, die in internationalen Kampagnen für die Freiheit Tibets kämpfen.
602 East 14th Street, 2nd Floor, New York, NY 10009, Tel. +1.212.3 58 00 71
www.studentsforafreetibet.org

The Tibet Connection

Radiosender und Internet-Database mit aktuellen Tibet-Infos (in Englisch).
www.thetibetconnection.org

L. A. Friends of Tibet (LAFoT)

Amerikanisch-Tibetische Kultur- und Hilfsorganisation mit vielen Projekten in der gesamten Himalaja-Region.
P. O. Box 64 10 66-Los Angeles, CA 90064
www.latibet.org

The Tibet Bureau – Genf

Die offizielle Vertretung des Dalai Lama und der tibetischen Exilregierung für Zentral- und Osteuropa.
Place de la Navigation 10, CH-1201 Genf, Tel. +41.22.7 38 79 40
www.tibetoffice.ch

Websites der Familie:

Meine persönliche Seite: *www.yangzombrauen.com*
Tsampa-Vertrieb meiner Mutter Sonam: *www.tsampa.ch*
Die Kunst meiner Mutter Sonam: *www.sonam.net*

www.rmanyc.org
Seite des New Yorker Rubin Museum of Art, in dem mein Vater Chefkurator ist. Das in seinem Bereich weltbedeutende Museum zeigt ausschließlich die Kunst Tibets und der Völker des Himalaja.
150 W 17th Street, New York, NY 10011, Tel. +1.2 12.6 20 50 00

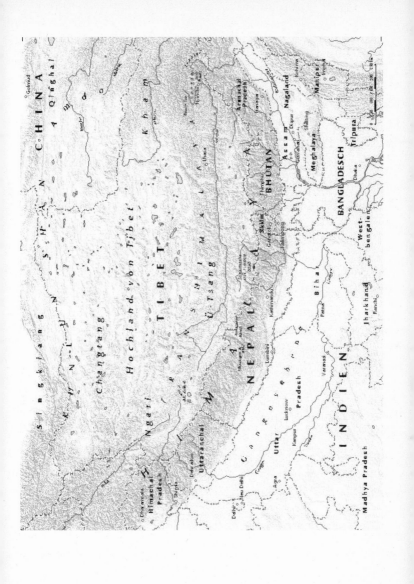

Bildnachweis

Bildteil I
Alle Fotos stammen aus dem Privatarchiv der Autorin.

Bildteil II
Alle Fotos stammen aus dem Privatarchiv der Autorin, mit Ausnahme des Fotos auf der letzten Seite: © Tashi Brauen